Chère lectrice,

Pour vous perm [...] vous raconter l'histoire d' [...] Etats-Unis.

Lorsque Hallowe [...] encore un peu loin, les Américains célèbrent Thanksgiving. Cette fête remonte à l'époque où des Anglais s'installèrent dans le Nouveau Monde, sur des terres aujourd'hui appelées Etat du Massachusetts. On était en novembre 1620, et déjà trop avancé dans la mauvaise saison pour planter. Rien ne poussait. La famine menaçait… Toute la colonie serait morte de faim si la tribu des Iroquois n'était venue à son secours. Les colons furent d'abord effrayés par Samsoet et Squanto, les émissaires indiens… puis rassurés en les entendant parler l'anglais, qu'ils avaient appris auprès du capitaine d'un navire de pêche ayant séjourné sur place quelque temps. Les Iroquois sauvèrent les colons en leur apportant des dindes et du maïs, sortes de « spécialités » locales. Et au printemps suivant, ils leur enseignèrent la culture de cette céréale puis les guidèrent sur les terrains de chasse et les eaux de pêche. Afin d'assurer leur subsistance, les colons plantèrent aussi des haricots et des potirons. Ainsi purent-ils définitivement s'installer sur le sol américain.

C'est la rencontre providentielle des colons avec les Indiens du Massachusetts, mais aussi toute l'année d'apprentissage et d'installation qui suivit, que commémore, le dernier jeudi de novembre, la fête de Thanksgiving. Traditionnellement, on s'y régale de dinde et de gâteau au potiron appelé *Pumpkin Pie*. On partage le dîner en famille « lorsque les feuilles ont quitté les branches, Que les noix et les pommes ont été récoltées, Que les épis de maïs sont prêts pour le troupeau, Que les citrouilles sont engrangées ».

A bientôt…

La responsable de collection

La vie avant tout

ROXANNE RUSTAND

La vie avant tout

éMOTIONS

éditions Harlequin

Cet ouvrage a été publié en langue anglaise
sous le titre :
CHRISTMAS AT SHADOW CREEK

Traduction française de
ISABEL WOLFF

HARLEQUIN®

est une marque déposée du Groupe Harlequin
et Émotions® est une marque déposée d'Harlequin S.A.

Photos de couverture

Bébé : © LAURENCE MONNERET / GETTY IMAGES
Maison : © PHOTODISC / GETTY IMAGES

83-85, boulevard Vincent-Auriol, 75013 PARIS — Tél. : 01 42 16 63 63
Service Lectrices — Tél. : 01 45 82 47 47
ISBN 2-280-07900-3 — ISSN 1768-773X

1.

Joanna Weston respira longuement l'air tiède de cette fin d'après-midi. Enfin, elle était arrivée, et se sentait prête à repartir de zéro. A reprendre son existence en main.

Seule.

Ici, dans cette petite ville perdue dans les montagnes du Nouveau-Mexique, elle espérait retrouver l'enthousiasme, la détermination et la sérénité qui la caractérisaient… Avant.

Une nouvelle ère s'ouvrait à elle : il y avait bien longtemps qu'elle s'était remise de son divorce. Et ce travail temporaire au sein d'une clinique pédiatrique l'aiderait à réintégrer en douceur la spécialité médicale qu'elle aimait tant. Pourtant, elle garderait à jamais, au plus profond d'elle-même, une douleur secrète. Il ne s'écoulerait jamais une seule journée sans qu'elle pense au jour où elle avait dû dire adieu au petit Hunter, le fils qu'elle avait mis au monde.

Deux années s'étaient écoulées, mais il lui semblait que cela s'était passé la veille.

Elle retira le licou de son cheval et caressa son encolure.

— Allez, mon vieux, du courage ! murmura-t-elle. Le voyage a été long, n'est-ce pas ?

Pour elle aussi, d'ailleurs.

Au cours de l'interminable trajet, elle avait crevé un pneu, puis avait dû s'arrêter pendant deux jours, pour faire remplacer le carburateur de sa Land-Rover. A plusieurs reprises, elle s'était demandé s'ils arriveraient jamais. Et lorsqu'ils avaient atteint les montagnes, elle était restée bouche bée.

Traînant derrière elle, pour la première fois de sa vie, un lourd fourgon à chevaux, elle s'était engagée sur la route escarpée, amorçant lentement les virages en épingle à cheveux. Toutes les cinq heures, elle avait fait une halte, afin que sa dernière acquisition, un vieux hongre noir, blanc et gris, puisse dégourdir ses muscles fatigués.

Ces montagnes qui s'étendaient à perte de vue avaient de quoi combler de bonheur le plus exigeant des pur-sang. Galaad pouvait s'estimer heureux de se retrouver au Nouveau-Mexique, plutôt que de servir de matière première dans une fabrique de colle. Mais comme si cela ne suffisait pas, après avoir examiné la barrière de l'enclos entourant son nouveau pâturage, il fonça tête baissée et la démolit sans aucune difficulté. Levant la queue, en signe de victoire, il rua plusieurs fois avec une fougue renouvelée, hennit et disparut dans les collines parsemées de pins et de trembles qui entouraient le chalet. Ces collines montaient en pente régulière vers les monts du Sangre de Cristo, inhabités, dépourvus de toute clôture et, à première vue… infinis.

Eberluée, Joanna prit appui sur la grille de l'arrière du fourgon. De toute évidence, Galaad se dirigeait sans aucun regret vers ce qu'il considérait comme un paradis. Et, à la vitesse où il allait, il n'y avait aucun espoir de le rattraper.

Apparemment désireux de suivre son compagnon dans l'aventure, Moose, un jeune berger des Pyrénées de taille imposante dont elle venait également de faire l'acquisition, se mit à tirer sur sa corde. Elle venait heureusement de l'attacher à un pilier de la terrasse. L'écho de ses aboiements furieux se répercuta dans le paysage désert, et si elle l'avait lâché dans le terrain fermé entourant le chalet, il se serait probablement enfui, lui aussi.

Soudain, il lui vint une idée. Peut-être une ration d'avoine suffirait-elle à lui ramener le vieux hongre ?

Elle ouvrit la portière arrière et s'empara d'un sac de grains qu'elle traîna jusqu'à l'écurie. Tirant sur la couture du sac, elle en vida le contenu dans un baquet propre. Aussitôt, l'odeur sucrée de la mélasse emplit l'atmosphère.

Elle s'empara ensuite du licou et de la corde qu'elle avait accrochés sur un clou, près de la porte, et remplit d'avoine un petit seau, avant de se précipiter vers l'enclos.

Derrière elle, les aboiements effrénés de Moose se firent tonitruants. Le chiot avait promptement adopté le vieux cheval et voulait à tout prix suivre son nouvel ami. Ce qui était hors de question : la région devait être infestée de coyotes ou même de couguars et, avec sa mentalité de jeune chien, son pelage immaculé et ses 35 kilos d'exubérance, Moose aurait fait une proie facile.

En grommelant, elle traversa au pas de course le pâturage desséché. Sa maudite impulsivité l'avait successivement poussée à se rendre à la foire aux chevaux de San Diego, fin août, et, quelques jours plus tard seulement, à s'arrêter dans un refuge pour animaux abandonnés.

Lors du dernier congrès de médecine auquel elle avait assisté, Allen l'avait froidement critiquée. « Tu t'achètes une famille ? Tu devrais voir un analyste, ma pauvre Jo ! »

Ce qu'elle avait effectivement envisagé, l'année précédente, lorsqu'il l'avait quittée pour une gamine de 22 ans, dotée d'un corps de rêve et du sourire mielleux d'une adolescente. N'importe. La meilleure des thérapies était encore ce déménagement. En outre, un vieux cheval et un chien fidèle ne pouvaient être d'une compagnie que plus saine et plus fiable que celle d'Allen.

Elle escalada la barrière défoncée, à l'autre bout du pré, non sans s'être baissée pour cueillir une tige d'armoise sinueuse. L'arôme poivré des minuscules feuilles argentées lui monta au nez. Devant elle, des pins ténébreux s'élevaient, tels des sentinelles montant la garde. Le flanc des collines était illuminé par la robe jaune vif des bosquets de trembles.

L'air, qui se raréfiait, à cette altitude, était pur et vif, et exhalait un exquis mélange de genièvre, de pin et de terre ; elle en éprouva un soudain pincement de cœur, à la pensée qu'il lui faudrait quitter tout cela, dès la fin du mois de décembre.

Prenant une longue inspiration, elle commença son ascension. Il n'y avait aucune trace de sabots sur ce sol rocailleux. Elle appela Galaad à plusieurs reprises, en agitant le seau d'avoine. Seuls lui répondirent le doux bruissement du vent dans les branches, et le sifflement de roitelets, voletant dans les falaises, au-dessus d'elle.

Certes, la nature qui s'étendait à l'infini autour d'elle était somptueuse. Néanmoins, ici aussi le danger rôdait. Au bout d'une heure, les ombres des arbres s'étaient allongées, dissimulant des précipices et sans doute des hordes de coyotes qui n'auraient aucun mal à venir à bout d'un vieux cheval. D'autant qu'avec sa robe tachetée noire et blanche et sa longue queue d'albâtre, l'animal serait facilement repérable dans cet environnement.

Peu habituée à l'altitude, la jeune femme commençait à éprouver quelques difficultés à respirer. La petite ville de Charme était perchée à plus de 2500 mètres, et le chalet plus haut encore. Ses tempes se mirent à battre. Au loin, le soleil entamait sa descente vers l'horizon.

Elle appela Galaad une dernière fois, tendant l'oreille, à l'affût d'un bruit de sabots. En vain. Le cœur gros, elle fit demi-tour pour rentrer chez elle. Quand elle aurait regagné le chalet, elle appellerait la police de Charme pour déclarer la perte de son cheval.

Elle s'engageait sur un autre sentier, pour redescendre, lorsque son regard fut attiré par une tache rouge.

Dans la pénombre, elle distinguait vaguement une forme humaine, affaissée contre un rocher, à quelques dizaines de mètres d'elle. Elle se figea, assaillie par le souvenir d'innombrables faits divers. Tueurs en série. Prisonniers en cavale. Ermites déments... Le monde était plein d'individus susceptibles de se terrer dans des coins isolés.

Son instinct de citadine lui dictait de rentrer chez elle. Et vite !

D'un autre côté, la tache rouge était entièrement immobile et il pouvait très bien s'agir d'un inoffensif randonneur, se vidant de son sang, après une chute.

Regrettant de ne pas avoir pris son téléphone portable, encore que la réception en eût été encore plus médiocre qu'à son chalet, elle s'avança prudemment.

Elle voyait mieux l'individu, à présent, bien qu'il fût tourné dans la direction opposée et ne semblât pas l'avoir remarquée. Ses cheveux noirs disparaissaient sous son chapeau de cow-boy et sa chemise de flanelle était tachée de rouge. Des éperons brillaient au bout des talons de ses bottes. Visiblement, il ne s'agissait pas d'un randonneur.

Il se releva lentement, s'appuyant sur les rochers, et fit redescendre son chapeau sur son front. Après quoi, il partit droit devant lui, en titubant.

Joanna n'était pas stupide au point de se jeter dans la gueule du loup. Malgré tout, voyant sa mâchoire entaillée, ainsi qu'une immense déchirure sur son jean, à la hauteur de la cuisse, elle n'hésita plus.

— Hé ! cria-t-elle. Vous êtes blessé ?

L'homme sursauta et tourna la tête vers elle. Sous l'ombre de son Stetson, elle vit une mâchoire forte et carrée, un nez étroit et des yeux bruns, extrêmement chaleureux. Il avait environ trente-cinq ans.

Un petit rictus éclaira son visage.

— Vous avez perdu votre cheval ? poursuivit-elle en continuant d'approcher lentement.

Les yeux de l'individu se portèrent d'abord sur le licou qu'elle avait jeté sur son épaule, puis sur le seau rempli de grains qu'elle tenait à la main, et son sourire s'élargit.

— Vous, en tous cas, vous avez perdu le vôtre ! Laissez-moi deviner… Il ne s'agirait pas d'un hongre blanc et noir, plutôt maigrichon et très haut sur pattes ?

— Vous l'avez vu ? s'exclama-t-elle, soulagée. Il allait bien ?

— Oh ça, pour aller bien ! Suffisamment pour passer par ici, à la vitesse de la lumière !

Le soulagement de la jeune femme se mua en consternation. De nouveau, elle examina la coupure sur la joue de son interlocuteur, et les taches de sang qui émaillaient sa chemise.

— Mon Dieu ! Il vous a fait tomber ? Je suis navrée !

— Ce n'est pas moi qui ai fait une chute, mais ma pouliche, répondit-il lentement. Votre hongre l'a heurtée de plein fouet en déboulant de derrière ces rochers. On peut se demander lequel des deux a été le plus surpris !

Joanna se sentit submergée par le remords : cet homme aurait pu être gravement blessé, voire tué !

— Je… C'est un animal très doux, d'habitude. Je peux vous assurer qu'il ne l'a pas fait exprès.

Elle aurait juré que l'homme avait levé les yeux au ciel.

— Il n'y a pas de mal. Si on excepte, bien sûr, le fait qu'ils sont probablement tous deux en train de s'ébrouer dans les collines… A moins qu'ils ne décident de regagner mon ranch, bien sûr.

— Vous pensez vraiment que Galaad a suivi votre jument ?

— *Galaad* ?

— Je… J'ai assisté à ma première vente de chevaux aux enchères, il y a un mois et demi, expliqua-t-elle en rougissant. J'ai trouvé Galaad très beau, et, vu son handicap, il risquait d'être emporté par les abattoirs.

— Vous avez acheté un *hongre estropié* ? s'exclama l'inconnu, visiblement estomaqué. *Aux enchères* ?

— Si je ne l'avais pas fait, il serait mort, à l'heure qu'il est. Or, quelque chose en lui m'a interpellée. J'ai pensé que je pouvais lui apporter un bon foyer, pour qu'il termine sa vie en paix… Quoi que vous en pensiez, c'est un bon cheval, vous savez ! acheva-t-elle en haussant les épaules.

— Je n'en doute pas une seconde !

A en juger par son petit sourire et son air patient, il devait la prendre pour une écervelée, citadine jusqu'au bout des ongles et complètement inconsciente.

Ce qui n'avait d'ailleurs aucune importance. Après son expérience malheureuse avec Allen, elle n'avait que faire des préjugés d'un homme doté d'un complexe de supériorité, ce qui semblait être le problème de tous ceux qu'elle rencontrait. Si ce type la trouvait niaise, c'était son problème.

— La nuit ne va pas tarder à tomber ! Vous feriez bien de rentrer chez vous !

En grimaçant, il tira de la poche arrière de son jean un portefeuille usé, dont il sortit une carte de visite.

— J'aurais été ravi de vous raccompagn+er… Hélas, il semble que mon moyen de transport soit rentré sans moi !

— Je suis confuse !

Il balaya ses excuses renouvelées d'un simple geste.

— Ne vous en faites pas ! Appelez-moi demain. Je vous dirai si votre cheval est passé chez moi. A moins… ajouta-t-il, comme s'il venait d'envisager cette nouvelle possibilité, que ma jument suive « Galaad » jusque chez vous !

Elle s'empara de la carte qu'il lui tendait. *Ben Carson — Ranch de Shadow Creek. Chevaux quart sang et bœufs Charolais.*

— Je devrais vous examiner, murmura-t-elle. Vous n'avez pas la tête qui tourne ?

Pour toute réponse, il se contenta de soulever les sourcils. La coupure sur sa joue continuait de saigner et son mutisme ne fit qu'aggraver l'inquiétude de la jeune femme.

— Je suis médecin, vous savez ! C'est votre jour de chance, en quelque sorte !

— C'est une manière de voir les choses, répondit-il sèchement. Je vous remercie. C'est inutile.

— Je n'habite pas très loin d'ici. Laissez-moi au moins vous ramener chez vous en voiture !

— J'ai dit non !

Il partit en boitillant. Malheureusement pour lui, les semelles de ses bottes glissaient sur les rochers, faisant ripper de petits cailloux sur la pente rocheuse. En jurant, il se pencha en avant, les mains serrées sur sa cuisse.

Ah, les hommes ! S'il existait un gène de l'obstination, il ne pouvait qu'être associé au chromosome Y. Elle le rejoignit et attendit patiemment.

— Je ne vis moi-même qu'à quelques kilomètres d'ici, déclara-t-il, en respirant péniblement. Elle est loin, votre voiture ?

— Disons, à un kilomètre et demi !

— Vous louez le chalet des Wilson ?

Surprise, elle acquiesça.

— Jusqu'à la fin décembre. Vous y arriverez, avec votre jambe ? Sinon, je peux aller chercher de l'ai…

— Non !

Elle réfléchit un instant. Si elle le laissait là, pour aller chercher des secours, elle risquait de ne pas le retrouver, dans l'obscurité. Et s'il perdait connaissance, il ne serait pas en mesure de répondre à ses appels.

— D'accord, dit-elle enfin. On va y aller doucement. Vous voulez vous appuyer sur moi ?

— Non !

Leur progression, sur le chemin défoncé, n'en fut que plus lente. Quand ils atteignirent la dernière colline surplombant son chalet, il faisait nuit noire, et seul un pâle rayon de lune et des milliards d'étoiles éclairaient le sentier. Les voyant approcher, Moose se remit à aboyer frénétiquement.

— Il est encore tout jeune, s'excusa-t-elle. Et Galaad lui manque.

— Bon sang ! Qu'est-ce que c'est ? Un ours polaire ?

— Un berger des Pyrénées. Il sera deux fois plus gros en moins de temps qu'il ne faut pour le dire. Il est adorable, vous ne trouvez pas ?

— Si. Super... Et ça, c'est votre carrosse ? demanda-t-il en désignant de la tête la Land-Rover garée devant le chalet.

— Oui. Seulement je voudrais vraiment vous examiner, pour m'assurer...

— Mon contremaître va bientôt rentrer et je dois absolument être chez moi avant lui, répliqua-t-il avec un sourire las. S'il s'aperçoit que ma jument est rentrée sans moi, il risque d'organiser une battue.

Avec un petit soupir résigné, elle l'aida à grimper dans la Land-Rover, qu'elle contourna. La voyant prête à repartir, Moose se remit à hurler.

— Le pauvre... Il a peur du noir ! Je vais l'emmener.

Elle eut bientôt chargé le chiot à l'arrière du véhicule et se glissa derrière le volant. Moose gémit, essayant de s'allonger. Abandonnant la partie, il s'assit, son énorme gueule posée sur le dossier, devant lui.

— Ce n'est encore qu'un gros bébé, vous savez ! Alors, dites-moi, monsieur Carson. Où se trouve votre ranch ?

— A une quinzaine de kilomètres, au sud de Charme. A vol d'oiseau, ce n'est pas très loin, mais il n'y a pas de route directe.

Sa voix profonde et mélodieuse, avec une nuance sensuelle, fit délicieusement frissonner la jeune femme.

— Apparemment, il n'y a aucune route directe, dans les parages, répondit-elle en souriant. J'ai pris plus de virages en épingle à cheveux et de routes escarpées que sur tout le trajet, de la Californie à ici. Quelle région splendide !

Ben appuya son crâne sur le repose-tête. Sa peau était blafarde, à la faible lueur du tableau de bord.

— Et rude ! Nous ne sommes qu'au début de l'automne, et il a déjà neigé, au sommet des montagnes.

Au bout de l'allée sinueuse menant à son chalet, elle jeta un coup d'œil à l'homme installé auprès d'elle.

Maintenant qu'il avait retiré son Stetson, elle distinguait la ligne ferme de sa mâchoire, ainsi que les croissants sombres formés par ses cils. Il avait fermé les paupières quelques minutes après qu'elle eût démarré. Une boucle de cheveux noirs retombait sur son front. Joanna eut instinctivement envie de lever sa main pour la remettre en place.

Il était indéniablement beau. Et, jusqu'à ce qu'il perdît patience devant son insistance à lui venir en aide, elle avait pensé avoir affaire à un véritable charmeur. Pourtant, elle ne se laissait pas séduire si facilement !

De nuit, la route était dangereuse. Aussi, serrant le volant entre ses mains, elle se pencha pour la scruter, dans le halo des phares. Au bout de quinze longs kilomètres, elle se mit à rouler au pas jusqu'à ce que deux poteaux lui apparaissent, de chaque côté de la route. Sur l'un d'entre eux, les mots Ranch de Shadow Creek étaient gravés dans le bois.

— C'est bien ça, murmura Ben. Encore trois kilomètres en direction du nord-ouest et nous y serons.

— Je croyais que vous vous étiez endormi !

— Non, non. Je pensais simplement à ce qu'il me reste à faire, ce soir.

— Vous n'avez pas d'employés ?

— Un seul, à plein temps : Rafe. Il m'assiste dans la gestion du ranch. Moi, je passe la majeure partie de mon temps à dresser les chevaux. Nous ne chômons pas, croyez-moi ! Ce soir, par exemple, s'esclaffa-t-il, j'aurais dû nourrir les juments et rentrer le bétail…

Sous la lumière vive des phares, la clôture de fil barbelé, de part et d'autre du chemin, brillait comme de l'argent. Au loin, Joanna apercevait des lumières, probablement celles d'une maison et de plusieurs bâtisses environnantes.

— Je suis vraiment désolée que Galaad vous ait causé tant d'ennuis. Je n'aurais jamais pensé qu'un cheval estropié puisse courir aussi vite !

— Ne vous en faites pas. Avec une autre monture que cette pouliche, encore toute jeune, ça ne se serait pas produit.

Il laissa passer un moment et s'éclaircit la gorge.

— Merci de m'avoir ramené chez moi.

— Je vous en prie, tout cela est de ma faute, répondit-elle, d'un ton penaud.

Quelques minutes plus tard, elle s'arrêtait sur un grand parking, coincé entre plusieurs bâtiments. Devant elle brillait la lumière d'une terrasse entourant une petite habitation. Une silhouette masculine, visiblement nerveuse, apparut sur le seuil.

Joanna ouvrait déjà sa portière, dans l'intention d'aider Ben à descendre de voiture, lorsqu'il hocha la tête.

— Votre chien risque de déchirer les sièges, si vous le laissez seul. Attendez-moi là une minute. Je vais voir si les chevaux sont rentrés.

La Land-Rover oscillait déjà, sous les déplacements de Moose.

— Bonne idée ! répondit Joanna en riant.

En boitillant, Ben s'avança vers le contremaître.

Leur échange lui parut singulièrement vif. Le vieux rancher secouait la tête avec véhémence, en désignant la route.

Comme elle n'entendait pas ce qui se disait, elle en profita pour examiner les alentours. A la lumière des lampes de sécurité, un bâtiment immense lui apparut, ainsi qu'un certain nombre d'écuries, de granges et de corrals. L'ensemble était net et bien tenu. A sa droite, les lumières brillaient à l'intérieur d'une demeure tentaculaire.

Au bout de quelques minutes, Ben, visiblement tendu, revint vers la Land-Rover. Posant un bras sur le toit du véhicule, il se pencha pour regarder à l'intérieur.

— Rafe n'a vu aucun des deux chevaux. Nous irons à leur recherche dès demain matin.

Joanna sentit l'inquiétude l'envahir.

— Vous croyez qu'ils ont disparu dans les montagnes ? Ou qu'ils se sont tout simplement séparés ?

— Ça m'étonnerait ! dit-il en désignant du menton la chaîne abrupte du Sangre de Cristo. La sécheresse dure depuis quatre ans et il n'y a quasiment plus d'herbe. Sans compter que ma pouliche est née ici. A mon avis, elle va revenir à sa pitance et à ses vieux copains.

— Sinon ?

— Je connais un vieil éleveur, pas très loin de chez vous. Il s'appelle Manny Cordova. Je vais le prévenir, au cas où nos chevaux échoueraient chez lui. J'ai également l'intention d'alerter la police de Charme, ainsi que le shérif du comté.

Malgré la pénombre, Joanna décelait l'inquiétude de Ben dans ses yeux.

— Quand j'aurai récupéré Galaad, je vous promets de faire de mon mieux pour qu'il ne s'échappe plus.

Le regard songeur de Ben se tourna brièvement vers l'endroit où la route du ranch rejoignait la nationale.

— Cela va vous obliger à refaire votre clôture. Le Sieur Galaad ne semble pas la considérer comme un obstacle !

— Mais... Je suis seulement locataire !

— Vous n'avez qu'à faire installer un barbelé électrique ! rétorqua Ben, en haussant les épaules. Vous le reprendrez en partant !

— Lorsque je retournerai en Californie, je mettrai Galaad en pension, à l'abri du danger...

Elle s'interrompit, le considérant avec espoir.

— Je ne peux pas vous le laisser, dans la journée ? Il ne vous dérangerait pas, vous savez !

— Pas question.

— Je croyais que vous étiez éleveur ?

— Je me limite au dressage et à la reproduction. Je n'assure pas le gardiennage.

— Pourtant...

— Désolé ! répliqua-t-il en reculant d'un pas. Voyez en ville. Vous trouverez facilement, dans la région. Et dans le cas contraire, je me renseignerai auprès d'amis à moi. Manny aura peut-être une solution !

Il semblait presque sur ses gardes, à présent, et elle se demandait bien pourquoi.

— Même pas pour un jour ou deux ? En attendant que j'aie réglé le problème de la clôture ? Enfin..., ajouta-t-elle tristement... Si nous retrouvons Galaad, bien entendu.

Ben croisa les bras et s'absorba dans la contemplation de ses chaussures. Finalement, il laissa échapper un long soupir.

— D'accord ! Et je vous enverrai Rafe, pour qu'il vous aide à installer votre barbelé. Comme cela, je serai sûr que ce sera bien fait.

Certes, cela manquait d'enthousiasme. Néanmoins, il avait accepté de l'aider. Or, elle n'attendait rien de plus. Que pouvait-on attendre, d'ailleurs, de la part d'un cow-boy du Nouveau-Mexique, dont l'univers se limitait à quelques têtes de bétail et sûrement à un peu de bon temps, le samedi soir, dans un sinistre bar de routiers… Non, ils n'étaient pas du même monde. Voilà tout.

2.

Joanna fut immédiatement séduite par *Paseo de Sierra,* la rue principale de Charme, avec sa panoplie de salons de thé, de galeries d'art et de boutiques de cadeaux. Les caillebotis à l'ancienne et les vasques de fleurs, disposés de part et d'autre de l'entrée des magasins composaient une charmante invitation.

Comme il n'y avait encore que très peu de circulation, à cette heure matinale, elle roula au ralenti pour admirer les devantures dont la plupart étaient faites d'une terre cuite très prisée dans la région.

A chaque extrémité du *Paseo de Sierra*, des échoppes de bois proposaient l'équipement nécessaire à d'innombrables activités de plein air : pêche, chasse, randonnée, cross-country. Et bien qu'on ne fût qu'au début du mois d'octobre, la température était déjà si fraîche, à cette altitude, que les skis et autres *snow-boards* colorés se vendaient certainement comme des petits pains.

Elle continua de descendre la rue déserte, en suivant les panneaux de signalisation, et s'engagea sur la route de Desert Valley. Arrivée au coin de l'avenue Copper, elle s'arrêta devant la clinique pédiatrique de Charme, son futur lieu de travail. Elle hésita un instant devant la bâtisse, avant de poursuivre sa route.

Tout à l'heure, songea-t-elle. Je ne suis pas encore tout à fait prête. Ce que lui confirma sa gorge serrée. En reprenant son activité de pédiatre, elle allait de nouveau être confrontée à son chagrin.

La chaussée se rétrécissait, sinuant à travers des bosquets de peupliers aux feuilles jaunies qui, plus loin, cédaient la place aux pins et aux genévriers. Malgré les énormes rochers et la rocaille environnants, les arbres parvenaient à prendre racine. D'un côté de la route, un ravin profond et recouvert d'armoise descendait à pic.

La voie aboutissait sur une chute de rochers et une pente escarpée, impraticable en voiture. Sur la droite, une allée terminant en boucle menait devant l'entrée d'un bâtiment de deux étages, en terre cuite.

L'endroit était paisible et d'une grande sobriété, si on exceptait la peinture turquoise qui recouvrait les meneaux des fenêtres, et les pots débordants de bougainvillées saumon et rose vif, disposés de part et d'autre de la porte. Sans l'enseigne turquoise et blanche, elle aussi, placée au-dessus de l'entrée, et sur laquelle était inscrit le mot Naissances, on aurait pu se croire devant une compagnie d'assurances ou une entreprise comptable.

Joanna avait eu l'occasion de s'entretenir avec Lydia Kane, la fondatrice de Naissances, et l'avait trouvée dévouée et pleine de compassion. Toutefois, bien que ces deux qualités fussent essentielles dans cette profession, elle avait du mal à concevoir que les femmes n'optent pas instinctivement pour un service de maternité pourvu d'une technologie de pointe, ainsi que d'un personnel suffisant pour sauver, le cas échéant, la vie d'un enfant et de sa mère.

Pourtant, dès qu'elle pénétra dans l'établissement, ses préjugés se dissipèrent.

Dans le hall d'entrée et la salle d'attente, le sol en carrelage mexicain était recouvert çà et là de tapis Navajo aux couleurs vives. Les murs, eux, étaient ornés de gravures et de posters éducatifs attrayants. Dans un coin, des flammes dansaient derrière les panneaux de verre d'une cheminée *adobe*, réchauffant l'atmosphère. L'arôme riche d'un thé à la pêche s'échappait de la zone de réception.

L'ambiance était chaude et accueillante, et Joanna fut surprise de se sentir comme chez elle.

De jeunes infirmières allaient et venaient dans le couloir, leur stéthoscope autour du cou, un conférencier coincé sous le bras. Elles ne portaient pas de blouses blanches, mais paraissaient à la fois compétentes et sûres d'elles-mêmes.

Une dizaine de femmes d'origine diverse et toutes à différents stades de leur grossesse étaient installées dans les fauteuils de la salle d'attente, tandis que quelques bambins s'ébrouaient sur un tapis de jeu.

Joanna aperçut une femme au ventre énorme, dans le couloir. Elle devait être sur le point d'accoucher. Elle avançait lentement, en se dandinant, une main sur ses reins et l'autre sur son ventre. Une jeune femme en sabots, vêtue d'une robe longue en jean marchait auprès d'elle, lui parlant à voix basse.

Une autre employée, petite et boulotte, d'origine hispanique, entra d'un pas nonchalant dans la salle d'attente et s'adressa à la plus âgée des patientes.

— *Buenos dias, Senora Martinez ? Se acuerda de mi ?*

Un petit sourire aux lèvres, son interlocutrice pencha la tête sur le côté, faisant mine de réfléchir.

— *Lenora ?*

Lenora acquiesça et, après avoir échangé quelques plaisanteries en espagnol, toutes deux s'enfoncèrent dans le couloir.

Derrière un comptoir de réception très élevé, une petite brunette d'âge moyen, parlait au téléphone. Lorsqu'elle eût terminé sa conversation, elle raccrocha et s'adressa à Joanna, un large sourire aux lèvres.

— Bonjour ! Je m'appelle Trish. Que puis-je faire pour vous ?

— Lydia Kane est-elle ici ?

Le sourire de la réceptionniste s'évanouit et une lueur d'inquiétude traversa son visage épanoui.

— Si vous êtes, euh, journaliste, je crains qu'elle ne soit pas disponible. Laissez-moi votre nom et…

Se demandant à quoi elle faisait référence, Joanna observa Trish. Visiblement troublée, celle-ci semblait à deux doigts de s'enfuir en courant. Que diable se passait-il ici ?

— Joanna Weston, déclara-t-elle. Je suis venue remplacer le Dr Jones, à l'hôpital pédiatrique de Charme.

Les joues de Trish s'enflammèrent.

— Oh ! Je suis navrée. J'aurais dû m'en douter… Un instant, je vous prie. Je vais voir si Lydia peut vous recevoir.

Elle se pencha alors vers l'Interphone posé sur son bureau. Quelques minutes plus tard, une femme assez grande et très distinguée émergea du bout du couloir et se dirigea vers Joanna d'un pas décidé.

— Bienvenue dans notre petite ville de Charme, docteur Weston ! lança-t-elle, en lui tendant une main hâlée. Nous avions hâte de vous rencontrer !

Tout en elle, de ses cheveux argentés, ramenés en arrière en un chignon lâche, jusqu'au bout de ses sandales indiennes, irradiait la sérénité et une certaine force de caractère. Joanna se la représenta sans peine en hippie des années soixante, de celles qui faisaient leur propre farine, cuisaient leur propre pain et militaient en faveur de la paix dans le monde.

Ses bijoux — quelques bracelets d'argent cliquetant à ses poignets, de larges anneaux accrochés à ses oreilles et un magnifique pendentif rose, retenu à son cou par une longue chaîne d'argent — renforçaient encore cette image.

— Je suis ravie de faire votre connaissance, moi aussi. Sans votre soutien, je ne serais sans doute jamais venue… J'ai eu beaucoup de mal à me décider, ajouta-t-elle, touchée par l'enthousiasme de son interlocutrice.

— Vous avez pris la bonne décision !

Vraiment ? Ses amis en avaient été convaincus, eux aussi. En entendant parler de cette offre d'emploi, à Charme, ils l'avaient pressée d'accepter et c'est tout juste s'ils ne l'avaient pas aidée à faire ses bagages. Ils avaient vu la condescendance d'Allen, son dédain pour ce qu'elle ressentait, et avaient pressenti qu'un éloignement lui serait très bénéfique.

Joanna, elle, savait qu'il n'en était rien.

Il y avait bien longtemps que l'attitude de son ex-mari ne la touchait plus. En revanche, ce qui perdurerait où qu'elle aille, c'était ce chagrin aussi immuable et total que le lever et le coucher du soleil, jour après jour.

Après la mort de Hunter, elle s'était focalisée sur ses petits patients. Plus que de la simple conscience professionnelle, son métier était devenu une véritable obsession. Hélas, le décès de son fils avait été suivi de près par celui d'un autre nourrisson, achevant de l'anéantir. Accablée par la tristesse et le doute, elle avait abandonné la pédiatrie pour travailler en hôpital de jour dans une résidence de retraités. Là, elle ne voyait pratiquement que des personnes âgées.

Enfin… Peut-être qu'après avoir remplacé le Dr Jones pendant quelques mois, elle serait enfin prête à reprendre cette carrière qu'elle rêvait d'exercer depuis sa première année de médecine.

On lui avait proposé un poste dans une prestigieuse clinique pédiatrique de San Diego. Et celle-ci travaillant en étroite collaboration avec l'université, Joanna aurait sans doute l'opportunité d'y faire également de la recherche. Des travaux de recherche importants, qui pourraient sauver un grand nombre d'enfants, à l'avenir. Elle ne pouvait pas laisser passer cette occasion : c'était l'accomplissement de son vœu le plus cher.

La voix de Lydia Kane la ramena au présent.

— Nous avons grand besoin de vous, en l'absence du Dr Jones, disait cette dernière. Dommage que notre administrateur, Parker Reynolds, ne soit pas là pour vous accueillir, ajouta-t-elle avec un sourire affectueux. Il s'est marié quelques jours seulement avant votre arrivée et il s'est envolé pour la Floride avec son fils et sa nouvelle épouse.

— J'aurai beaucoup de plaisir à le rencontrer. Toutefois, en votre qualité de fondatrice de cet établissement, je suppose que vous êtes à même de me fournir toutes les informations dont j'ai besoin ?

Une ombre traversa le visage de Lydia Kane.

— Je ne m'occupe plus des questions administratives.

— Je croyais que vous faisiez partie du conseil d'administration !

— J'en ai démissionné, il y a quelques mois… Pour raisons personnelles.

Cela expliquait sûrement la méfiance de la réceptionniste. Joanna changea prudemment de sujet, en attendant de pouvoir l'aborder en privé avec la directrice.

— Une de vos employées m'a trouvé la location idéale. Un adorable petit chalet, avec vue magnifique sur les montagnes. Je n'aurais pas mieux fait !

Lydia sourit, mais une lueur de tristesse brillait toujours dans ses yeux.

— Vous devez parler de notre comptable, Kim Sherman. Elle est terriblement efficace !

— Je veux bien le croire ! Le ménage était fait, et l'électricité et le téléphone étaient déjà branchés à mon arrivée ! Il faudra que je l'invite à dîner, pour la remercier.

— C'est très aimable à vous…, commença Lydia avec une petite moue. Toutefois, ne soyez pas surprise si elle refuse. Elle ne sort pas beaucoup. Elle semble ne s'intéresser qu'à son travail.

— Si elle est timide, je me contenterai de lui faire envoyer des fleurs !

— Loin s'en faut, croyez-moi ! s'esclaffa Lydia. Elle n'est ici que depuis quelques mois et elle veille de près à ce que nous n'excédions pas notre budget ! Et pour ce qui est de collecter des fonds, ce qui n'est pas mon fort, elle est redoutable !

— Je voulais vous dire… Je crains de ne pas savoir grand-chose sur cet établissement. Le Dr Jones m'a principalement informée du fonctionnement de sa clinique. Vous… Vous procédez toujours à des accouchements à domicile ?

Lydia Kane l'observa un moment, l'air songeur.

— Vous paraissez quelque peu… dubitative.

— Je dois avouer que je me sens plus à l'aise quand la grossesse et l'accouchement sont surveillés par un gynécologue.

— Rassurez-vous, nous avons reçu la formation nécessaire, et avons toute licence à pratiquer de manière indépendante. Mais nous travaillons en collaboration avec le Dr Ochoa, qui est obstétricien à l'hôpital du comté d'Arroyo, ainsi qu'avec le Dr Jones, que vous allez remplacer. En cas de complication, nous nous en remettons à eux. Toutefois, nous considérons la naissance comme un événement naturel qui, dans la plupart des cas, se déroule normalement, et peut très bien se faire dans le lit parental. C'est tellement merveilleux de voir le mari, et parfois le reste de la famille, y prendre part !

Joanna sentit une angoisse familière s'installer dans sa poitrine. Elle repensa à la réaction d'Allen, en apprenant que leur nouveau-né était atteint d'une malformation cardiaque. Il s'était montré distant, s'était replié sur son travail, et elle ne lui avait pas pardonné sa désertion.

— Joanna ? Quelque chose ne va pas ? demanda Lydia Kane, visiblement inquiète.

— Non. Rien… Rien du tout, répondit-elle, essayant vainement de retrouver le fil de la conversation. Je… J'aimerais visiter l'établissement. Vous avez beaucoup de patientes ?

— Nous traitons une moyenne de 80 femmes par mois.

Joanna suivit Lydia dans le couloir, en laissant échapper un petit sifflement admiratif.

— Cela fait beaucoup pour une si petite ville !

— Toutes ne sont pas de la région. Nous acceptons des patientes vivant dans un rayon d'une heure de route d'ici. Parfois, ajouta-t-elle, elles viennent même de plus loin et séjournent à Charme, pour pouvoir utiliser nos services.

— Et votre personnel ?

— En dehors du secrétariat, il est composé de quatre sages-femmes. Nous sommes loin de la clinique standard, n'est-ce pas ? observa-t-elle, en s'arrêtant devant une salle d'examens inoccupée où elle fit pénétrer Joanna.

La pièce était pourvue d'un lavabo, de quelques éléments contenant du matériel médical et d'une table d'examen. Plus inattendus étaient la peinture rose corail, le tableau mural, à une extrémité, représentant une cour de récréation, le canapé douillet et le fauteuil rembourré qui lui faisaient face.

— C'est magnifique !

— Bien entendu, nous disposons de tout l'équipement habituel. Toutefois, comme nous consacrons une bonne partie de notre temps à parler avec nos patientes, nous veillons à ce que chacun bénéficie de tout le confort possible.

Malgré sa circonspection, Joanna sentit sa curiosité s'éveiller.

— Vous faites beaucoup de visites à domicile ?

— Nous essayons de satisfaire les demandes de nos clientes, dans la mesure du possible, répondit Lydia. Nous procédons à des accouchements à domicile, nous avons des chambres, ici… Nous allons même assister à la délivrance de nos patientes à l'hôpital de Comté, si besoin est. La sage-femme peut les prendre en charge, de bout en bout.

— Un accouchement peut durer des heures !

— Certes. Mais ce travail est un sacerdoce, pas une simple carrière. La joie de mettre un enfant au monde compense tout le reste, murmura Lydia, avec une satisfaction évidente. Les sages-femmes sont également habilitées à dispenser des conseils sur le contrôle des naissances et à procéder à des examens gynécologiques.

Cela expliquait la présence de la femme d'un certain âge, dans la salle d'attente. Un peu plus loin, dans le couloir, elle s'arrêta devant un panneau d'affichage géant, croulant sous des centaines de photos de bébés de tous âges, d'enfants posant avec des nouveau-nés, de parents berçant leur petit.

Tout ce dont elle avait rêvé... et qu'elle avait perdu, en cette triste journée de décembre, deux années auparavant.

— Nous obtenons d'excellents résultats, reprit Lydia, en la guidant vers l'autre extrémité du bâtiment. Bien entendu, nous transférons immédiatement tout cas à risque aux obstétriciens. Nous représentons une simple alternative et ne sommes en aucun cas en compétition avec le reste de la communauté médicale. Notre seul objectif est le bien-être de la mère et de l'enfant.

Elle désigna de la main plusieurs portes ouvertes.

— Et voici nos salles d'accouchement !

Joanna s'arrêta pour jeter un coup d'œil à l'intérieur. Le décor en était coloré et agréable, avec ces plantes accrochées aux fenêtres et ces couvertures Navajo repliées au pied de chaque lit. Chacune des chambres disposait d'un placard et d'un berceau.

— Charmant ! commenta-t-elle.

— Nous voulons que les femmes qui choisissent d'accoucher ici s'y sentent comme chez elles.

Lydia s'immobilisa devant une arcade, séparant le service administratif du reste des locaux. A l'intérieur, une petite femme blonde d'environ vingt-cinq ans était assise devant un ordinateur, le visage tendu par la concentration.

— Kim ? Je vous présente le Dr Joanna Weston.

La jeune femme fit remonter ses lunettes cerclées d'acier sur son nez et salua la nouvelle venue d'un imperceptible mouvement de tête.

— Lydia, il faudra que je vous voie pour les statistiques, quand vous aurez une minute !

Joanna s'approcha du bureau.

— Merci de m'avoir aidée à trouver un logement, Kim. Vous avez très bien choisi !

Kim haussa les épaules.

— Oh, ce n'est rien ! marmonna-t-elle, sans serrer la main que lui tendait Joanna.

— Kim est une bénédiction pour cette clinique, glissa subtilement Lydia dans le silence gêné qui s'ensuivit.

Joanna entendit une voix masculine monter de la réception et tourna la tête. Un homme, trapu et d'une taille impressionnante, dont les cheveux rares étaient ingénieusement peignés, saluait les femmes assises dans la salle d'attente. Il aperçut la plus âgée, assise avec une fillette dont elle aurait pu être la grand-mère, et son sourire se fit mielleux.

— *Buenos Dias, Senora Marquez !*

Il s'approcha d'elle, pour lui parler à voix basse. Soudain, son regard se porta sur Lydia. Il se figea, un sourcil soulevé.

La fondatrice de Naissances le salua d'un bref signe de tête, entraîna Joanna dans son bureau, et referma la porte.

— Un de vos employés ?

— Non. C'est Stuart Pennington. Il siège au conseil d'administration.

Et, à en juger par le ton sec de Lydia, ils n'avaient pas la même conception de la manière de gérer la clinique.

— Vous avez un très joli bureau !

Ici aussi, le décor était à l'image de cette région sud-ouest des Etats-Unis. Des poteries de valeur ornaient les guéridons disposés de part et d'autre d'un canapé de cuir recouvert de coussins. Le canapé et les fauteuils étaient séparés par une longue table basse, recouverte de magazines parentaux et de quelques exemplaires du *Bulletin de la Sage-femme et de la Santé de la Parturiente*. Les étagères recouvrant tout un pan de mur croulaient sous les ouvrages médicaux, spécialisés en obstétrique, en pédiatrie et en médecine parallèle. Un tableau représentant une Indienne Navajo et son enfant était accroché au-dessus du canapé, et, sur l'énorme bureau de chêne, se trouvaient des dizaines de photos encadrées. De la famille, sans doute ou bien des patients. Quoiqu'il en soit, l'atmosphère générale de la pièce était aussi sereine et rassurante que son occupante.

— Vous voulez une tisane ? Un café ?

Joanna consulta sa montre et secoua la tête, à regret.

— Je pense qu'il est temps que je me rende à la clinique… Puis-je vous demander ce que vous attendez de moi, ces prochains mois ? Je sais que je verrai principalement les petits malades de la clinique pédiatrique, toutefois, j'aimerais que la transition se fasse aussi simplement que possible.

— Bien évidemment, si nous rencontrons le moindre problème, au cours d'une grossesse ou d'une naissance, nous vous contacterons immédiatement. Le reste du temps, vous verrez les nouveau-nés, pour leur premier bilan de santé. Le Dr Jones se déplace chez les jeunes mamans qui ne peuvent venir jusqu'en ville. Au début, il n'était pas très chaud, ironisa-t-elle, mais, au fil du temps, il est devenu notre meilleur allié.

Des visites à domicile… Une pratique d'un autre temps… à laquelle elle se soumettrait volontiers, pendant son séjour dans la région.

— Il me tarde de travailler avec vous, Lydia !

La fondatrice de Naissances se renversa dans son fauteuil et l'examina un instant, d'un air songeur.

— Si cela vous intéresse, vous pourriez donner des cours aux jeunes mères, pendant votre séjour. Cela fait un bon moment que Jones et Ochoa parlent de mettre ce projet sur pied.

— Et vous en avez assez d'attendre que ça se concrétise ?

— Quand il s'agit du mieux-être des mamans et leurs bébés, je dois avouer que je manque de patience, avoua Lydia en riant. De plus, ce serait tellement bénéfique, à nos plus jeunes mères en particulier, celles qui sont encore adolescentes elles-mêmes et ont été élevées au régime pizza et soda. Ces gamines viennent souvent de milieux familiaux défavorisés. C'est pourquoi nous essayons de travailler avec elles dans plusieurs domaines. Notre psychologue locale, Célia Brice, essaye de les informer, avec l'aide de notre assistante sociale, Alice Richards. Toutefois, vous pourriez apporter votre expérience et vos connaissances médicales dans ce projet.

— De sorte que, lorsque je repartirai, le Dr Jones se trouvera dans l'obligation de poursuivre ?

— Exactement, pouffa Lydia. J'ai toujours pensé que c'était par les femmes que les grandes choses se faisaient, en ce bas monde. Pas vous ?

Joanna acquiesça.

— Je voudrais vous poser une question. Lorsque je suis arrivée, tout à l'heure, votre réceptionniste m'a prise pour une journaliste, ce qui l'a mise dans tous ses états. Vous pouvez m'expliquer ?

Le visage de Lydia se fit de marbre.

— Nous… Nous avons eu quelques ennuis.

Comme elle ne poursuivait pas, Joanna se redressa sur son siège.

— Je vais travailler avec votre établissement, dit-elle. Je veux savoir ce qui s'y passe.

— Naissances s'occupe de nombreuses familles en difficulté. Très souvent, leurs ressources sont trop élevées pour qu'elles puissent bénéficier d'allocations, mais insuffisantes pour assumer leurs frais médicaux. Nous dépendons de la générosité de mécènes... Or, nous en avons perdu un certain nombre, ces derniers temps.

— Comment cela se fait-il ?

— Les temps sont durs pour tout le monde, j'imagine, déclara évasivement Lydia. Depuis quatre ans, nous souffrons de la sécheresse, dans cette région. La perte de nos financements a quelque peu affecté la confiance de certains, dans notre petite communauté. Les ragots vont vite, dans une ville comme Charme et le nombre de nos patientes a fortement diminué. Cela ne durera pas, bien entendu. Seulement... le conseil d'administration s'inquiète.

— Stuart Pennington en tête ?

— C'est l'un de nos membres les plus, euh, disons conservateurs ! rétorqua Lydia, les lèvres pincées. Malheureusement pour nous, sa famille est également l'un de nos plus importants soutiens, et cela grâce à sa femme. Il a épousé la fille d'un des plus grands ranchers de la contrée.

— Ce qui lui confère un pouvoir certain.

— Vous comprenez bien la situation, je crois...

Quelques minutes plus tard, Joanna quittait l'établissement, très intriguée. Elle avait du mal à cerner la personnalité de la femme énigmatique qu'elle venait de rencontrer. Elle avait décelé une nuance de tristesse, teintée de rancœur, dans les yeux de Lydia Kane. Et, bien que ses questions eussent été directes, les réponses obtenues lui avaient semblé bien vagues.

Qu'est-ce qui avait bien pu pousser une femme telle qu'elle à se retirer du conseil d'administration d'une clinique qui lui tenait visiblement très à cœur ?

3.

Joanna redescendit la route de Desert Valley jusqu'à la clinique pédiatrique de Charme. Le bâtiment était, lui aussi, ombragé par d'immenses pins qui lui conféraient une certaine sérénité. La porte d'entrée jaune vif contrastait agréablement avec les murs de terre cuite.

A l'intérieur, en revanche, l'accueil était sombre et froid, équipé de chaises de plastique et d'un lino brunâtre. Dans un coin, quelques jouets et livres d'enfants traînaient sur un carré de moquette orange. Le Dr Jones était loin d'être aussi doué que sa consœur de Naissances, pour créer une ambiance chaleureuse.

La réceptionniste assise derrière le comptoir leva la tête et sourit. Elle était très jeune, portait un impeccable uniforme blanc, et ses cheveux noirs et brillants étaient noués en chignon.

— Docteur Weston ? s'enquit-elle avec une nuance d'admiration mêlée de crainte.

— C'est cela même. Et vous, vous devez être Nicki ?

— Oui, madame... Je veux dire... Docteur. Je... Je ne pensais pas... Je savais que vous étiez une femme, mais...

Elle baissa la tête, visiblement gênée.

— Vous êtes plus jeune et beaucoup plus jolie que je ne me l'imaginais.

— Merci ! J'avais l'impression d'avoir pris dix ans, après mon long voyage et… Hum… disons, quelques soucis avec mon cheval !

— Le cheval qui s'est échappé ? Gina m'a parlé de la petite fugue de Galaad, hier soir.

— Gina ?

— Vous ne l'avez pas vue, à la maternité ? demanda Nicki, perplexe. C'est qu'elle devait être en visite à domicile ou à l'hôpital, ce matin. Elle ne ressemble pas du tout à son frère, Ben. C'est une véritable rouquine ! Je suis sûre que vous l'apprécierez beaucoup.

La sœur de Ben Carson ? Décidément, le monde était petit !

— Excusez-moi, reprit Nicki en s'esclaffant. On me dit souvent que je devrais réfléchir davantage avant de parler. Trish m'a appelée de Naissances, pour m'annoncer votre arrivée. Gina vient d'y être embauchée comme sage-femme. Elle est très sympa ! Il m'arrive de garder ses deux petites filles, quand elle travaille en soirée ou de nuit.

— Je vois !

— Oh ! Attendez ! reprit Nicki, en cherchant parmi ses papiers. J'ai plusieurs messages pour vous… Le Dr Jones a appelé pour me donner le numéro où on peut le joindre, à New York. Il est désolé de ne pas avoir pu rester pour vous faire visiter les lieux. Par ailleurs, un certain Dr Allen Holcomb a téléphoné, de Californie et…

Elle se remit à fouiller avec une agitation grandissante, avant de brandir triomphalement un troisième morceau de papier.

— … Un appel de Ben — elle avait prononcé son nom comme s'il s'agissait d'une vedette de cinéma — qui dit avoir retrouvé votre cheval. Il veut que vous le contactiez sur son portable immédiatement. Voici son numéro !

— Je peux téléphoner ?

— Bien sûr, s'exclama Nicki en se levant d'un bond. Dans le bureau du docteur… Dans *votre* bureau, je veux dire !

Le couloir, très large, donnait sur quatre salles d'examen, un laboratoire et une petite pièce, réservée au personnel. Nicki ouvrit la dernière porte, et s'effaça pour laisser passer Joanna. Celle-ci pénétra dans un bureau spacieux, où trônait un énorme bureau de chêne sculpté, entouré de chaises tapissées et de deux magnifiques lampes de verre dépoli. Une lithographie originale représentant la chaîne du Sangre de Cristo parachevait ce décor luxueux et donnait à la pièce l'aspect confortable qui manquait cruellement à la zone d'accueil.

— Eve, notre infirmière, devrait arriver vers midi. Si vous voulez, je peux vous apporter les dossiers des rendez-vous de demain… Comme ça, vous vous ferez une idée.

— Merci.

La jeune fille agita une main en un geste enfantin, et sortit en refermant la porte derrière elle.

« Les rendez-vous du lendemain… »

Joanna sentit son pouls s'accélérer, en repensant à sa dernière consultation à l'hôpital de San Diego, deux ans auparavant. Malgré ses efforts désespérés, elle n'avait pu sauver de la mort un nouveau-né atteint d'une maladie génétique, et ce nouveau décès, quelques mois seulement après la disparition de son propre fils l'avait précipitée dans la déprime.

Dès le lendemain matin, elle avait donné sa démission.

Allen lui avait pourtant recommandé de prendre ses distances : elle ne pouvait sauver tous ses petits patients.

C'était certainement un bon conseil à donner, à quiconque exerçait la médecine. Il était dangereux de trop s'impliquer, et il fallait se protéger. Pour sa part, il lui avait fallu abandonner la pratique de sa spécialité préférée pour parvenir à se détacher de sa profession.

Elle se secoua et, revenant au présent, s'empara du numéro griffonné sur le morceau de papier et décrocha le téléphone. Au bout de quatre sonneries, la voix grave et déjà familière de Ben lui répondit.

— Nous avons retrouvé votre cheval, dit-il. Pour l'instant, il va bien.

— Merci infiniment ! s'exclama-t-elle, soulagée. Mais... Pourquoi *pour l'instant* ?

— Il est... temporairement dans un de nos corrals.

— Et vous voulez que je le ramène chez moi dès que possible ? J'irai acheter un chargeur pour la clôture, dès ce soir, déclara-t-elle en cherchant à se rappeler où se trouvait la quincaillerie de Charme.

— N'oubliez pas le fil barbelé et les isolateurs... Et indiquez au vendeur les dimensions de votre terrain, pour être sûre d'avoir assez de matériel.

— Entendu ! répondit Joanna, en prenant note. Autre chose ?

— Veillez à ce que la décharge soit suffisamment puissante.

— C'est vraiment indispensable ? demanda-t-elle en grimaçant.

— Si vous voulez qu'il reste chez vous sans faire de bêtises, oui. Il a déjà sauté deux fois par-dessus mon enclos, qui fait plus d'un mètre cinquante de hauteur. La première fois, il s'est baladé autour de la maison, est entré dans la cour et a regardé par la fenêtre de la cuisine. Ma pauvre tantine a failli en avoir une attaque. La deuxième fois, il a réussi à soulever le crochet du silo à céréales, et m'a déchiré deux sacs de 25 kilos de grains. Ça a occupé Rafe et mon neveu, Dylan, une bonne partie de la journée. Nous avons fini par rentrer notre étalon dans son box pour mettre Galaad dans son enclos. La barrière est plus haute...

— Oh..., dit-elle faiblement.

Galaad lui avait paru si maigre et si vieux quand elle avait remporté les enchères... Qui eût pensé qu'il se révélerait si impétueux ?

— Bien. Dans ce cas, une puissante décharge électrique s'impose, en effet.

Ben dut percevoir sa réticence, car il laissa échapper un soupir bruyant.

— Ça ne lui fera pas grand mal, vous savez ! Une fois qu'il aura pris un petit coup de jus, il se tiendra à distance… A condition de ne pas débrancher la clôture, bien entendu. Certains chevaux sentent le courant sans toucher le fil. S'il est désactivé, ils prennent le fil entre leurs dents et l'arrachent de l'isolateur.

— Un genre de revanche, en quelque sorte, s'esclaffa Joanna.

— Non. Ils ne sont pas aussi futés que ça ! Quand ils ont réussi à faire tomber le fil, ils se prennent les pattes dedans. Je vous enverrai Rafe, ce soir, pour vous aider à installer tout ça. Vers 17 heures. Ça vous va ?

— C'est parfait. Je ne peux pas vous dire à quel point je vous suis reconnaissante !

— Tout ce que je veux, marmonna-t-il, c'est que ce satané canasson parte de chez moi.

Sur ces mots, leur conversation prit fin.

Nicki frappa doucement à la porte et s'avança vers le bureau sur lequel elle déposa une pile de dossiers.

— Excusez-moi de vous interrompre, docteur.

— Vous n'interrompez rien du tout ! répliqua Joanna en raccrochant. Dites-moi, vous connaissez Ben Carson ?

— Bien sûr ! Tout le monde se connaît, dans le coin ! Il est terriblement séduisant, ajouta Nicki d'un ton rêveur.

— Vraiment ?

Bien que Ben eût été quelque peu désemparé par la perte de son cheval, il lui avait donné l'impression d'être un de ces hommes décontractés, confiants en leur pouvoir de séduction, et s'attendant à ce que toutes les femmes leur tombent dans les bras. Elle se méfiait de ce genre d'individus comme de la peste.

— Vous n'avez pas remarqué ? reprit Nicki, incrédule. C'est le plus beau parti de tout le comté d'Arroyo !

— Je n'ai pas dû le voir à son avantage. Il était exaspéré par les exploits de mon cheval.

— Ça m'étonnerait qu'un vieux cheval lui fasse peur, vous savez ! Les gens lui amènent des étalons à dresser, d'aussi loin que la Californie et le Texas. Et s'il est réputé, dans la région, ce n'est pas pour son mauvais caractère, ajouta-t-elle avec un clin d'œil. C'est un séducteur et…

La jeune fille n'acheva pas sa phrase.

— Il est un peu trop vieux pour moi, mais son neveu, Dylan, est drôlement mignon. Si j'avais quatre ans de moins…

— Je ne le connais pas, répliqua sèchement Joanna.

Nicki s'attarda quelques secondes devant la porte, savourant, de toute évidence, l'image du jeune Dylan. Soudain, elle haussa les épaules, d'un air gêné.

— Je… Je ferais peut-être bien de retourner à l'accueil.

Joanna venait d'entamer la lecture du deuxième dossier de la pile lorsqu'elle entendit le carillon de la porte principale.

Quelques secondes plus tard, des pas précipités résonnèrent dans le couloir et Nicki réapparut, un nouveau dossier en main.

— Docteur Weston ? Je sais bien que vous n'aviez pas l'intention de commencer vos consultations avant demain, mais nous avons une petite malade de deux ans, dans la salle d'attente. Ça ne vous dérange pas ? Bien sûr, je pourrais la diriger vers l'hôpital, seulement… Elle hésita un instant. Je ne suis pas certaine que Val l'y emmène.

— Et pourquoi donc ?

— Et bien…, commença Nicki en détournant les yeux, Val a eu quelques problèmes et…

— Quel genre de problèmes ?

— Des ennuis avec la justice. Et avec les services sociaux. On lui a même retiré la garde de Shanna pendant six mois. Mais elle va beaucoup mieux, maintenant !

— Elle se drogue ?

— Elle fume de l'herbe, c'est tout ! Et je crois qu'elle boit un peu, aussi.

« Rien que ça ! » songea Joanna, médusée.

— C'est une de vos amies ?

— Oui. Mais moi, je ne touche pas à ça, croyez-moi ! affirma précipitamment Nicki. Alors, vous voulez bien les voir ? Val pense que Shanna fait encore une otite.

— Bien sûr ! Installez-les dans une salle d'examen.

Nicki hocha la tête et ressortit, tandis que Joanna consultait le dossier médical de l'enfant.

Shanna était venue au monde avec un poids très inférieur à la moyenne. Joanna en déduisit que sa mère avait fumé pendant sa grossesse. Par ailleurs, la courbe de croissance de l'enfant était au-dessous de la normale. Elle ne bénéficiait probablement pas d'un régime alimentaire équilibré. Enfin, elle souffrait d'infections respiratoires à répétition.

Lorsque Joanna pénétra dans la salle d'examen, elle crut que son cœur allait s'arrêter de battre. La petite fille, terriblement fluette, et perchée sur la table, lui jeta un coup d'œil apeuré, avant de baisser la tête et de se cacher derrière un lapin en peluche, usé jusqu'à la corde. Ses cheveux bruns et bouclés étaient tout emmêlés, et les lacets de ses vieilles baskets n'étaient pas attachés. Même de l'endroit où elle se tenait, Joanna sentait le tabac sur les vêtements de l'enfant.

Val préférait s'acheter des cigarettes, plutôt que d'investir dans des chaussures décentes pour sa fille.

Ravalant sa colère, Joanna gratifia la fillette d'un sourire qu'elle voulait rassurant, avant de se tourner vers l'adolescente maigre à faire peur, assise sur une chaise, le menton relevé d'un air de défi. Rien en elle, de sa coupe de cheveux extrêmement courte, au blue-jean à taille basse, si ajusté qu'il semblait avoir été cousu sur ses longues jambes, en passant par le piercing qui brillait à son nombril, n'évoquait quoi que ce soit de maternel.

Le simple fait qu'elle se tînt aussi loin de sa fille la conforta dans son opinion. La petite avait besoin de réconfort. Pire, elle risquait de tomber de la table.

— Vous êtes le nouveau toubib ?

— Oui. Docteur Jo, répondit Joanna, s'avançant vers la jeune mère, une main tendue. Et vous ? Vous êtes Val ?

— Ouais !

Se redressant sur sa chaise, Val lui serra maladroitement la main.

Elle aussi sentait la cigarette. Cependant, ses pupilles semblaient normalement dilatées, et sa paume était fraîche et sèche. Elle s'exprimait intelligiblement et n'avait pas une haleine alcoolisée. Un bref coup d'œil à ses avant-bras suffit à rassurer Joanna : absence de toute trace de piqûre.

— Shanna a mal aux oreilles, marmonna-t-elle. Nous n'avons pas dormi de la nuit, ma grand-mère et moi.

— Approchez-vous donc ! Elle a besoin de votre présence. C'est important, d'avoir sa maman près de soi, quand on a mal, vous ne croyez pas ?

Val haussa les épaules et se leva lentement.

— Il faut lui redonner de ce médicament. Vous en avez ?

Joanna se tourna vers Nicki, qui était restée sur le seuil de la porte. D'un geste, la réceptionniste désigna l'élément posé au-dessus du lavabo.

— Peut-être. Mais je voudrais d'abord l'examiner.

L'enfant baissa encore davantage la tête, et des larmes silencieuses se mirent à couler sur son short d'un rouge passé. Ses épaules se mirent à trembler.

Nicki avait disposé un otoscope et un stéthoscope sur la table. Toutefois, voyant la terreur évidente de Shanna, Joanna se mit à lui parler d'une voix chantonnante.

— C'est vraiment le plus joli lapin que j'ai jamais vu ! Dis-moi, Shanna... Est-ce qu'il a des oreilles ?

L'enfant se contenta de serrer plus fort son lapin.

— Tu sais que parfois, quand on a vraiment beaucoup de chance, si on regarde à l'intérieur des oreilles d'un lapin, on y voit... des éléphants ?

L'enfant continua de balancer ses pieds.

— Tu as déjà vu ma loupe magique ?

Shanna leva légèrement la tête et regarda à la dérobée les mains de Joanna.

— Tu veux regarder à l'intérieur des oreilles de ton lapin ?

— Forcez-la à se tenir tranquille ! intervint Val, en levant les yeux au ciel. De toute façon, elle va se mettre à hurler.

— Je préfère procéder de manière ludique, répondit Joanna d'une voix égale. Il lui sera ainsi plus facile de revenir en consultation.

Elle alluma la lumière de l'otoscope, et en fit danser le minuscule rayon sur la table d'examen.

Après une longue hésitation, Shanna finit par relâcher son lapin, avant de le tendre timidement à Joanna.

Celle-ci examina les oreilles de la peluche avec une attention exagérée.

— Ça alors ! Je viens de voir des girafes, mais elles sont déjà parties. Tu veux essayer ?

L'enfant hocha la tête une seule fois et Joanna s'empressa de positionner l'otoscope dans l'oreille du lapin.

— Tu vois quelque chose ?

Shanna ferma le mauvais œil, se redressa et réessaya.

— Alors ?

— Des ours ! répondit-elle solennellement.

— Super ! Tu as un lapin fabuleux, Shanna ! Est-ce qu'on peut regarder ce qu'il y a dans tes oreilles, lui et moi ?

La petite fille se raidit, mais resta tranquille pendant que Joanna examinait son oreille gauche. Lorsque vint le tour de la droite, elle grimaça et laissa échapper un petit cri de douleur. Ce n'était pas surprenant : son tympan était terriblement enflammé.

Joanna écouta ses bronches et prit sa température, avant de la serrer brièvement dans ses bras.

— Tu as été très courageuse. J'ai une boîte à autocollants. Tu en veux un ? Tiens ! Choisis celui qui te plaît le plus. Et prends-en un pour ton lapin… Il l'a bien mérité, non ?

Se tournant vers Val, elle ajouta :

— Tout va bien au niveau des bronches. Par contre, elle a une inflammation de l'oreille droite, et beaucoup de fièvre. Je vais la mettre sous antibiotiques.

— Pour combien de temps ?

Joanna s'avança vers l'armoire à médicaments pour en examiner le contenu et fut soulagée d'y trouver ce qu'elle cherchait.

— Une dose de ceci — vous voyez la marque, sur la pipette ? Deux fois par jour. Pendant dix jours.

Elle griffonna une ordonnance qu'elle inséra dans un sachet, avec les bouteilles et la pipette.

— Ramenez-moi Shanna, dans deux semaines. Vous avez des questions ?

— Non, répondit Val en attrapant sa fille par la main.

— J'ai été heureuse de faire votre connaissance, Val. Surtout, insista Joanna, n'hésitez pas à passer me voir si vous avez la moindre question. A n'importe quel propos, d'ailleurs. Ce n'est pas toujours simple d'élever un enfant en bas âge et, si je peux vous être utile, j'en serai ravie !

— Euh… Merci.

— N'oubliez pas ! Dans deux semaines ! Au revoir, Shanna !

L'enfant tourna la tête et lui sourit. Sa mère l'entraîna fermement vers le couloir et toutes deux disparurent.

Joanna entendit Nicki parler à son amie pendant quelques minutes, puis la porte principale s'ouvrit et se referma.

Elle comprenait mieux, à présent, la raison pour laquelle Lydia Kane avait insisté sur l'importance d'éduquer les plus jeunes mères. S'appuyant sur la table d'examen, Joanna ferma les yeux, et submergée par l'émotion, se demanda si Val se donnerait la peine de revenir. Si Shanna ne souffrait pas, c'était peu probable.

Quel avenir attendait cette adorable petite fille ? Et sa mère, d'ailleurs ?

Chaque jour venaient au monde des enfants non désirés. D'autres étaient maltraités, négligés ou simplement ignorés. Joanna, elle, aurait été une bonne mère. Rien n'aurait été trop beau pour son fils… La vie était décidément trop injuste !

En soupirant, elle mit son magnétophone en marche, et enregistra quelques commentaires sur Shanna. Puis elle regagna son bureau pour ranger ses affaires. Demain, elle serait prête à reprendre l'exercice de sa spécialité.

Pour l'instant, elle n'avait qu'une hâte : rentrer chez elle.

Bien malgré lui, Ben avait immédiatement été intrigué par Joanna Weston.

Il aimait les femmes. Il adorait leur parfum, la texture douce de leur peau, leur rire mélodieux. Il aimait la manière dont elles parlaient, parfois, et taquinaient les hommes, leur donnant le sentiment qu'ils auraient pu décrocher la lune, pour elles. Et il avait longtemps pensé qu'un jour ou l'autre, il se fixerait pour fonder une famille.

Malheureusement, cet espoir s'était évanoui trois ans plus tôt, avec le départ inattendu d'une femme qu'il avait suffisamment aimée pour envisager de passer auprès d'elle le restant de ses jours.

Seulement Rachel, pour sa part, n'avait vu dans leur relation qu'une étape provisoire, en attendant mieux. Un beau jour, l'homme idéal s'était présenté au ranch de Ben, accompagné de deux magnifiques poulains pur-sang et doté d'un compte en banque bien fourni. Rachel avait alors plié bagages et était partie sans aucun remords.

Elle aurait aussi bien fait d'emporter avec elle le cœur de Ben : depuis lors, il n'avait eu ni l'énergie ni l'envie d'aller au-delà de simples idylles. Dès que les choses devenaient sérieuses, le souvenir du chagrin que pouvait engendrer une relation amoureuse lui revenait à l'esprit.

Il s'en était fort bien porté, jusqu'à ce que le Dr Weston surgisse sur ce chemin, en quête de son fichu cheval.

Dès qu'il l'avait aperçue, il avait senti son cœur s'emballer dans sa poitrine. Tel un moteur rouillé, la mécanique endormie avait toussoté, avant de se remettre en marche. Mais « chat échaudé craint l'eau froide », et Ben s'en était remis à son instinct.

Il avait décliné les propositions d'aide de Joanna. Pire, il avait catégoriquement refusé de prendre son cheval en pension. Et pour être sûr de ne pas la revoir, il était allé jusqu'à lui proposer de lui envoyer un de ses hommes pour sécuriser sa clôture. Ainsi, le canasson ne s'échapperait plus et la jeune femme n'entrerait pas dans sa vie.

Malheureusement, son beau plan semblait lui échapper. Il avait d'abord prévu de lui envoyer Dylan et Rafe. La tâche n'était pas bien compliquée et, quelques jours auparavant, l'adolescent l'avait aidé à électrifier la clôture de la poulinière du ranch.

Mieux encore, il aurait pu demander ce service au père de Rafe, Felipe ; ce dernier venait parfois passer quelques mois chez son fils et il aimait bien se faire un peu d'argent, de temps en temps.

Pourtant, l'après-midi avait passé sans que Ben n'eût parlé à quiconque de cette fameuse clôture. Ses hommes avaient eu beaucoup de travail, et lui aussi. Puis ça avait été l'heure du repas et tous s'étaient rendus chez Slim Jim. Tous, sauf lui. Pourquoi ne pas monter ce fil barbelé lui-même, après tout ? Au moins, il serait certain que ce serait fait.

Ni la queue-de-cheval blonde et bouclée de la jeune femme, ni ses beaux yeux bleus, n'avaient rien à voir dans l'histoire. D'autant moins qu'il avait véritablement affaire à une de ces citadines sans cervelle. Il fallait l'être, pour acheter un cheval boiteux à une vente aux enchères, non ? On prenait déjà assez de risques en faisant l'acquisition d'un animal en bonne santé, dans ce genre d'endroit !

Et comme, malgré son handicap, ce hongre semblait se prendre pour un champion de steeple-chase et refusait de rester dans un corral, il y avait de fortes chances pour qu'il s'obstinât à revenir au ranch.

Ce qui provoquerait autant de visites indésirables de sa propriétaire.

En s'arrêtant devant son chalet, Ben se promit de s'en tenir à l'installation de la clôture électrique. Ensuite, il irait chercher Galaad, le ramènerait ici et rentrerait chez lui. Il était hors de question qu'il prenne un café en flirtant gentiment avec sa nouvelle voisine.

Hélas... Dès l'instant où la jeune femme apparut sur sa terrasse, suivie de son énorme boule de poils blanche, il sentit sa détermination vaciller.

— Bonjour ! lança-t-elle. Désolée... Je suis un peu en retard. J'ai dû faire quelques courses et je me suis arrêtée pour admirer le paysage le plus somptueux qu'il m'ait jamais été donné de voir. Vous voulez entrer une minute ?

Il baissa lentement la vitre de son break, n'hésitant qu'une seconde, le temps que son bon sens l'emporte sur sa curiosité.

— Non, merci. Je vais attendre ici.

Elle partit d'un rire aérien qui flotta jusqu'à lui.

— J'arrive tout de suite !

C'est-à-dire, vraisemblablement, dans une bonne demi-heure... En faisant vite, il aurait le temps d'installer les trois-quarts des isolateurs, ce qui lui éviterait d'avoir à lui faire la causette et de perdre trop de temps.

Dès qu'elle fut rentrée dans son chalet, son chien descendit les marches de la terrasse. Fonçant droit vers la clôture entourant la cour, il se mit à aboyer furieusement, en agitant la queue.

Ben ouvrit la portière de son véhicule et, après s'être emparé des pinces et des gants de cuir posés sur le siège, baissa son chapeau et posa un pied sur le gravier du parking. Les aboiements du chien s'amplifièrent encore lorsque Ben, claquant la portière, s'approcha des sacs de plastique qu'elle avait laissés près du portail du pâturage.

Il avait fixé les isolateurs sur six poteaux seulement quand il entendit des bruits de pas dans son dos. Joanna le regarda clouer le septième, et déclara :

— Si ce n'est pas plus compliqué que cela, je peux le faire moi-même, vous savez ! Montrez-moi simplement comment installer le chargeur, et je m'y mets. Je ne voudrais pas abuser de votre temps !

Il avait prévu de terminer rapidement et de rentrer chez lui au plus vite. Un petit coup de main, entre voisins, sans plus. Toutefois, constatant que Joanna était aussi désireuse que lui d'écourter l'entrevue, il se rendit compte qu'il n'avait plus du tout envie de partir. Il tira un autre isolateur du sac et le maintint contre un poteau, pour le clouer en son centre.

— A deux, nous irons plus vite ! Quand nous aurons terminé le corral, vous pourrez y mettre votre cheval en attendant que nous fassions le reste.

— Merci.

Elle étudia un instant la balafre sur son visage et jeta un coup d'œil à sa jambe.

— Ça a l'air de bien cicatriser. Comment va votre cuisse ?

— Très bien.

Devant sa moue dubitative, il s'esclaffa.

— Vous savez, par ici, on ne s'arrête pas à une malheureuse luxation ! Certains de mes hommes recousent parfois eux-mêmes leurs blessures et s'administrent des antibiotiques naturels. Pas besoin de médecin.

Joanna porta une main à sa poitrine, d'un air faussement horrifié.

— Excusez-moi, dit-elle, les yeux brillant de malice. J'oubliais que vous êtes de vrais cow-boys !

Ben gagna le poteau suivant, en mettant un point d'honneur à ne pas boiter.

— Il y a un autre marteau, près du portail, si vous voulez vous y mettre !

— Bien, chef !

Elle alla chercher l'outil et se mit à l'ouvrage, dans la direction opposée.

Ben reprit son travail, se tapant sur le pouce à deux reprises. Tout ça à cause de la fascination qu'elle exerçait sur lui... A chaque coup de marteau, elle se mordait la lèvre et fronçait les sourcils, complètement absorbée par sa tâche. Et puis, il y avait ce Levi's qui enserrait ses longues jambes et l'intéressait au plus au point.

Lorsqu'ils eurent terminé le câblage et accroché le chargeur, elle lui tendit la main avec un grand sourire.

— C'est vraiment gentil à vous d'être venu m'aider. Merci beaucoup !

— Pas de problème !

Surtout si son fichu cheval restait à sa place, à partir de maintenant. Ben voulait la paix. Il ne souhaitait pas être distrait de ce qui importait vraiment.

Ces derniers temps, il avait été confronté à de dures réalités. Les années de sécheresse avaient été suivies d'un effondrement du marché bovin et, avec les impôts dont il lui faudrait s'acquitter dans moins de deux mois, il devait se consacrer entièrement à son ranch et au dressage des chevaux, ainsi qu'à tous ceux qui dépendaient de lui.

Il n'avait tout simplement pas le temps pour autre chose.

4.

Dylan leva le menton d'un air buté, en évitant soigneusement le regard de son oncle.

— Je n'ai pas demandé à venir ici ! De plus, tu n'es pas mon père. Je n'ai pas à t'obéir !

— Il n'en reste pas moins que je suis censé veiller sur toi jusqu'à son retour du Moyen Orient !

Ben monta sur la selle avec légèreté, et flatta l'encolure de sa pouliche.

— D'après lui, ajouta-t-il avec un rictus, c'est l'occasion ou jamais de nouer des liens avec ton oncle préféré.

— Comme si j'en avais d'autres, marmonna l'adolescent.

— Tu devrais en profiter, fiston, reprit Ben en désignant l'impressionnante chaîne de montagnes, devant eux. Ça te change de New York, non ? Si tu veux, le week-end prochain, nous irons camper dans l'arrière-pays. Tu es déjà allé à la pêche ?

Le gamin, âgé de 15 ans, haussa les épaules, sans se départir de son expression rebelle.

Ben ne pouvait pas lui reprocher d'en vouloir au monde entier. Sa mère était morte lorsqu'il n'avait encore que cinq ans, et son journaliste de père travaillait comme correspondant à l'étranger. Dylan avait passé plus de temps entre les mains de diverses gouvernantes qu'en compagnie de son géniteur.

— Si tu n'as pas envie, ce n'est pas grave. Par contre, tu dois respecter le règlement. Il est hors de question que tu reprennes une voiture ou une camionnette.

— Ce qui veut dire que je suis coincé ici !

— Tu peux monter Patches, mais nous voulons savoir où tu vas et quand tu comptes revenir.

— Je n'ai plus cinq ans ! répliqua Dylan. Je suis assez grand pour prendre soin de moi-même.

— Ecoute, fiston. La région est plutôt dangereuse et le ranch est très étendu. Qu'est-ce que tu feras si tu tombes de cheval ?

— Je marcherai.

— C'est ça ! A moins que tu sois blessé…

Convaincu, comme la plupart des jeunes, de son invulnérabilité, Dylan haussa les épaules avec insolence.

— On pourrait te chercher pendant des jours sans te trouver. La nuit, la température descend parfois jusqu'à moins 15°. Tu peux mourir d'hypothermie ! Je ne plaisante pas !

— Tu oublies les serpents venimeux, railla Dylan. Je parie qu'il y en a un en dessous du moindre caillou !

— Pas exactement. On trouve effectivement différentes espèces de crotales, au pied des collines, dans la montagne et, plus au sud, dans les canyons. Cela dit, il commence à faire trop froid pour qu'ils sortent.

Ben abaissa son Stetson sur son front et compta jusqu'à dix avant de reprendre la parole. Bon sang, ce gamin n'avait-il donc jamais été réprimandé ? Il semblait n'avoir aucun sens des convenances.

— Je veux seulement que tu comprennes et que tu observes les règles élémentaires de prudence. Par ailleurs, j'aimerais bien que tu aies un minimum de courtoisie envers ta grand-tante Sadie.

Bien qu'il fût encore aussi dégingandé et maladroit qu'un jeune étalon, Dylan mesurait déjà un bon mètre soixante-dix. Pourtant, lorsque son oncle évoqua son indélicatesse de la veille, son attitude bravache s'évanouit et le rouge lui monta aux joues, lui redonnant le visage du gamin qu'il avait dû être avant d'adopter cette attitude de renégat.

— Je ne voulais pas la blesser.

— Ça ne change rien au problème ! Ce n'est pas de sa faute si elle perd un peu la tête. Tu as assez de cran pour aller t'excuser ?

Immédiatement, Dylan retrouva son arrogance et, tournant les talons, il partit à grands pas vers la grange principale.

Ces adolescents... Ils étaient tout orgueil et indépendance... mais n'avaient pas un sou de bon sens. La veille, pendant que Ben était occupé à installer la clôture de Joanna, Dylan avait pris une des camionnettes et était descendu en ville. Sans permis de conduire. Sans rien dire à personne. « Il fallait à tout prix que j'aille à la bibliothèque et personne n'avait le temps de m'y emmener ! » : tel était l'argument qu'il avait avancé quand il était enfin rentré, une demi-heure après la tombée de la nuit. Puis, pointant vers Sadie un doigt accusateur, il avait affirmé l'avoir prévenue de son départ, et lui avait reproché de ne pas être capable de se souvenir de quoi que ce soit.

Ce n'était pas la question. Il s'était mis hors-la-loi en conduisant sans permis. Et il avait froissé une adorable vieille dame qui n'aurait pas fait de mal à une mouche.

En soupirant, Ben fit pivoter sa monture vers la gauche pour la faire trotter dans l'arène, l'amenant, par la contraction de ses cuisses, à baisser la tête. Quand, se détendant enfin, elle se mit au travail, il relâcha un peu les rênes.

Les chevaux étaient tellement plus simples que les hommes ! Certaines races étaient d'un naturel revêche, d'autres avaient tendance à jouer les filles de l'air. Pourtant, quelles que soient leurs prédispositions génétiques, si on les traitait de manière ferme et égale, dès la naissance, toutes finissaient par devenir de bonnes montures.

Les hommes, eux, étaient moins prévisibles. Les meilleures familles pouvaient engendrer des enfants déviant du droit chemin. Ben avait vu de telles choses se produire chez certains de ses amis, et cela avait modéré d'autant ses ambitions parentales. Faire la connaissance de son neveu n'avait fait que le conforter dans son opinion.

Cela faisait des années que Ben n'avait pas vu son frère, Phil. Après le divorce de leurs parents, leur père l'avait emmené sur la côte Ouest, se désintéressant de ses deux autres enfants.

Phil, Ben et Gina n'avaient repris contact que très récemment, par téléphone et par courriel. Une chose était sûre : Phil s'était montré très fier de son fils. Alors, que s'était-il passé ?

La pouliche se déplaçant docilement sous lui, Ben lui fit effectuer plusieurs figures. Après quelques tours à 360° au cours desquels elle rua plusieurs fois, il la gratifia d'une caresse sur l'échine et se dirigea vers le portail. Une petite course dans les collines ne la préparerait que mieux à la prochaine séance.

Enfermé dans l'enclos de l'étalon, près de l'écurie principale, le hongre de Joanna hennit bruyamment. Voyant arriver Ben sur sa pouliche, il agita la tête de haut en bas, à la recherche d'un espace d'où il pouvait mieux l'épier, entre les larges planches de la clôture.

L'enclos en question était haut de plus de deux mètres, et bien trop petit pour que l'animal puisse s'y ébattre. De sorte qu'il était à l'étroit, ce qui lui déplaisait fortement. Toute la nuit, ses gémissements avaient résonné dans les collines environnantes, assez fort pour réveiller les morts dans la ville voisine de Red River.

Fort heureusement, il était prévu que Ben le ramène à sa propriétaire le soir même.

La veille, malgré l'aspect fastidieux de sa tâche, il avait éprouvé une certaine satisfaction à regarder le médecin manier le marteau avec une détermination qui compensait largement son manque de pratique. Discuter avec elle avait été plus gratifiant encore :

la jeune femme s'était montrée étonnamment bien informée sur les problèmes environnementaux de la région, ainsi que sur les affaires courantes et sur tous les sujets qu'ils avaient eu l'occasion d'aborder, en quelques heures.

Ben sourit à part lui. Peut-être devait-il une fière chandelle à ce fichu canasson, après tout. Il avait passé auprès de la jeune femme un moment fort agréable.

Il venait de dépasser les écuries lorsqu'il entendit Dylan l'appeler en hurlant. Se retournant sur sa selle, Ben vit l'adolescent appuyé contre un poteau, tenant son pied gauche dans une main.

— Qu'est-ce qui se passe ? cria-t-il après avoir fait demi-tour en toute hâte.

— J'ai marché sur un clou, grogna Dylan, le visage rongé par l'inquiétude. C'est plutôt dangereux, dans ce genre d'endroit, non ?

— Dans l'écurie ?

Chaque box était recouvert d'une épaisse couche de copeaux de pins et toutes les allées en étaient régulièrement balayées. Les pistes étaient inspectées et nettoyées chaque jour : le moindre morceau de fil métallique, clou ou morceau de bois signifiait la mort ou un handicap à vie pour les chevaux. Aussi le rancher ne laissait-il rien au hasard.

— Je... J'ai voulu attraper un chaton... Qui a disparu derrière ces planches.

Il s'agissait de vieilles planches pourries, provenant du corral que Ben avait démonté et reconstruit, ces deux dernières semaines.

— Quand as-tu eu ton dernier rappel anti-tétanos ?

— Je n'en sais rien, murmura l'adolescent en blêmissant.

— Ton père m'a donné le nom et l'adresse de ton médecin. Nous lui passerons un coup de fil. Enlève ta botte !

— Bon sang... Ça fait mal ! Et... Je crois que je saigne, geignit-il.

— Ça éliminera une partie des microbes, le temps que la plaie soit nettoyée, répondit patiemment Ben.

Dylan retira précautionneusement sa botte, puis sa chaussette, tachée de sang. La plaie, très nette sur son talon, continuait de saigner.

— Je vais appeler Gina, pour lui demander son avis. Ensuite, je passerai un coup de fil à ton médecin pour savoir où tu en es, dans tes vaccins.

— Alors, je ne vais pas être obligé de voir un vrai médecin ? commença Dylan, d'une voix pleine d'espoir. Attends un peu, continua-t-il, plus sobrement. Gina n'est qu'une sage-femme ! Qu'est-ce qu'elle connaît à ce genre de blessures ?

— Je ne pense pas que tu aies besoin du plus grand chirurgien de la planète, pour l'instant. Gina a été infirmière pendant cinq ans ! répliqua Ben en s'efforçant de garder son calme. Par ailleurs, je te rappelle que c'est ta tante et qu'elle se soucie de ta santé. Tu peux marcher jusqu'à la maison ?

— Oui, dit Dylan en grimaçant.

— Je rentre la pouliche et j'arrive. En attendant, lave soigneusement ton pied, avec du savon. Et enfile une paire de chaussettes propres. Et puis trouve-toi un autre T-shirt, ajouta-t-il en considérant le vêtement grunge de son neveu, à la gloire d'un chanteur qui avait dû être exhumé après un long séjour sous terre.

Dylan eut un sourire méprisant et partit sans un mot vers la maison.

Quand Ben rentra, son neveu était assis dans la cuisine, une paire de chaussettes neuves et de vieux tennis aux pieds. Il n'avait pas changé de T-shirt et, à en juger par son regard de défi, n'en avait nullement l'intention.

Tante Sadie s'agitait anxieusement autour de lui.

— Je lui ai fait nettoyer sa plaie avec une crème antibiotique et des carrés de gaze, expliqua-t-elle en se tordant les mains.

Seulement je ne sais pas si la blessure est profonde. Tu te rappelles l'abcès de ce pauvre Hank, le jour où il s'est coupé sur le…

Ben ne se souvenait que trop bien des tribulations, si souvent relatées de Hank. Sans compter qu'il était inutile d'ajouter encore à l'inquiétude de Dylan.

— Cesse de t'inquiéter, Tantine, l'interrompit-il gentiment Je vais aller passer quelques coups de fils, dans mon bureau. Tu peux nous préparer de la citronnade ?

La vieille dame se précipita de l'autre côté de la pièce, en s'essuyant les mains sur le sempiternel tablier qu'elle portait sur ses robes à fleurs. Elle mesurait à peine plus d'un mètre cinquante et avait tout de la mère poule, avec ses cheveux blancs et sa rondeur toute maternelle.

Ben fit signe à Dylan de le suivre. Arrivé dans son bureau, il s'installa derrière son secrétaire et fit asseoir son neveu.

— Ton père t'a parlé de Sadie ?

Dylan haussa les épaules.

— Vois-tu, il y a bien longtemps, Sadie et Oncle Hank ont perdu leur fille, dans un accident de voiture. Quelques années plus tard, Hank est mort, à son tour, écrasé par son propre tracteur. Depuis, Sadie craint le pire à la moindre égratignure. J'espère que tu as été gentil avec elle.

— Tu me prends pour qui ? demanda Dylan en s'affalant sur sa chaise.

Il examina la pièce, son regard se fixant sur les diplômes encadrés, sur le mur, face à lui.

— Tu es allé à l'université, *toi* ?

Ben ouvrit un tiroir et fouilla dans ses dossiers jusqu'à ce qu'il tombe sur celui de Dylan.

— Oui. J'ai étudié l'agronomie, à l'université du Nouveau-Mexique, dit-il sans lever le nez. Tiens ! Voilà ta carte de sécurité sociale et le nom d'un centre médical de Williams Avenue, à New York. Tu y vas toujours ?

Dylan se tendit de manière visible.

— Tu n'aimes pas ton médecin ?

— C'est un véritable crétin, rétorqua l'adolescent, avec un regard méprisant.

Ben faillit sourire, songeant que c'était probablement réciproque. Cela faisait quatre semaines, à présent, que l'adolescent vivait au ranch et il imaginait très bien à quel point le pauvre praticien avait dû apprécier sa compagnie.

Un coup de téléphone leur appris que Dylan devait subir un rappel anti-tétanique.

Ben réussit à joindre Gina sur son portable, au moment où elle partait en urgence de Naissances pour aller voir une patiente obligée de garder le lit.

— Emmène-le à la clinique de Charme, lui conseilla-t-elle, hors d'haleine. J'ai entendu dire que le nouveau médecin est très bien. Si tu vas aux urgences de l'hôpital, tu risques d'attendre un moment…

— Bonne idée !

— Il se peut que ma patiente ne soit pas vraiment sur le point d'accoucher. Dans ce cas, je ne serai pas bien longue à redescendre en ville et je passerai voir si vous êtes toujours là-bas. A plus tard !

Eh bien ! Pour le troisième jour consécutif, il allait avoir affaire à Joanna, sous un nouveau prétexte. Heureusement qu'il savait en quoi consistaient ses priorités, sans quoi il aurait pu avoir envie de faire plus ample connaissance avec elle !

Une gamine enjouée prit son appel, à la clinique pédiatrique. Tout d'abord surpris, il comprit que ce devait être Nicki, la jeune fille dont sa sœur lui avait parlé. Elle lui annonça que le Dr Weston pourrait recevoir Dylan entre deux consultations, à condition qu'il arrive avant 17 h 15.

Ben raccrocha et se tourna vers son neveu. Celui-ci le dévisageait avec curiosité.

— Dis-moi, que fais-tu dans un bled pareil ? demanda l'adolescent.

— Pourquoi me demandes-tu ça ?

— Parce qu'il n'y a personne d'intéressant, par ici. Et pas grand-chose à faire ! Tu es allé à l'université. Tu ne pouvais pas trouver mieux ?

Mieux ? Aux yeux de Ben, rien ne valait ce ranch, à l'ombre des montagnes, avec vue sur le Mont Wheeler. Rien n'égalait cette merveilleuse fraîcheur d'octobre. Et qu'aurait-il pu faire de mieux que dresser des pur-sang ?

Ce gamin ne comprenait décidément rien à rien.

— Tu sais, Dylan… Pendant ton séjour ici, nous devrions travailler tes talents de communication. Cela étonnerait bien tes proches, quand tu rentreras chez toi ! Qu'en dis-tu ?

Devant le regard noir de son neveu, Ben adoucit ses propos d'un petit rictus et se leva.

— Je vais changer de chemise. Je t'en prête une des miennes, ou tu préfères porter tes propres vêtements ?

Le gamin resta assis juste assez longtemps pour ne pas perdre totalement la face, puis se leva à son tour et sautilla jusqu'à sa chambre. Son clopinement ôta un peu de dignité à sa sortie.

Ben jeta un coup d'œil au calendrier accroché au mur et poussa un gros soupir. On n'était que le 7 octobre. Encore deux mois à tenir ; peut-être même plus, si, par malheur, la mission de Phil était prolongée.

« Il a eu quelques déboires », l'avait prévenu son frère avant de partir. « Je ne suis pas souvent là, et il est trop grand pour être confié à une nourrice. Il a de mauvaises fréquentations. Je me suis juré que c'était ma dernière mission à l'étranger, jusqu'à son entrée à l'université ! »

Ben avait insisté pour en savoir davantage, et Phil avait fini par évoquer trois comparutions devant un tribunal pour enfants, suite à des actes de vandalisme et à un ou deux vols à l'étalage. Le juge, semblait-il, l'avait prévenu que la prochaine fois, il écoperait d'un séjour en maison de redressement.

Phil avait donc préféré mettre son fils au vert, loin des tentations des grandes villes. Un endroit où le remiser, en quelque sorte.

Les chiens ne font pas des chats, songea Ben avec amertume. Gina, Phil et lui avaient grandi avec la même carence parentale, et il se demandait sincèrement pourquoi les gens avaient des enfants.

D'un autre côté, il avait encore deux mois pour changer le cours du destin de l'adolescent. Il pouvait essayer de contourner ce mur de colère et de vexations, pour atteindre Dylan au plus profond. Et, lorsque Phil viendrait chercher son fils, Ben essayerait de lui faire entendre raison, à lui aussi.

Car si l'on considérait le passif de Dylan et la bande de voyous qui l'attendait à son retour, le gamin avait bien besoin d'aide.

Joanna entra dans la salle de consultation en s'efforçant d'ignorer l'agréable frisson qui la parcourait.

— Oh, bonjour ! Je ne pensais pas vous revoir de sitôt !

Ben était appuyé contre le mur, près de la fenêtre, son Stetson à la main.

— Mon neveu a marché sur de vieilles planches.

Dans cette pièce étroite, il lui parut plus grand, plus large d'épaules que les fois précédentes. Son polo noir épousait les formes de son torse musclé et de son ventre plat et ses manches courtes moulaient agréablement ses biceps. Une boucle de ceinture argentée, aussi grosse qu'une soucoupe, brillait à sa taille.

— Vous avez bien fait de me l'amener ! dit-elle. C'est donc toi, Dylan ? ajouta-t-elle, s'adressant à l'adolescent.

Celui-ci se contenta de la jauger avec insolence.

C'était bien un Carson, avec ces épais cheveux noirs et bouclés, ces yeux de braise et cette bouche sensuelle. Comme son oncle, il était doté d'une mâchoire carrée, qui en disait long sur son opiniâtreté. Toutefois, alors que le nez de Ben était droit et étroit, celui de Dylan était déformé en son milieu. Probablement le résultat d'une bagarre.

Il avait retiré sa botte et sa chaussette, mais avait, de toute évidence, refusé de grimper sur la table.

— Ce n'est qu'une égratignure, marmonna-t-il. Je me sens parfaitement bien.

— Je veux bien le croire, répondit-elle calmement. Cependant, maintenant que tu es ici, et que tu as fait l'effort de retirer ta botte, je vais jeter un coup d'œil ! Tu peux grimper là-dessus ? demanda-t-elle en tapotant le drap de papier qui recouvrait la table.

Il eut une moue méprisante, mais elle surprit une lueur d'inquiétude dans ses yeux. Pourquoi bigre éprouvait-il le besoin de jouer au gros dur ? Et où étaient ses parents ?

Prenant appui sur une main, il se hissa sur la table.

— Recule un peu, Dylan, pour pouvoir allonger ta jambe.

Elle enfila une paire de gants de caoutchouc et retira la compresse de gaze recouvrant son talon. En dessous, elle trouva une perforation d'environ trois millimètres de diamètre, légèrement enflammée.

— Tu as vu le clou après avoir marché dessus ? Etait-il entier ? Avec la pointe et tout ?

Dylan acquiesça en grimaçant : elle palpait la blessure, tentant d'en évaluer la profondeur.

— De combien s'est-il enfoncé ?

L'adolescent leva une main et laissa environ un centimètre entre son pouce et son index.

— D'après ce que j'ai compris, tu as beaucoup saigné, ce qui est une bonne chose. Je vais irriguer cette plaie avec du sérum physiologique, dit-elle, un sourire rassurant aux lèvres.

— Avec une seringue ? Une aiguille ? s'écria Dylan, les yeux ronds.

Ben s'approcha d'eux et posa une main hâlée sur l'épaule de son neveu.

— Non ! Sans. N'est-ce pas, docteur ? C'est ainsi que nous nettoyons les plaies des chevaux.

— C'est bien ça !

Joanna tapota la jambe de Dylan et s'empara d'une seringue de 50 centimètres cube, qu'elle plongea dans la blessure.

— Tu vois ? Ça fonctionne comme un petit jet d'eau.

D'abord crispé, Dylan finit par se détendre et la regarda avec un sourire gêné.

— Ça n'était pas si terrible que ça !

— Tu as été très courageux !

Elle recouvrit la blessure d'une compresse qu'elle fixa avec du sparadrap. Tout en continuant de parler, elle jeta quelques notes sur une feuille.

— Veille à ce que ta blessure soit toujours propre. Ce soir et demain, tu feras tremper ton pied pendant une vingtaine de minutes dans de l'eau salée. Et surveille le moindre signe d'infection : ça ne doit pas suinter, devenir rouge ou te faire plus mal que maintenant. Compris ?

Dylan hocha la tête.

— Et… Tu vas avoir droit à un rappel anti-tétanos, et à des antibiotiques.

Dylan déglutit péniblement et agrippa des deux mains les rebords de la table. Ben se posta devant lui, un sourire moqueur aux lèvres.

— Tu as déjà vu ton père devant un médecin ?

— Non.

— Je ne devrais pas te le dire, commença Ben avec un clin d'œil malicieux, seulement, quand il était gamin, il avait vraiment horreur de ça ! Il a six ans de plus que moi et je me souviens d'une fois… Il devait avoir une dizaine d'années… On devait lui faire une piqûre, pour une raison quelconque.

L'ébauche d'un sourire éclaira le visage de Dylan.

— Raconte !

— Il a réussi à échapper à l'infirmière, au médecin et à maman, et s'est sauvé. Malheureusement, il s'est enfermé dans une salle d'opération. La serrure s'était bloquée automatiquement, et il est resté seul là-dedans, avec des bistouris pour toute compagnie, pendant des heures. Il criait qu'il était prêt à recevoir toutes les piqûres qu'il faudrait... Il faisait moins le fier, quand le médecin est finalement parvenu à ouvrir la porte.

Dylan se détendit et s'esclaffa brièvement.

Peut-être par simple orgueil masculin ou pour se montrer plus courageux que son père, le garçon ne cilla pas quand Joanna lui administra son vaccin. Elle s'apprêtait à jeter la seringue lorsqu'une petite rouquine aux cheveux courts apparut sur le seuil de la porte.

— Salut, Ben ! Salut Dylan. Comment ça se passe ?

Elle entra et alla étreindre l'adolescent.

— Il paraît que tu aides Ben à retrouver les clous égarés ? C'est gentil de ta part !

Vexé, Dylan rougit de manière perceptible. Il marmonna quelque chose et descendit de son perchoir.

— Vous vous connaissez ? demanda Ben à Joanna, en désignant sa sœur d'un geste du menton.

— Pas encore, répondit Gina, avec un sourire chaleureux. J'ai beaucoup entendu parler de vous ! ajouta-t-elle en avançant une main. Gina Vaughn. Vous aurez probablement mes deux filles comme patientes, et nous ne manquerons pas de nous voir à Naissances. Vous avez fait la connaissance de Lydia Kane et du reste du personnel ?

— Pour l'instant, je n'ai rencontré que Lydia... et Kim, répliqua Joanna, déconcertée par tant d'exubérance.

— Lydia est géniale, vous ne trouvez pas ? Sans elle, la maternité n'existerait pas, croyez-moi ! Nous sommes heureuses de vous avoir. Je ne sais pas ce que nous aurions fait si le Dr Jones n'avait pas été remplacé, poursuivit Gina en soufflant sur sa frange. Vous comptez rester trois mois… ou plus ?

— Seulement pendant l'absence du Dr Jones.

Nicki entra avec un dossier qu'elle agita devant elle.

— Les Hallowell sont arrivés, chuchota-t-elle. En salle 2.

Joanna tendit une ordonnance à Ben, ainsi que la liste de ses recommandations et le formulaire de paiement, avant de se tourner vers Dylan.

— Voilà. Tu es paré pour l'aventure. Si tu as un souci, demande à ton oncle de te ramener ici. D'accord ?

— Hum… Je vais attendre dehors, intervint Gina, en donnant un petit coup de coude amical à son neveu.

Dylan lui emboîta le pas, suivi du regard par Ben et Joanna.

Lors de leur première entrevue, Joanna avait pris Ben pour un séducteur. L'admiration évidente de Nicki et son allusion à sa réputation avaient achevé de la convaincre.

Maintenant qu'elle avait vu le tact avec lequel il avait soutenu son neveu, ainsi que la chaleur de ses rapports avec sa sœur, elle se demandait si cet homme n'était pas plus sérieux qu'il n'y paraissait, au premier abord.

— Je voudrais vous remercier de nous avoir reçu, sans rendez-vous.

La voix grave de Ben la cloua sur place.

— Mais, euh, je vous en prie !

— J'avais l'intention de vous rapporter votre cheval dès ce soir, si ça vous convient.

L'espace d'une seconde, elle s'imagina Ben lui rendant visite *à elle*, et cette pensée lui réchauffa le cœur. Toutefois elle se rappela bien vite que son voisin voulait simplement se débarrasser de Galaad…

— Merci. Laissez-moi la facture dans la boite aux lettres, si je ne suis pas rentrée.

— Quelle facture ? demanda-t-il, visiblement surpris.

— Pour la pension de Galaad ! Vous l’avez hébergé pendant deux jours ! Et puis pour la clôture !

— Dans la région, nous nous rendons souvent service, entre voisins ! Nul doute que vous aurez l’occasion de me rendre la pareille, un de ces jours, répondit-il en sortant, un sourire ravageur aux lèvres.

5.

Gina souriait toujours, lorsque, une heure plus tard, elle regagna son modeste appartement, en bordure sud de la ville.

Elle avait remarqué l'intérêt que Ben portait au nouveau médecin de la clinique, et la façon dont Joanna Weston le regardait ne lui avait pas échappée non plus. Avec un petit coup de pouce, peut-être Ben ferait-il le bon choix, cette fois-ci. Aussi, lorsque Zach rentrerait, elle lui demanderait s'il était d'accord pour les inviter samedi. Avec Dylan, bien sûr : le gamin semblait avoir grand besoin de sa famille. Elle l'avait vu à plusieurs reprises, depuis son arrivée, un mois auparavant, et il ne s'était toujours pas départi de son attitude rétive.

Sue Ellen Zeman, la nourrice qui s'occupait des filles après l'école, entra d'un pas lourd dans le salon.

— Vous avez un mot, sur la table de la cuisine, annonça-t-elle, sombrement. Votre mari est passé, il y a une heure, pour préparer son sac et il est reparti aussitôt. Rien de grave, j'espère !

Il n'était pas facile de trouver une gardienne d'âge respectable, pour la plage horaire commençant après les cours. Sue Ellen était fiable et ne demandait pas un salaire exorbitant. Malheureusement, elle regardait trop la télé et avait tendance à tout dramatiser. Par ailleurs, c'était une redoutable commère.

— Rien du tout ! Ne vous en faites donc pas ! répondit Gina. Vous savez que Zach conduit des semi-remorques ! Alors il est normal qu'il soit souvent parti. Ses déplacements sont plus longs, voilà tout !

Et de plus en plus fréquents, ces derniers mois, ajouta-t-elle pour elle-même. Mettant ses soucis de côté, Gina se tourna vers Sue Ellen avec un grand sourire.

— Il a eu le temps de dire au revoir aux filles ?

— Il les a manquées de cinq minutes à peine.

Bien joué ! Les adieux larmoyants, les fillettes s'accrochant à lui, étaient le pire, dans son travail. Du moins c'est ce qu'il avait toujours affirmé. Apparemment, il commençait à filer à l'anglaise, afin de pouvoir éviter à la fois ses enfants *et* sa femme… Il ne s'était même pas donné la peine de lui passer un coup de fil sur son portable.

— Il devait être pressé ! répondit-elle nonchalamment. Où sont les petites ?

— Dans la cour. Elles font de la balançoire. Regan se fait du souci pour un devoir qu'elle doit rendre demain. Quant à Allie, elle voudrait que vous lui cousiez un costume pour la fête de Halloween, à l'école. J'espère que vous savez tenir une aiguille ! commenta la brave femme.

— Merci de m'avoir prévenue ! Hélas, mes talents se limitent aux ourlets, aux boutons… et aux épisiotomies.

Sue Ellen se dirigea vers la porte en gloussant.

Gina la salua d'un signe de la main et attendit que la porte soit refermée pour se rendre dans la cuisine. Le mot, plié en deux et sans enveloppe, était coincé entre la salière et la poivrière.

Elle tendit la main et prit une longue inspiration. Les doigts tremblants, elle s'empara du papier qu'elle lissa sur la paume de sa main.

« Je pars pour Flagstaff, puis pour Colorado Springs. Tu peux m'appeler sur mon portable.

Zach. »

Pas de « Chère Gina ». Pas de « Je t'aime » non plus.

Pas même une indication quant à la date prévue de son retour. Ce mot aurait tout aussi bien pu s'adresser au plombier ou au livreur de journaux.

En fait, il était à la mesure de son attitude, ces derniers temps. Un de ces jours, elle trouverait sûrement un mot semblable, lui annonçant qu'il voulait divorcer !

Du dehors montaient les rires des fillettes. Par les fenêtres ouvertes, elle entendit Maria Corvallis réprimander sa fille, et la vieille camionnette du fils Peterson qui descendait la rue, en grinçant.

Les bruits quotidiens de la vie. Tout était normal, si ce n'est que Zach sortait à pas feutrés de leur union, bien décidé à se consacrer à un avenir dont elle ne faisait pas partie. Tout cela parce qu'elle avait choisi de réaliser son rêve d'enfance.

— Maman ! Tu es rentrée !

La petite Regan, âgée de 7 ans, fit irruption dans la cuisine, sa queue-de-cheval voletant derrière sa tête. Son visage constellé de taches de rousseur brillait d'excitation et elle se jeta dans les bras de sa mère. Allie, qui avait deux ans de moins, la suivait de près et toutes les trois s'étreignirent.

— Tu as attrapé beaucoup de bébés, aujourd'hui, maman ? demanda Allie en lui plantant un baiser sonore sur la joue.

Gina ne put s'empêcher de rire.

— Non. Aucun, aujourd'hui. En tout cas, pas encore.

Cela pouvait toujours se faire, si Bonita Schweiter accouchait ce soir. Elle en était à sa quarantième semaine et son bébé était considérablement descendu, ces deux derniers jours.

— Si je suis obligée de repartir, Nicki ou Sue Ellen viendront vous garder. D'accord ?

— Même en pleine nuit ?

— Même en pleine nuit, confirma Gina, embrassant tour à tour les deux fillettes sur le front. Et je reviendrai toujours !

Contrairement à votre père, je le crains, songea-t-elle, le cœur serré. Et qu'adviendrait-il d'elles trois, alors ?

Le vendredi suivant, en début d'après-midi, Joanna buvait un soda dans le laboratoire de la clinique, se délectant de la fraîcheur du liquide coulant dans sa gorge. Elle ne s'était toujours pas accoutumée à l'altitude et au climat aride de la région, et sentait la tête lui tourner dès qu'elle devait se presser. Ce qui avait été le cas, toute la journée.

Fort heureusement, à la clinique, les choses se passaient plutôt bien, jusqu'à présent. Le Dr Jones étant parti plusieurs semaines avant son arrivée, elle avait dû rédiger plusieurs certificats d'aptitude au sport, procéder à des vaccins de routine et à des contrôles de santé sur des nourrissons, sans compter le lot habituel de refroidissements, quintes de toux, angines et otites.

Elle s'en était bien sortie. Le lundi, son cœur s'était serré, comme toujours, lorsque, entrant dans la salle de consultation, elle était tombée sur un nouveau-né de cinq jours, endormi sur l'épaule de sa mère. Toutefois, dès le jeudi, le fait de travailler avec des tout-petits lui était devenu plus facile.

Peut-être son chagrin commençait-il à s'apaiser, lui permettant de se consacrer à son travail sans être entravée par des souvenirs pénibles.

Elle bâilla et songea qu'elle se leurrait peut-être complètement ; elle n'avait pas arrêté une minute depuis 8 heures du matin, au point qu'elle n'avait pas eu le temps d'avaler le sandwich rangé dans le tiroir de son bureau. « Quand on est aussi occupé, on n'a pas le temps de penser. » Dans ce cas, elle n'aurait pu trouver meilleur endroit.

Eve entra dans le laboratoire d'un pas affairé, s'empara de sa Thermos de café et en avala une gorgée.

— Mme Pennington est ici, avec son fils, Jason, annonça-t-elle. Encore un certificat ! Tous les ans c'est la même chose, maugréa-t-elle en hochant la tête. Les gens savent que leurs gamins auront besoin d'un certificat pour faire du sport. Ils pourraient très bien prendre rendez-vous en juillet ou en août, mais pensez vous ! Ils préfèrent attendre septembre, et ils se plaignent si nous ne pouvons les prendre avant la mi-octobre !

— Peut-être que les gamins ne sont pas sûrs du sport qu'ils choisiront à la rentrée !

— La plupart d'entre eux pratiquent la même activité depuis l'école primaire... Enfin ! Toujours est-il que Jason a besoin d'un certificat. Et ne vous étonnez pas si sa mère vous paraît un peu revêche. Elle descend d'une famille fortunée et ne perd pas une occasion de vous le faire sentir. Son mari est un de ces conseillers financiers en vogue.

— Il est également membre du conseil d'administration de Naissances, si je ne m'abuse !

— Oui. Et pas des plus discrets, d'après mes sources !

Jason était un gamin de douze ans, plutôt maigrichon, avec des cheveux bruns, bien coupés. Il était déjà installé sur la table, et faisait balancer ses jambes. Sa mère, une femme blonde âgée d'une trentaine d'années et vêtue d'un tailleur classique immaculé, était assise sur une des chaises, ses longues jambes élégamment croisées devant elle.

— Vous avez dû avoir une dure journée, lança-t-elle, une nuance d'impatience dans la voix.

— Vous pouvez le dire ! Excusez-moi de vous avoir fait attendre, répondit Joanna, en lisant le dossier qu'elle tenait en main.

Enfant unique, sans problème de santé particulier, si ce n'est une propension aux blessures. Fracture du poignet en 1997, de la clavicule en 2002. Entorse sévère en 2002 également.

Une sonnette d'alarme retentit dans l'esprit de Joanna. Elle s'avança vers l'enfant et lui tendit la main.

— Bonjour, Jason. Je suis le docteur Jo, dit-elle en souriant avant de se tourner vers la mère.

— Et vous, madame Pennington ? Vous avez des questions ?

La jeune femme fronça délicatement les sourcils, en réfléchissant.

— Oui. Jason est-il à jour dans ses vaccins ?

— Oui, répondit Joanna, après avoir consulté le dossier. Pour le reste… Tension, pouls et température normaux, ainsi que son sang et son urine.

Joanna procéda à un examen de routine, qui ne révéla rien d'anormal et fit asseoir le jeune garçon, pour vérifier ses réflexes.

— Tu t'es blessé plusieurs fois, par le passé. Quel sport pratiques-tu, cette année ?

— Football. Et course à pied, au printemps.

— Super ! Comment as-tu fait pour te briser la clavicule, l'an dernier ?

— Je suis tombé de cheval, répondit le gamin.

— Son père lui avait acheté un cheval, a priori parfaitement inoffensif. Nous l'avons revendu aussitôt après l'accident, précisa Fiona Pennington, en se levant. Jason a aussi eu une grosse entorse, l'an dernier, en skiant.

— J'aurais dû rester sur les pistes vertes, intervint le gamin, d'un ton de regret. Seulement papa…

— Il a voulu rejoindre son père sur les rouges ! enchaîna Fiona. Il a eu de la chance de ne pas se casser la jambe !

Joanna fit signe à l'enfant de descendre de la table. Bien qu'il ne lui eût pas semblé particulièrement nerveux, elle était toujours extrêmement attentive, en cas de suspicion de maltraitance.

— Je regarde ta colonne vertébrale et on aura fini. Penche-toi en avant ! C'est bien. Maintenant, redresse-toi…

Du coin de l'œil, Joanna vit la mère de l'enfant de profil et, à sa grande surprise, constata que son tailleur bien coupé lui avait dissimulé le fait qu'elle était enceinte. Son regard se porta sur les bijoux de la jeune femme.

Sa main fine et soigneusement manucurée arborait une bague incrustée d'énormes diamants... un peu plus haut, une ecchymose pâle encerclait son poignet gracile.

Joanna leva les yeux et croisa le regard de Fiona, qui se détourna vivement.

— Tout ce que nous voulons, c'est que vous signiez ce certificat, lança Fiona en attrapant son sac avec impatience. J'ai un autre rendez-vous dans un quart d'heure !

Joanna ne pouvait poser aucune question en présence de Jason. Néanmoins, elle avait déjà vu ce genre de contusions sur des poignets et il ne s'agissait pas d'une marque d'amour. Etait-ce le mari de Fiona qui l'avait brutalisée ainsi ?

Si c'était le cas, il fallait espérer que c'était avec un avocat que son interlocutrice avait rendez-vous.

Au moment où les Pennington sortaient, la voix de Nicki lui parvint par l'Interphone.

— Un appel de l'école primaire. Il y a un problème. Vous prenez ?

— Bien sûr ! répondit Joanna, surprise. Passez-le-moi au labo.

La secrétaire de l'école lui passa immédiatement le directeur.

— Je voudrais que vous veniez chercher votre cheval, docteur Weston ! commença le directeur, d'une voix sévère. Ainsi que le molosse blanc qui l'accompagne.

— Mon... cheval ?

— Nous avons prévenu la police... Malheureusement, toutes les forces de Charme sont mobilisées par un carambolage sur la nationale. Du coup, nous avons appelé les ranchers du coin et Ben Carson nous a dit que notre description correspondait à celle de votre cheval.

— Ça a dû l'amuser, non ?

— Peut-être ! rétorqua sèchement le principal. Mais pas nous ! Ce cheval remue ciel et terre depuis plus d'une heure, ici. Ben nous a bien proposé de venir le chercher, seulement quand je l'ai eu au téléphone, il était à plus d'une heure de route d'ici...

L'espace d'un instant, Joanna entrevit les procès ruineux que des dommages matériels pouvaient lui coûter. En ces temps procéduriers, qui pouvait dire jusqu'où cela irait ? Pire encore, était l'éventualité que Galaad eût blessé quelqu'un, en l'occurrence un enfant. Elle prit une longue inspiration, avant de demander :

— Pouvez-vous me dire exactement ce qu'il a fait ?

— Il ne cesse de regarder par les fenêtres.

— C'est tout ?

De soulagement, elle faillit éclater de rire, et se reprit juste à temps.

— Essayez de vous représenter l'agitation des élèves, en voyant un cheval les épier par la fenêtre de leur salle de classe, rugit le directeur. Sa simple présence les rend absolument fous ! Quand il va voir un peu plus loin, par une autre fenêtre, les gamins de la première classe se mettent à hurler leur déception... Ceci est une école ! Nous n'avons pas de rideaux, aux fenêtres, docteur !

— Et le chien ? s'enquit Joanna, d'une voix faible. C'est bien un gros toutou à poils blancs ?

— Oui. Il reste auprès de votre cheval. La seule différence est qu'il pose ses pattes de devant sur le rebord des fenêtres.

— Je vois...

— Alors je vous donne une demi-heure maximum pour venir récupérer votre ménagerie ! dit-il, avant de raccrocher rageusement.

Hébétée, Joanna contempla un instant le combiné, avant de le reposer sur son socle.

— Eve... Je dois m'absenter un petit moment.

— J'ai entendu, répondit sèchement Eve. Un gamin vient juste d'arriver en déblatérant sur un cheval qui veut aller à l'école. Il paraît que le directeur est très contrarié...

— Vous m'étonnez ! Bien... Pouvez-vous décaler tous mes rendez-vous d'une heure ? Je resterai plus tard, ce soir, pour recevoir tout le monde.

Eve hocha la tête et se précipita vers l'accueil.

Joanna avait été retenue à la clinique, le mercredi soir, de sorte qu'elle n'avait pas vu Ben, lorsqu'il lui avait ramené Galaad. Elle avait trouvé l'animal paisiblement occupé à mâchonner du foin, dans le corral, et Moose endormi, aussi près de lui que son propre enclos le lui permettait.

Et Ben avait terminé d'électrifier la clôture.

Il ne s'était rien passé pendant deux jours entiers, et voilà que le cheval avait repris la poudre d'escampette, emmenant avec lui, cette fois-ci, son fidèle compagnon. Il avait dû sauter par-dessus la clôture, sans se soucier de la décharge désagréable qu'il n'avait pas manqué de recevoir.

Ce n'est qu'en arrivant chez elle, un quart d'heure plus tard, qu'elle eut la clé de l'énigme. Le portail de l'enclos était grand ouvert.

— Bien joué, Weston ! marmonna-t-elle en s'emparant d'un licou qu'elle se hâta d'emporter vers sa camionnette. Tu avais bien besoin de t'encombrer d'un cheval !

Ainsi que d'un chien aussi gros que l'état du Massachusetts, du mobilier neuf qu'elle avait acheté pour son appartement californien, des cours de Tai Chi Chuan et de toutes les mesures qu'elle avait prises pour s'occuper l'esprit, ces deux dernières années. Cette attitude compulsive lui avait valu de se retrouver avec des meubles ultra modernes qu'elle n'aimait pas, une inscription à des cours auxquels elle n'avait pas le temps d'assister, et à présent, des pensées coupables, à l'égard de son voisin le plus proche.

Heureusement que le terme « voisin » était tout relatif, dans la contrée. Si Ben avait demeuré sur le même palier qu'elle, elle serait probablement passée le voir, la veille et le jour précédent, histoire de faire un brin de causette… et de voir jusqu'où leur relation pouvait aller.

C'est-à-dire nulle part, du moins si elle ne voulait pas s'éloigner de la fabuleuse carrière qui l'attendait à San Diego.

Après avoir accroché la remorque à son break, elle redescendit en ville. Perdue dans ses pensées, elle s'arrêta devant l'école, en bordure nord de la ville… et resta bouche bée.

Les cours avaient été annulés pour la journée. Les enfants, éparpillés, riaient et couraient dans tous les sens. Et si certains d'entre eux étaient déjà en rang pour monter dans la file de bus jaunes garés devant l'établissement, la plupart étaient rassemblés en demi-cercle, au fond de la cour. Quelques enseignants s'efforçaient de les éloigner, en compagnie d'un homme d'âge moyen, au visage cramoisi, qui ne pouvait qu'être le directeur. Un homme plus jeune et efflanqué, dominait la foule, un impressionnant Nikon devant les yeux.

Galaad se tenait devant une des fenêtres de l'école, les oreilles dressées et les yeux brillants, de toute évidence ravi d'être le centre d'intérêt. Moose, quant à lui, était fièrement assis à ses pieds.

Joanna attrapa le licou et la corde et traversa précipitamment la pelouse, sous les questions des gamins surexcités.

— Je suis absolument navrée, murmura-t-elle, en fendant la foule. Vraiment ! Je vous promets que cela ne se reproduira pas !

Abaissant son appareil, le photographe alla à sa rencontre.

— Bonjour. Nolan McKinnon, annonça-t-il, en lui tendant la main, un large sourire aux lèvres. Rédacteur en chef de *l'Arroyo County Bulletin*. Il est à vous, ce cheval ?

L'autre homme, étriqué dans son costume bleu marine, se fraya à son tour un chemin à travers la foule et l'interpella, ne lui laissant pas le temps de s'expliquer.

— Nous avons dû libérer les élèves, docteur ! gronda-t-il. Nous avons perdu l'après-midi à cause de ce canasson !

— Je vous répète que je suis absolument navrée. En rentrant, je vais passer acheter des chaînes et des cadenas pour mes deux portails. Cela ne se reproduira pas ! Promis !

— Vous êtes la nouvelle pédiatre, c'est bien ça ? demanda Nolan McKinnon, les yeux pétillants de malice. Pouvez-vous me parler de ce cheval ? C'est la première fois qu'il part en balade, comme ça ?

— Excusez-moi… Je dois absolument le rentrer, avant qu'il ne blesse quelqu'un.

Elle s'avança vers Galaad et lui passa le licou. L'animal baissa la tête, comme s'il savait qu'il avait fait une bêtise et qu'il devrait en subir les conséquences.

— Tu es un vilain ! marmonna-t-elle, en lui grattant les oreilles.

Il se laissa aller à cette caresse, les yeux mi-clos, apparemment proche de l'extase. Le journaliste en profita pour reprendre quelques photos.

— Il ne se passe rien de plus intéressant, à Charme ? demanda Joanna, les joues en feu.

— Mon reporter est parti couvrir l'inauguration d'une pizzeria, au centre-ville, répondit McKinnon, en haussant les épaules. Alors je suis venu voir ce qui se passait. On ne sait jamais ! L'Agence de Presse pourrait être intéressée par un fait divers aussi amusant !

— J'espère que non ! grommela Joanna, en jetant un coup d'œil à sa chemise maculée de poussière.

— Vous êtes très bien, je vous assure ! pouffa son interlocuteur.

— C'est sûr ! dit-elle, se mettant à rire, elle aussi. Promettez-moi seulement que je ne ferai pas la une !

— Parole de scout !

Les enfants avaient commencé à se disperser. Ceux qui restaient s'écartèrent comme la mer Rouge sur le passage de Moise, pour laisser passer Joanna, Galaad et Moose.

Nolan McKinnon continua de l'abreuver de questions, jusqu'à ce qu'elle ait rentré le cheval, fait grimper le chien à l'arrière de son véhicule, et se soit glissée derrière le volant.

— Par simple curiosité, commença-t-elle, un sourire innocent aux lèvres. Lors de mon arrivée en ville, j'ai entendu dire qu'il y avait eu du remue-ménage, à la maternité Naissances… On m'a parlé de journalistes indésirables.

Le sourire affable du rédacteur en chef s'évanouit.

— Vous ne pouvez pas me dire ce qui s'est passé, par hasard ? insista-t-elle. Les gens n'en savent rien ou ne veulent rien dire, et comme je travaille avec les patientes de Naissances, je suis un peu inquiète.

— Je n'aime pas les rumeurs. J'ai effectivement entendu dire que Lydia Kane s'était retirée du conseil d'administration. En revanche, je peux vous affirmer que ne suis jamais allé fureter là-bas. Cette femme a tant fait, dans la région, ajouta-t-il avec un clin d'œil, que j'ai préféré lui donner le bénéfice du doute.

Du coin de l'œil, Joanna vit Ben garer sa camionnette noire, de l'autre côté de la rue et les saluer, tous deux, d'un signe de la tête. Sous l'ombre de son chapeau, elle crut déceler une moue de dédain.

Apparemment, cela n'avait pas échappé à McKinnon non plus.

— J'imagine que Ben est un bon ami à vous !

— Nous sommes voisins, sans plus !

— Ça m'étonnerait qu'il regarde tous ses voisins de cette manière-là !

De nouveau, il lui fit un clin d'œil, et s'éloigna d'un pas léger, en sifflotant un vieil air de folklore.

Joanna consulta sa montre et sursauta. Cela faisait une heure qu'elle était partie et il lui restait des malades à voir... Elle démarra et alla s'arrêter à côté de la camionnette de Ben.

— Vous êtes venu jusqu'ici à cause de Galaad ?

— Quand le directeur m'a prévenu, j'étais à perpette !

— Désolée. On dirait que je ne vous cause que des problèmes !

— Ce n'est rien ! De toute manière, je devais descendre en ville pour voir le conseiller d'éducation, au lycée de Dylan. Si vous n'étiez pas arrivée, j'aurais emmené votre hongre à l'écurie communale.

— Je n'arrive pas à croire que vous avez terminé de poser le fil électrique ! J'aimerais vraiment pouvoir vous remercier !

— J'espérais bien que vous me diriez ça... Parce que, voyez-vous, j'ai justement un service à vous demander. Accepteriez-vous de venir passer une nuit au ranch ?

6.

Sidérée, Joanna le dévisagea un instant. Ben Carson était particulièrement grand et bien trop séduisant. Rien qu'à sonder ses yeux immenses, elle était parcourue de frissons.

Certes, elle avait découvert d'autres aspects de sa personnalité. Il s'occupait d'un adolescent pour le moins difficile, hébergeait sa vieille tante et entretenait une relation étroite avec sa sœur. Malgré tout, Joanna n'était pas femme à envisager une relation charnelle sans lendemain.

— Il n'en est pas question ! répliqua-t-elle sèchement. Vous trouverez bien, dans votre agenda, les coordonnées de filles qui ne demanderont pas mieux !

— Attendez un instant ! s'écria-t-il en remontant son Stetson sur son front. Vous vous méprenez sur mes intentions ! Je me demandais simplement si vous accepteriez de dormir au ranch samedi soir. Je dois emmener des chevaux à Carlsbad… Bien entendu, vous n'auriez rien de particulier à faire, précisa-t-il. Seulement ce week-end, Rafe raccompagne son père à Albuquerque. Je me sentirais plus tranquille si Dylan et Sadie n'étaient pas seuls, au ranch. Il se peut que je ne puisse pas rentrer avant dimanche matin.

Joanna sentit ses joues s'empourprer. Comment avait-elle pu imaginer un instant qu'il lui demandait autre chose qu'un simple service ? A son grand étonnement, et bien qu'elle ne s'intéresse pas particulièrement à lui, elle non plus, elle se sentit vaguement déçue.

— Vous me demandez de faire la baby-sitter, en quelque sorte !

— Oui... Enfin non ! Il s'esclaffa. Ne prononcez pas ce mot devant Sadie et Dylan, sinon je vais le payer cher !

— Vous ne trouvez pas qu'ils sont un peu... grands, pour être chaperonnés ?

— Sadie est totalement incapable de surveiller Dylan. Plus inquiétant encore, elle souffre d'étourdissements. Elle prend des médicaments contre la tension, et elle en subit les effets secondaires.

— Pourquoi ne demandez-vous pas à Gina ?

— Elle serait venue, bien sûr, si elle n'avait pas été de garde, ce week-end. D'après elle, toutes les femmes à terme vont accoucher ces jours-ci, à cause du front froid qui nous arrive. C'est peut-être vrai, commenta-t-il. Nous autres, ranchers, constatons régulièrement l'impact des chutes du baromètre sur le vêlage des vaches.

— Comment pourrais-je refuser ? Vous m'avez si souvent rendu service... Dites-moi simplement à quelle heure venir !

Leurs regards se croisèrent et quelque chose qui n'avait rien à voir avec une vieille dame et un adolescent rebelle, ni même avec un simple échange de services, passa entre eux.

— Peut-être accepterez-vous une invitation à dîner, la semaine prochaine ? En guise de remerciement ! s'empressa-t-il d'ajouter.

Elle avait d'abord pensé qu'il l'invitait à partager son lit, pour une nuit, ce qui aurait été à la fois trop facile et totalement déplacé. A présent, il la conviait au restaurant... ce qui impliquait le début d'une relation. Une relation à laquelle elle n'était pas préparée.

— Ce ne sera pas nécessaire, répondit-elle en lui tendant nonchalamment la main. Je suis votre obligée, cher voisin !

— Euh… à votre aise, bredouilla-t-il, de toute évidence très surpris.

Du coin de l'œil, elle remarqua que McKinnon n'était pas allé bien loin. Appuyé contre une jeep, une dizaine de mètres plus loin, il les observait avec un intérêt ostensible.

Il ne manquait plus que ça ! Elle fit un bref signe de tête dans sa direction, appuya sur l'accélérateur et s'éloigna. Si le journaliste était en quête de ragots juteux à mettre dans sa feuille de chou, ce n'était pas là qu'il les trouverait. D'autant plus qu'il ne s'agissait que d'une simple amitié.

Elle n'avait pas eu d'amis de sexe masculin depuis bien longtemps. Ses collègues étaient tous occupés par leurs familles, leurs fiancées ou leurs parties de golf et elle n'en voyait jamais aucun, en dehors de l'hôpital.

Aujourd'hui, elle avait un cheval, un chien, et un voisin fiable. Et, pour la première fois depuis deux ans, des projets d'avenir. Dans trois mois, elle plierait bagage pour rentrer définitivement chez elle.

Rien ne pourrait l'en empêcher. Pas même un cow-boy, aussi séduisant soit-il.

— Tu choisis, Gina ! C'est moi ou ton fichu boulot !

Gina dévisagea son mari. Il était rentré en fin d'après-midi, après avoir passé trois nuits en déplacement, sans lui passer un seul coup de fil.

Il avait mis les filles au lit et leur avait lu une histoire, avant de sortir sur la terrasse, où il était resté, seul, une bonne demi-heure. Sans doute pour réfléchir à ce qu'il allait dire, à la façon d'aborder un sujet aussi dévastateur pour toute sa famille.

Bien que Gina se fût attendue à cette discussion, elle était déconcertée par l'amertume de son mari, ainsi que par son visage de marbre. Il n'y avait plus la moindre trace d'amour ou de chaleur dans ses yeux. Par ailleurs, même s'il se disait contrarié par le fait qu'elle eût repris une activité, elle n'écartait nullement l'hypothèse d'une maîtresse.

— A t'entendre, j'ai l'impression que tu as déjà décidé de ce que tu allais faire ! rétorqua-t-elle.

— Il faut bien que quelqu'un prenne une décision, dans cette maison !

Gina sentit tout le ressentiment accumulé ces derniers mois lui serrer la gorge. Elle dut se faire violence pour ne pas se mettre à pleurer.

— Je t'écoute ! Qu'est-ce qui te convient le mieux ?

Zach se mit à jurer entre ses dents.

— Tu crois que ça « convient », comme tu dis, à tes filles, de te voir partir, à n'importe quelle heure du jour ou de la nuit ?

— Elles savent ce que je fais. Elles sont entre de bonnes mains et…

— Et elles vivent sans savoir si tu seras là à leur réveil. Quant à moi… Je rentre à la maison, le repas n'est pas prêt, et sur qui je tombe ? Une gamine, vautrée devant la télé ou la mère Zeman en train de tricoter dans la salle à manger. Et bien sûr, personne ne sait jamais à quelle heure tu rentreras !

— Mais enfin, la plupart des mères travaillent !

— Pas avec de tels horaires. J'en ai plus qu'assez, Gina ! Ça n'a plus rien d'une vie de couple !

— A cause de mes horaires ? Et les tiens, alors ? Tu pars plusieurs jours d'affilée et tu ne m'as jamais demandé si cela me convenait, à moi ! Tu n'étais même pas là pour la naissance de Regan !

— Je suis chauffeur routier, bon sang ! C'est mon métier !

— Moi aussi, j'ai un métier, Zach. J'ai toujours été là, pour les petites et pour toi. Et je le serai toujours. Seulement j'ai besoin d'autre chose, dans la vie. Et j'entends exercer la profession pour laquelle je suis qualifiée !

— Dans ce cas, je sais ce qui me reste à faire.

L'intensité du moment lui donna la chair de poule. Leur vie commune était brisée. Elle dévisagea son mari, le père de ses enfants, l'homme qu'elle aimait depuis l'âge de dix-huit ans. Elle avait tant fait, au fil des ans, pour essayer de le rendre heureux ! Elle s'était toujours pliée à sa volonté… Pourtant, cette fois, elle avait conscience de mériter mieux.

— Je pensais, dit-elle lentement, que tu voulais mon bonheur à moi aussi. J'ai dû me tromper.

Ils s'affrontèrent du regard un long moment, puis Zach se détourna.

— Je n'en ai pas pour longtemps à faire mes valises. Je… Je vous appellerai.

— Je l'espère bien… Pense à tes filles !

Il se figea et se tourna vers elle, la mâchoire agitée par un tic nerveux. Un mélange de colère et de douleur brillait dans ses yeux.

Gina espéra un instant qu'il comprendrait ce qu'il laissait derrière lui. Elle vit son expression s'adoucir légèrement…

Mais il fallut que son maudit biper choisisse ce moment pour vibrer. Elle le décrocha de sa ceinture ; au moment où elle releva les yeux, Zach la foudroyait du regard.

— Un vendredi soir banal, en quelque sorte ! déclara-t-il froidement.

Sur ces mots, il quitta la pièce.

— Ben nous a envoyé une baby-sitter ? demanda Dylan, l'air franchement écœuré.

— Non ! répliqua Joanna, surprise par la véhémence du gamin. Enfin… Pas exactement !

— Dans ce cas, qu'est-ce que vous faites ici ?

— Je suis venue m'occuper de Sadie, principalement. Elle n'est pas très bien, ces derniers temps.

— *Principalement ?*

L'adolescent tourna les talons et sortit d'un air outré.

Joanna le suivit et alla frapper doucement à sa porte.

— Ton oncle avait l'intention de te prévenir… Seulement tu étais parti à cheval et le bulletin météorologique prévoit des chutes de neige. Il a préféré partir tout de suite.

La chaîne stéréo se mit en route, assez fort pour couper court à toute conversation.

Sadie surgit aux côtés de Joanna, qu'elle réconforta d'une tape sur le bras.

— Les garçons sont comme ça ! dit-elle, en secouant la tête. Ils prennent tout de travers. Ça ne sert à rien d'essayer de discuter… Ben est pareil, ajouta-t-elle avec un petit sourire. Il porte le monde sur ses épaules et garde tout pour lui.

— Vous devez être très proches l'un de l'autre !

— Ah, ça oui ! Je le considère comme mon fils. Après le départ de son père pour la Californie, avec son frère aîné, la mère de Ben a eu bien du mal à élever ses deux cadets. Pendant qu'elle se tuait au travail, Ben et Gina passaient leur temps avec moi !

— Le ranch est dans la famille depuis longtemps, j'imagine ?

— Shadow Creek appartenait au grand-père de Ben. Après des problèmes financiers, il a dû le vendre, en 1972. Quand il été remis en vente, en 1998, Ben a pu le racheter. Tout seul, grâce à sa réputation et à force de travail ! précisa fièrement la vieille dame.

A en juger par le sourire ravageur et les manières désinvoltes de Ben Carson, jamais Joanna n'aurait pensé qu'il fût si opiniâtre.

— Il doit faire des merveilles !

— Vous pouvez le dire ! répondit Sadie, en désignant les pièces que longeait le couloir. Dès qu'il en aura terminé avec les écuries et les enclos, il commencera les travaux dans la maison. Malheureusement, il n'a pas beaucoup de temps : il est avec les chevaux et le bétail de l'aube au coucher du soleil. Vous avez visité la maison ?

— Non. Combien de pièces y a-t-il ?

— Dans cette aile, la chambre de Dylan, la mienne, une chambre d'amis et le bureau de Ben. L'aile la plus récente se trouve derrière la salle de séjour. L'autre héberge la chambre de Ben, deux autres chambres d'amis et une bibliothèque.

Les murs blanchis à la chaux étaient frais et lumineux, les planchers recouverts de tapis Navajo, tissés à la main.

— C'est magnifique, murmura Joanna.

— Et voici le bureau de Ben ! annonça Sadie, en appuyant sur l'interrupteur. C'était celui de son grand-père, Lee.

Curieuse, Joanna pénétra dans la pièce, à son tour.

Un énorme secrétaire occupait la partie gauche de la pièce. A droite, étaient disposés un canapé, recouvert d'une housse, deux vieux fauteuils et des sièges de cuir. Trois des murs étaient couverts de livres, à l'exception d'un pan où était accrochée une tête de cerf. Derrière le secrétaire, une alcôve hébergeait un ordinateur et un équipement dignes d'un avocat californien.

— C'est joli ! dit Joanna. Bien que je ne sois pas très convaincue par ce trophée… Ben doit adorer la chasse !

— C'est un véritable nid à poussière, pouffa Sadie. Je ne crois pas que Ben l'apprécie outre mesure… Cela dit, il était déjà là du temps de Lee et Ben aime que les choses restent telles qu'il les a vues dans son enfance. A l'exception, bien sûr, de tout ce matériel informatique !

En acceptant de passer la nuit à Shadow Creek, Joanna n'avait eu aucune intention de fouiller dans la vie privée de Ben Carson. Pourtant, en examinant son bureau, elle se sentit très intriguée. Qui aurait cru que Ben était si sentimental ?

Les guéridons disposés à chaque extrémité du canapé étaient recouverts de dizaines de photos encadrées de deux fillettes. Elle se demanda si Ben avait été marié.

— Ce sont… ses filles ? s'enquit-elle.

Le visage de la vieille dame s'éclaira.

— Non, ses nièces, Regan et Allie. Elles sont adorables. Quand elles viennent au ranch, elles ne lâchent pas leur oncle d'une semelle. C'est normal ! Il est comme un deuxième père, pour elles.

Sadie remonta la manche de son gros cardigan de laine et consulta sa montre.

— Asseyez-vous là un instant, si ça vous dit. Trouvez-vous un livre ! Moi j'ai encore à faire, dans la cuisine.

Sadie paraissait fatiguée. Son teint avait pris une couleur cireuse.

— Vous ne voulez pas vous reposer un peu ? Vous vous sentez bien, dites-moi ?

— Parfaitement bien ! ricana Sadie en sortant. N'écoutez pas ce que vous raconte Ben. Il s'inquiète pour un rien !

— Je vous rejoins dans un instant ! cria-t-elle. Je vais voir où en est Dylan.

De la musique hard rock s'échappait toujours de la chambre de l'adolescent. En soupirant, Joanna frappa bruyamment à sa porte.

— Dylan ?

Elle n'entendit rien d'autre que la batterie qui faisait vibrer le bois, sous sa main. La vision d'un Dylan, enjambant le rebord de sa fenêtre pour partir seul dans la nuit, l'incita à insister. Elle secoua la poignée de la porte, mais elle était fermée. Pourvu qu'il ne se soit pas enfui !

— Dylan ?

Elle réfléchissait déjà à la manière de forcer la porte, lorsque celle-ci s'entrouvrit, juste assez pour lui laisser entrevoir le regard furieux de l'adolescent.

— Ouais ?

— Je… Je suis venue m'excuser.

— De quoi ? demanda-t-il en baissant les yeux.

— De t'avoir contrarié. Tu veux manger quelque chose, avant d'aller te coucher ?

— Non.

— Même pas du pop-corn ?

La porte s'ouvrit un peu plus grand.

— Euh…

— Tu veux faire une partie de Monopoly ? Ou un rami ?

Il secoua la tête.

— Ou faire le tour du propriétaire ? Nous venons d'arriver, l'un comme l'autre, non ?

Il acquiesça avec réticence.

— Tu es là pour combien de temps ?

— Trop longtemps à mon goût ! rétorqua-t-il en refermant la porte.

Zut, c'était la question à ne pas poser, songea Joanna en s'appuyant contre le mur.

— Si tu changes d'avis, nous sommes dans la cuisine !

Sadie était occupée à pétrir une grosse boule de pâte.

— Ça sent déjà bon ! plaisanta Joanna. Qu'est-ce que c'est ?

— Des petits pains au caramel, pour demain matin. C'est la tradition, le dimanche.

— Je n'ai jamais su faire la pâte, confessa Joanna. Mes petits pains sont durs comme du bois. Un vrai désastre !

— Vous diluez sûrement votre levure dans de l'eau trop chaude… Ou bien vous ne faites pas lever la pâte à la bonne température… Quand la pâte aura doublé de volume, je l'étalerai pour préparer les petits pains. Ils lèveront dans la nuit. Vous aimez ça, j'espère !

— J'adore ! Cependant, si Ben parvient à revenir ce soir, je rentrerai chez moi.

— On m'a dit que vous habitiez seule, dans un de ces chalets, au pied des collines !

— Oui… mais j'ai un très gros chien !

— N'empêche que vous pourriez vous perdre, de nuit. Ces routes de montagnes se ressemblent toutes ! Même de jour !

— C'est vrai ! reconnut Joanna, songeant aux virages en épingle à cheveux, dans le chemin montant à son chalet.

— Où est-il, votre chien ?

— Je l'ai laissé dans un box, dans l'écurie, avec de la nourriture et de l'eau.

— Dans ce cas, c'est réglé. Vous restez jusqu'à demain matin, même si Ben rentre. Café ?

— Merci. Si vous êtes fatiguée, je peux terminer ces petits pains, vous savez !

— Et rater l'occasion de parler avec une autre femme ? ironisa Sadie. Il n'est que 21 heures ! A l'époque où Ben était petit…

Elle se mit à raconter une série d'anecdotes sur l'enfance de son protégé. Toutes le décrivaient sous un jour favorable. Si Joanna ne s'était pas encore aperçue que l'adorable vieille dame était une marieuse dans l'âme, cela serait devenu évident.

— Et vous ? demanda-t-elle soudain. Parlez-moi un peu de vous. Vous êtes fiancée ? Vous avez un petit ami, en Californie ?

Perdue dans ses pensées, Joanna avala son café de travers.

— Hum… Non.

— Une jolie fille comme vous ? Comment cela se fait ?

— Je ne cherche pas.

— Le temps passe, vous savez ! répliqua Sadie, une moue aux lèvres. Et on ne rajeunit pas !

— J'ai toute la vie devant moi ! contrecarra Joanna. Et le plus important pour moi, en ce moment, c'est ma carrière. J'ai une occasion formidable, en Californie.

Sadie se renfrogna.

— Le plus important, mon petit, c'est de fonder une famille. C'est ce qui apporte les plus grandes satisfactions.

— Je suis d'accord avec vous. Malheureusement, ça n'est pas vrai pour tout le monde !

Des rideaux de dentelle pendaient aux larges fenêtres de la cuisine. Dehors, c'était l'obscurité la plus totale. Entendant soudain des pas étouffés sur la terrasse, Joanna se figea.

Comme personne ne frappait, la peur s'empara d'elle. Ben, Rafe et Felipe étaient tous partis, ce qui ne laissait que deux femmes et un adolescent dans la maison. Et n'importe qui pouvait les voir, à travers ces rideaux.

— Je croyais que vous aviez un chien de garde ! bredouilla-t-elle, en regardant fixement Sadie. Comment se fait-il qu'il n'ait pas aboyé ?

— Blue ? Elle a sauté dans le camion de Ben au moment où il partait. D'habitude, elle reste ici, mais elle semblait déterminée à le suivre, et il l'a emmenée avec lui.

— Vous... Vous attendez de la visite ?

— Non ! répondit placidement Sadie. Pourquoi ? Vous avez entendu du bruit ?

— Des bruits de pas, dehors ! chuchota Joanna.

Sadie pencha la tête sur le côté pour écouter. Puis elle s'avança vers la porte.

— Attendez ! s'écria Joanna, les yeux fixés sur son téléphone portable, à côté de son sac, sur la table. Il est un peu tard, pour un visiteur impromptu, vous ne trouvez pas ?

— Ça ne peut être qu'une connaissance, ironisa Sadie.

— Pas forcément ! Demandez qui c'est, avant d'ouvrir !

— Si ça peut vous tranquilliser, donnez un petit coup de fil à Ben, mon petit ! A l'heure qu'il est, il est sûrement sur la route du retour, de toute manière !

Sadie se dirigea vers l'entrée et alluma la lumière de la terrasse.

— Il n'y a personne. C'est bizarre !

Pourtant, Joanna avait bel et bien entendu un bruit !

— Elle est fermée à clé, cette porte ?

— Bien sûr que non ! répondit Sadie, visiblement déboussolée. Nous ne fermons jamais nos portes à clé, par ici !

Joanna s'empara de son téléphone et se dirigea vers l'entrée. Son cœur battait la chamade et ses jambes la portaient à peine.

— Verrouillez-la ! Et maintenant, dites-moi vite, où se trouvent les autres entrées. Est-ce qu'elles sont ouvertes, elles aussi ? Et les fenêtres ?

— Il y a la buanderie... Et la porte vitrée qui donne sur la cour... Sadie s'interrompit pour réfléchir. Et puis celle de la grande chambre...

Virevoltant sur elle-même, Joanna se heurta contre un buste plus grand qu'elle.

— Hé ! s'exclama Dylan en reculant d'un pas. Qu'est-ce qui se passe, ici ?

En un éclair, Joanna imagina la une des journaux du lendemain : *« Triple meurtre dans un ranch isolé du Nouveau-Mexique. »*

— Il y a quelqu'un dehors. Il faut fermer toutes les portes à clé. Et vite ! Va dans la grande chambre. Moi je...

— Je vois quelque chose sur la terrasse, cria Sadie.

— N'ouvrez pas !

Joanna était au milieu du couloir lorsqu'elle entendit les gonds de la porte grincer.

— Mon Dieu, s'exclama Sadie, d'une voix chevrotante. Qu'est-ce que...

Joanna fit demi-tour et se précipita vers la cuisine, Dylan sur les talons. Du dehors s'éleva le son d'un moteur diesel. Etait-ce Ben ? Rafe... Ou quelqu'un d'autre ?

— Attendez !

Dylan s'enfonça dans un cagibi, à l'entrée de la cuisine, et en ressortit, armé d'une batte de base-ball et d'une carabine 22 long rifle. Il mit la batte entre les mains de Joanna.

— Tenez ! C'est tout ce que nous avons.

Mais déjà, Sadie revenait de la terrasse, traînant quelque chose derrière elle.

Elle se tourna vers eux, livide.

— C'était… Une livraison. Je… Je n'y comprends rien !

7.

Ebahie, Joanna regarda la vieille dame se pencher au-dessus… d'un siège auto, recouvert d'une couverture rose. Deux petits pieds et des poings minuscules en émergèrent.

D'une main tremblante, Sadie souleva la couverture.

— Mon Dieu ! murmura-t-elle. Un… Un bébé !

— Bon sang ! marmonna Dylan, d'un air déçu. A qui est-ce ? Et pourquoi l'avoir déposé ici ?

La petite fille avait une dizaine de mois. Elle portait une veste rose molletonnée, une salopette épaisse. Elle porta ses mains potelées vers le cordon retenant un bonnet de laine sous son menton, et s'en débarrassa, laissant apparaître une masse de boucles sombres et des joues cramoisies.

Soudain elle se figea et examina la pièce, derrière Sadie. De ses yeux noisette écarquillés, elle considéra tour à tour la vieille dame, Dylan puis Joanna. Un cri de terreur emplit la maison et ses joues se couvrirent de larmes.

Joanna se mit à fouiller derrière le siège, pour détacher l'enfant.

— Vous avez la moindre idée de qui cela peut être ? Le bébé d'une voisine ?

Sadie secoua la tête, consternée.

— Si nous connaissions ses parents, ils seraient entrés !

Le bébé essaya de se soustraire au contact de Joanna, et se mit à hurler de plus belle.

La jeune femme lui caressa la joue, sa peau moite et soyeuse la ramenant, comme toujours, à des souvenirs pénibles. Le poids de son nouveau-né, contre elle, pendant de trop brefs moments. L'horreur des derniers instants, pendant lesquels elle avait eu cruellement conscience de la chaleur qui s'échappait de son petit corps. L'odeur de lait et la douceur de sa peau de velours… Néanmoins, si elle voulait continuer à vivre, elle devait oublier le passé. De plus, le bébé qui hurlait à ses pieds avait besoin d'elle et tout son être lui criait de le prendre dans ses bras.

— Faites quelque chose ! grogna Dylan, la considérant avec mépris. Qu'elle arrête de pleurer !

De nouveau, Sadie se pencha vers l'enfant.

— Pauvre petite ! D'où viens-tu, bébé ?

— Attendez ! Je… Je vais m'en occuper.

Joanna prit une longue inspiration, glissa ses mains sous la petite fille et la souleva. Puis, fermant les yeux, elle déposa l'enfant sur son épaule et lui tapota le dos.

Raide comme un piquet, le nourrisson se cabra, essayant de s'échapper, la tête renversée en arrière, et visiblement terrorisé.

— La pauvre ! Dylan, va vite voir sur la terrasse, s'il te plaît. Il y a peut-être un sac ou un mot…

L'adolescent revint quelques minutes plus tard, tenant un sac du bout des doigts, comme s'il craignait d'attraper une maladie.

— C'est tout ce que j'ai trouvé.

— Tu peux l'ouvrir, pour voir s'il y a un nom ? demanda Joanna, tirant un mouchoir d'une boîte posée sur le comptoir de la cuisine, pour essuyer le nez et les yeux de la fillette.

Dylan ouvrit le sac, le renversa et l'agita dans tous les sens, sans réussir à en extraire le moindre objet. Le sac était plein à craquer. En soupirant, il en tira successivement un assortiment de couches, de lingettes, puis trois ou quatre T-shirts, des salopettes, et des chaussettes, le tout en rose. Il y avait également du talc et deux biberons.

— Shadow Creek est vraiment le dernier endroit où déposer un bébé ! répétait inlassablement Sadie.

— C'est tout ? demanda Joanna, en élevant la voix pour couvrir les hurlements du bébé. Dylan ? Tu n'as rien trouvé d'autre ?

— Non… Attendez !

Replongeant la main dans le sac, il se mit à vérifier une à une toutes les poches latérales. Puis il se saisit du flacon de talc et en examina le couvercle transparent. Après en avoir soulevé le couvercle, il exhiba triomphalement un morceau de papier, plié en huit.

« Enfin une explication, un numéro de téléphone… » songea Joanna, infiniment soulagée. Dans quelques heures, peut-être moins, la maman de ce petit bout reviendrait la chercher.

L'enfant poussa un dernier sanglot à fendre l'âme, la mâchoire tremblotante. Puis elle bailla profondément, renifla, dévisagea Joanna et agrippa sa chemise de ses petits doigts.

Les deux femmes s'approchèrent de Dylan, qui avait déplié le billet sur la table.

« Je suis désolée de ne pas t'avoir téléphoné pour te prévenir. Je n'ai pas pu… et de toute manière, je pense que tu ne te serais pas senti concerné… »

Tandis que tous trois s'efforçaient de déchiffrer l'écriture à peine lisible, la fillette continuait de se débattre entre les bras de Joanna. Soudain, elle donna un coup de pied plus fort que les autres, et renversa le vase posé sur la table.

Dylan voulut le rattraper, mais il lui glissa des mains, et l'eau se répandit sur l'encre du billet.

— Attrape ce mot, vite ! s'écria Joanna. Essaye de l'éponger. Surtout, ne frotte pas !

Dylan déchira en toute hâte un morceau de Sopalin et le posa délicatement sur la feuille.

— J'aurais dû le rattraper ! grommela-t-il, penaud.

— C'est ma faute, le rassura Joanna. Tu as fait ce que tu pouvais !

Sadie rôdait autour d'eux en se tordant les mains.

— Vous arrivez à lire ?

Le paragraphe du milieu était totalement illisible, à présent, à l'exception de quelques mots, qui seraient déchiffrables, une fois la missive sèche.

Le dernier paragraphe apprit à Joanna ce qu'elle devait savoir.

— Eh bien... On dirait que vous avez une invitée pour quelques mois... Peut-être même pour toujours !

Ben Carson allait avoir une sacrée surprise, en rentrant chez lui !

— J'avais oublié les joyeusetés de l'accouchement, depuis le dernier, murmura amèrement Bonita Schweitzer, les yeux rivés sur la pendule accrochée au-dessus de sa coiffeuse.

Elle s'interrompit, le temps de laisser passer une nouvelle contraction.

— Tout va bien, lui affirma Gina. Le bébé sera bientôt là et vous serez prête à l'accueillir.

La veille, Bonita avait souffert de contractions, pendant plus de huit heures, sans que rien ne se produise. A présent, elle ne parvenait plus à penser à autre chose qu'à l'intensité croissante des douleurs.

— Vous voulez marcher un peu ? proposa Gina. Dans certains cas, cela soulage, de bouger un peu. Et même si votre col n'est encore dilaté que de 6 cm, les contractions se rapprochent de plus en plus !

— Ça, vous pouvez le dire ! s'exclama Bonita, en soufflant sur sa frange. La prochaine fois, je veux que mon mari en passe par là. Il n'y a pas de raison !

En entendant le mot « *mari* », Gina sentit son cœur se serrer. Elle ignorait où était Zach et, bien qu'il ne se fût écoulé qu'une journée depuis son départ, elle se sentait plus seule que jamais.

Avec un sourire forcé, elle aida Bonita à sortir de son lit et fit quelques pas avec elle.

— Il faut que je m'allonge. En fait… J'aimerais oublier toute cette histoire. On n'a qu'à annuler !

— Vous croyez ? Vous avez vraiment envie d'être enceinte toute votre vie ?

Bonita leva les yeux au ciel et geignit en se recouchant tant bien que mal. De la cuisine montaient les voix de ses deux aînés, occupés à faire des biscuits, avec leur grand-mère.

— En… En voilà une autre. Je…

Le visage sombre, Bonita souffla, en agrippant le drap.

— Et bien sûr, il fallait que ça tombe un jour où Bob est en déplacement !

— Il rentrera dès qu'il le pourra. Combien de temps a duré votre accouchement, pour Marcus ?

— Si ma mémoire est bonne, j'ai mis dix-huit heures pour Joël et Marcus est arrivé en moins de quatre heures.

Bonita ferma les yeux et se remit à haleter. Des gouttes de sueur perlaient sur son front. Lorsque la contraction se fit aiguë, elle laissa échapper un cri et se cramponna à la main de sa sage-femme.

Gina lui épongea le front avec un linge frais.

— Dans ce cas, ce ne sera pas très long.

Le téléphone retentit dans la cuisine. Quelques secondes plus tard, la mère de Bonita passait la tête dans l'encadrement de la porte.

— Comment ça se passe ? demanda-t-elle, en examinant la mine défaite de sa fille. Je prie pour toi, ma chérie… Gina, quand vous aurez une minute, rappelez le ranch de votre frère.

— Comment ?

Toute à sa patiente, elle avait à peine entendu.

— Rappelez Shadow Creek dès que vous le pourrez. Il y a un problème.

Un quart d'heure plus tard, Bob Schweitzer pénétrait précipitamment dans la chambre, les mains rougies par un lavage énergique et les yeux brillants.

— Je suis là, Bonnie. Désolé d'arriver si tard.

Il se pencha pour déposer un baiser sur le front de sa femme, puis resta à ses côtés, l'encourageant à mi-voix, lui donnant sa main à serrer, pendant les contractions.

Lorsque la tête du nouveau-né apparut, quarante-cinq minutes plus tard, Bob se mit à hululer de joie. Doucement, avec maintes précautions, Gina fit passer le crâne au-dessus du périnée et aida le petit corps à sortir de l'utérus maternel.

— Il est magnifique, ma chérie ! Absolument splendide !

La voix tremblante d'émotion, Bob déposa l'enfant contre le sein de sa mère, avant d'aider Gina à couper le cordon ombilical. Les larmes aux yeux, il étreignit brièvement la sage-femme.

— Merci… Pour tout !

— C'est un grand bonheur, que de participer à un événement pareil ! déclara-t-elle sobrement. Vous l'emmènerez chez le pédiatre, demain, pour le faire examiner, d'accord ?

— Bien sûr ! s'exclama Bonita, radieuse. Même si nous savons déjà qu'il est en parfaite santé !

— Tu es prête à accueillir nos brigands ? demanda Bob, lorsque Gina eût nettoyé l'enfant et sa mère. Ils ont terriblement hâte de faire la connaissance de leur petit frère !

— Tant qu'ils n'ont pas une partie de football en tête…

La mère de Bonita fit entrer les deux gamins impressionnés, portant une assiette de cookies au chocolat, aux formes quelque peu excentriques.

— Nous les avons fait pour toi, maman, murmura Joël.

Agé de six ans, il était suffisamment grand pour voir au-dessus du rebord du lit. Toutefois, cela ne lui suffisait pas.

— On peut voir le bébé ?

— Moi aussi, je veux le voir ! renchérit son cadet, en trépignant.

Hilare, leur père les fit monter tous les deux sur le lit et Bonita les prit dans ses bras.

— Voici votre petit frère. Il est adorable, vous ne trouvez pas ?

Gina resta encore deux heures chez les Schweitzer, rangeant la chambre et s'assurant que le nouveau-né tétait convenablement. Comme d'habitude, elle savait que la joie d'avoir donné le jour à une nouvelle vie l'empêcherait de trouver le sommeil avant le petit matin. Bien qu'elle eût repris son activité depuis plus de six mois, l'expérience lui paraissait toujours aussi nouvelle et merveilleuse que lors de son premier accouchement.

Comment aurait-elle pu abandonner ce métier ? Jamais Zach n'aurait dû lui demander un tel sacrifice ! Quant à lui reprocher d'être trop souvent partie… Il n'était pas souvent à la maison, lui non plus ! Toujours par monts et par vaux, à récupérer un chargement ou l'autre. Apparemment, cela ne lui avait jamais posé le moindre problème.

Les choses étaient plus faciles pour Gina lorsqu'elle se laissait aller à la colère. Hélas, dès que son ressentiment s'évanouissait, elle était envahie par le doute, et un sentiment de culpabilité minait sa détermination. Ce n'était pas Zach qui avait changé, après tout. C'était elle… Et, par sa faute, toute la famille souffrait… Ce qui n'était pas juste non plus.

Ce n'est qu'en chargeant sa voiture, un peu après minuit, qu'elle se souvint soudain du message téléphonique transmis par la mère de Bonita.

Le ranch ! La gorge nouée, elle écouta sa messagerie. Il y avait eu un appel des filles, lui souhaitant joyeusement bonne nuit. Un autre de Lydia Kane, lui rappelant une réunion importante le lundi suivant. Pas d'appel de Zach, bien entendu. Il n'avait pas téléphoné depuis son départ.

Rien non plus en provenance du ranch.

Gina consulta nerveusement la pendule du tableau de bord. N'hésitant qu'une seconde, elle composa le numéro de Shadow Creek.

Ben gara sa camionnette et la remorque devant la grande écurie et s'adossa avec lassitude sur l'appuie-tête de son siège.

La neige était tombée en altitude et il avait dû avancer au pas, sur la route sinueuse, aussi bien à l'aller qu'au retour. Une fois sorti des montagnes, il avait pu rouler un peu plus vite, mais, il rentrait bien plus tard qu'il ne l'avait espéré.

— Sacrée journée ! murmura-t-il à Blue, qui s'était enroulée sur le siège du passager. Agitant joyeusement la queue, la chienne le contempla avec adoration.

— Tu es contente d'être arrivée, hein ?

Il lui gratta les oreilles et sortit de son véhicule. Blue le suivit jusqu'à la maison.

A cette heure tardive, Sadie et Dylan étaient probablement endormis. Quant à Joanna…

Il sourit à part lui, en songeant que la jeune femme serait là, certainement couchée, elle aussi. Il la verrait le lendemain matin, au petit déjeuner. Comme tous les dimanches, Sadie leur servirait des petits pains au caramel et du jus d'oranges fraîchement pressées. Peut-être Joanna serait-elle toujours là lorsqu'il rentrerait de la messe. Dans ce cas, elle accepterait peut-être d'aller faire une promenade à cheval, au pied des montagnes…

Il essaya, en vain, de se rappeler depuis combien de temps il n'avait pas invité de femme dans son ranch.

Lors de leur première rencontre, elle portait une casquette, un sweat-shirt d'homme bien trop grand pour elle et un jean. La dernière fois qu'il l'avait vue, ses cheveux blonds tombaient en cascade sur ses épaules. Ses formes discrètes et ses longues jambes étaient mises en valeur par un pantalon gris.

Elle était bien trop élégante pour lui. Il n'avait pas la moindre chance.

Pourtant, il n'avait pas été aussi intrigué par une femme depuis bien longtemps. Elle était intelligente, généreuse et terriblement séduisante et… pas mariée.

Fort heureusement pour lui, il n'avait pas décelé la moindre lueur d'intérêt dans ses yeux bleu marine. Aucun des signaux familiers que les femmes tendaient à lui envoyer. En fait, elle se conduisait exactement comme il le souhaitait. Dès lors, pourquoi éprouvait-il le besoin d'essayer de la faire changer d'avis ?

Il était tellement absorbé par ses pensées, que ce ne fût qu'une fois dans l'allée qu'il s'aperçut que toutes les lumières de la maison étaient allumées.

Redoutant le pire, il pivota sur lui-même pour examiner les parages. L'une des camionnettes du ranch était stationnée devant le garage, à côté du 4x4 de Joanna. Il n'y avait aucun véhicule de secours, à portée de vue. Visiblement, Rafe n'était pas encore rentré.

Intrigué, il accéléra le pas. Un bruit inhabituel montait de derrière la porte de la cuisine. On aurait dit… les pleurs d'un bébé. La télévision devait être en marche.

Il entra et fut momentanément ébloui par la lumière. Sadie, enveloppée dans sa robe de chambre de flanelle préférée, était assise à la table de la cuisine. La pauvre femme paraissait épuisée.

— Bonsoir, Tantine ! Qu'est-ce que tu fais debout ? Il est près de deux heures du matin !

Sans doute averti par le son de sa voix, Dylan émergea de la salle de séjour, un petit sourire narquois aux lèvres.

— On va rigoler un peu ! lança-t-il, mystérieusement.

— Tout le monde est réveillé ? Rien de grave, j'espère !

— Demande à ta copine Joanna ! ricana l'adolescent.

— Bon sang, Dylan ! Peux-tu me dire ce qui se passe ici ? rugit Ben, gagné par l'impatience et l'inquiétude.

— Gina arrive.

— Gina ?

Epuisé par sa dure journée, Ben foudroya son neveu du regard.

— Tu peux peut-être m'expliquer pourquoi ?

Un cri inhabituel s'éleva dans la salle de séjour. Il se fit entendre de nouveau, avant de se transformer en un braillement. Quelques secondes plus tard, Joanna entrait dans la cuisine, de gros cernes au-dessous des yeux… et un petit fardeau, enveloppé dans une couverture, entre les bras.

— Tiens ! lança-t-elle froidement, en apercevant Ben. Notre grand voyageur est enfin de retour ?

— Que…

— Tenez, cow-boy ! Voici votre cadeau de Noël !

Ben baissa involontairement les yeux sur ce qu'elle portait… et se retrouva face à face avec le visage baigné de larmes de…

— Un bébé ?

— Il paraît que vous êtes doué, avec les petits. Alors tenez ! Elle est à vous !

Joanna lui mit le bébé dans les bras. Automatiquement, il s'en empara, provoquant de nouveaux vagissements.

— D'où sort-il ? A qui…

— Même moi, je sais d'où viennent les bébés ! railla Dylan. Et comment éviter d'en avoir !

Ben était trop las pour jouer aux devinettes. Il ne rêvait que d'une chose : regagner son lit.

— Très drôle. Et maintenant, dites-moi. Où est sa mère ? Je voudrais bien aller me coucher, moi !

Joanna le foudroya du regard, avant de se détourner.

— Sadie ? Allez vous reposer. Ben va prendre le relais.

Elle s'avança vers la vieille dame pour l'aider à se lever et l'accompagna jusqu'à la porte de sa chambre.

— Toi aussi, Dylan. J'ai deux mots à dire à ton oncle. Va vite !

— Je ne…

— Fais ce que je te dis, Dylan ! Je suis épuisée et je voudrais bien rentrer chez moi !

Dylan quitta la pièce, en grommelant.

— J'ai hâte de savoir la suite ! persifla-t-il, en sortant.

Tout fatigué qu'il était, Ben ne put s'empêcher d'admirer l'autorité de Joanna.

— Qu'est-ce que vous lui avez fait ?

Joanna croisa les bras, d'un air farouche.

— C'est cette petite. Elle l'a épuisé. Comme nous tous, d'ailleurs. Elle pleure depuis quatre bonnes heures. Elle ne s'arrête que lorsque nous la promenons. Et dire que je pensais…, commença-t-elle, le dévisageant d'un air furieux.

Elle secoua la tête et, le contournant, alla récupérer ses clés de voiture et sa veste.

— Vous avez un mot, sur la table. De la part de votre… petite amie. Il est un peu humide, mais je suis certaine que vous en comprendrez l'essentiel. Votre fille…

— Ma fille ! explosa-t-il. Enfin, je n'ai pas de…

L'enfant avait commencé à se calmer dans ses bras. En l'entendant crier, elle le regarda d'un air terrorisé et se remit à hurler de plus belle.

— Bon sang, Carson ! Et vous avez la réputation de savoir vous y prendre avec les enfants !

Ben perçut la lassitude dans son regard, ainsi que… quelque chose de sombre, de triste, de douloureux. Et il comprit immédiatement que cela allait bien au-delà des événements de la soirée.

Soulevant le nourrisson, il le dévisagea attentivement. Il était impossible que ce fût sa fille. Du moins il l'espérait. Il lui murmura quelques mots de réconfort, la cala contre son épaule et fit quelques allées et venues, pour la calmer.

— Essayez au moins de comprendre, reprit-il à mi-voix. Je suis sous le choc, moi aussi !

Joanna se mordilla la lèvre et consulta sa montre. De toute évidence, elle hésitait à partir tant qu'une personne compétente, en l'occurrence Gina, ne vienne à leur rescousse. Elle dut juger que c'était plus sage, car elle s'effondra en soupirant sur une des chaises de cuisine.

— Dès mon arrivée, on m'a parlé de vous. De vos conquêtes, dans la région, et du fait que vous étiez un séducteur, commença-t-elle, une moue méprisante aux lèvres. Ce n'est pas la première fois que je vois des types irresponsables dans votre genre, faire des enfants pour refuser ensuite de prendre leurs responsabilités…

— Vous n'allez sans doute pas me croire, Joanna… Toutefois, j'ignore tout de ce bébé !

La fillette, toute chaude et minuscule entre ses bras musclés, laissa échapper un gros sanglot. Deux secondes plus tard, néanmoins, elle se détendit et, gagnée par le sommeil, se fit plus lourde. Ben baissa la voix.

— Je n'ai pas eu une relation digne de ce nom depuis trois ans !

— Vous oubliez les liaisons d'une nuit ! répliqua Joanna, un sourcil levé. Vous savez… Une jolie fille en ville… Pas mal ! Je vous paye un verre ?

— Je me fiche des rumeurs… et croyez-moi, ce ne sont que des rumeurs. Je les ai toujours laissé courir, parce qu'il me semblait vain d'essayer de les arrêter… Sans compter qu'elles ont empêché les mères les plus déterminées de m'amener leurs filles jusqu'ici !

— Oh, pauvre homme ! railla Joanna, en consultant de nouveau sa montre, de manière ostentatoire, cette fois. Je vous plains ! Devoir lutter contre ces hordes de femmes !

— Ecoutez ! Je suis sûr que quelqu'un a simplement décidé d'abandonner ce bébé ici, en attendant de lui trouver un foyer. Vous avez prévenu le shérif ?

— Pour quoi faire ? Pour faire adopter votre fille, alors que sa mère vous l'a confiée ? Vous voulez me faire croire que vous ne la connaissez pas ?

Joanna s'empara du billet étalé sur la table et le poussa vers lui.

Il la contempla sans rien dire et pour la première fois de la soirée, redouta le pire. Si toute cette histoire était vraie comment allait-il faire ? S'occuper d'un enfant en bas âge, le nourrir, en être responsable, vingt-quatre heures sur vingt-quatre… Où trouverait-il le temps… et l'argent, sans parler de l'énergie ? Il travaillait du matin au soir, dans le simple but de rentabiliser le ranch !

Joanna sembla lire ses pensées.

— Pensez à ce que cette fille a dû ressentir ! A la manière dont sa vie *à elle* a changé. Elle est certainement passée par tous les stades, de la peur à la solitude… Sans compter qu'elle ne roule sûrement pas sur l'or, elle non plus !

Le bébé s'agita contre lui, tout chaud et confiant et Ben se surprit à regretter que ce ne fût pas sa fille.

— Lisez-moi ce billet, lança-t-il d'une voix rauque. S'il vous plaît !

D'un geste abrupt, Joanna s'empara de la feuille.

« Je suis désolée de ne pas t'avoir téléphoné pour te prévenir. Je n'ai pas pu… et de toute manière, je pense que tu ne te serais pas senti concerné… Tu te souviens de moi ? Nous nous sommes rencontrés à Houston, en février dernier. Nous étions venus pour une vente aux enchères. Je t'ai taquiné à propos de ton tatouage… »

Joanna leva les yeux vers Ben et le toisa, l'air surpris.

— *Un tatouage* ?

Ben agita la main, l'air vaguement amusé.

— Une erreur de jeunesse. C'était vraiment idiot !

Subitement, la nuit passée à Houston lui revint en bloc. Il se remémora l'odeur du whisky et de la cigarette, ainsi que le rythme obsédant de cette boîte de nuit, à l'orée de la ville.

Une certaine Holly était venue vers lui, en robe de latex rouge et hauts talons, un sourire aguichant aux lèvres.

« Je t'ai entendu dire à ton ami que tu venais de rompre… » lui avait-elle susurré à l'oreille, sur un slow langoureux. « Tu n'as pas envie de compagnie ? »

Ils avaient écumé tous les bars de la ville, la jeune femme se montrant insistante. Et Ben n'avait jamais prétendu être un saint : attendu son état émotionnel et la quantité de whisky qu'ils avaient absorbée, il ne l'avait pas repoussée.

Lorsqu'il s'était réveillé, le lendemain matin, avec un mal de tête épouvantable, elle s'apprêtait à partir.

— J'ai un avion à prendre, chéri ! Merci pour tout !

— Attends ! Ton numéro de téléphone…

— J'ai le tien ! avait répliqué Holly, en agitant sa carte de visite dans les airs.

Elle lui avait envoyé un baiser et avait disparu.

La voix de Joanna, qui s'impatientait, le ramena au présent.

— Alors… Vous vous souvenez de ce week-end ou non ?

— Oui. Et c'était une erreur…

Faible mot, comparé à la petite masse du bébé contre sa poitrine, et à son odeur lactée.

— Je… Je l'ai principalement passé dans des bars.

Joanna le dévisageait, se demandant vraisemblablement s'il se commettait souvent dans ce genre d'aventures. La vérité était que depuis ce triste week-end, il n'avait jamais bu plus qu'une bière ou deux par temps chaud, et un bourbon lorsqu'il sortait dîner… Il n'avait jamais aimé boire.

— Cela ne prouve pas que je sois le père de cette enfant, reprit-il. Vous voulez bien continuer à lire le billet ?

— Il est en partie illisible, là où l'encre a coulé. Toutefois, il semble que la petite soit née en décembre dernier, le 23, je crois. Elle s'appelle Michelle. Le reste est assez vague, mais sa maman parle de repartir de zéro en Californie… et de revenir chercher sa fille dans quelques mois.

— Quelques… mois ?

— Elle… Hum… Elle ajoute que ça lui semble équitable, vu que vous ne lui avez jamais versé de pension alimentaire.

Ben sentit la colère monter en lui, et il dut prendre une longue inspiration, avant de pouvoir parler.

— Et comment ? J'ignorais jusqu'à l'existence de cette enfant ! Je n'ai jamais revu sa mère, pas plus que je ne lui ai parlé au téléphone. Sous quel nom a-t-elle signé ?

— Holly Nelson.

On frappa doucement à la porte et Gina entra, portant sa plus jeune fillette endormie, dans ses bras. Regan la suivait, en se frottant les yeux.

— Désolée d'avoir été aussi longue, murmura-t-elle. J'ai dû passer chercher les filles, pour libérer Sue Ellen. Mon Dieu, Ben ! Montre-la-moi… Hé ! Elle a le même épi que les filles !

Jusque-là, la situation dans son ensemble lui avait semblé surréaliste. Un peu comme les rêves qu'on a, au petit matin… Rien de tout cela ne pouvait lui arriver, *à lui* !

Pourtant, les paroles de Gina le poussèrent à examiner l'enfant… Attentivement, cette fois-ci.

Et il vit le fameux épi, qui empoisonnait l'existence des Carson depuis des générations. Ainsi que les boucles noires, apparaissant sur toutes ses photos d'enfance, ce front haut et ce nez mutin qui lui rappelait celui de sa mère.

Ainsi, tout cela était peut-être vrai…

Toute une série d'émotions nouvelles s'emparèrent de lui. Et seule une question cohérente émergea : qu'allait-il faire, à présent ?

8.

— Hé, le nouveau !

Dylan haussa les épaules et poursuivit son chemin en direction de son lycée. Lundi matin… Cinq longues journées d'école, avant le week-end. Et encore onze semaines à passer dans ce bled paumé !

Depuis son arrivée dans cette école, il avait droit à toutes sortes de sarcasmes. On se moquait de son accent, de ses vêtements, de ses baskets. On chuchotait dans son dos et les autres élèves semblaient le prendre pour un demeuré. Cela n'était pas nouveau : cela se produisait chaque fois qu'il changeait d'établissement. Et ça lui était arrivé si souvent que ça ne l'atteignait plus. Du moins, plus beaucoup.

Mme Babcock, son professeur de biologie, se tenait devant la porte de sa salle de classe.

— Tu as une mine fatiguée, Dylan. Tu n'es pas malade ?

— Non.

Il se sentait aussi bien qu'on pouvait l'être, après avoir entendu Ben faire les cent pas, la plus grande partie de la nuit, dans l'espoir de calmer le bébé.

Dylan allait pénétrer dans la classe lorsque Mme Babcock lui tapota le bras.

— Passe me voir à la fin de l'heure. J'ai à te parler. Je te ferai un mot d'excuse pour le cours suivant.

Allons bon ! Se dégageant, il hocha brièvement la tête et alla s'asseoir à sa place habituelle, au fond de la salle. Dylan s'installait immanquablement à l'écart de ses camarades. Tous, quelle que soit leur origine, avaient leur cercle d'amis, bien établi. Encore un endroit où Dylan n'avait pas sa place... Ça n'avait aucune importance : il détestait ce lycée.

Nate Welsh, le gamin qui l'avait interpellé dans la rue, se fraya un chemin entre les pupitres, laissa tomber son gros sac sur le sol et s'installa à côté de lui, avec un soupir exagéré.

— J'aimerais mieux être à la pêche à la ligne !

Ses cheveux bruns étaient tout ébouriffés et, d'après ce que Dylan pouvait en voir, il avait grand besoin d'un appareil dentaire.

— Tu veux venir faire un tour avec moi, après l'école ? proposa Nate, en posant un bras sur le rebord de son siège.

— Où ça ?

— On pourrait aller faire un billard !

— Pourquoi pas ? Du moins si on nous laisse entrer !

Nate passerait sans problème. Avec son attitude provocatrice, peu de gens se risquaient à lui chercher noise. De plus, sa charpente solide le faisait passer pour plus âgé qu'il ne l'était en réalité.

— T'inquiète pas ! Mon oncle tient le Ricardo, à côté du terrain de caravaning. Il suffit d'entrer par la porte de derrière et de ne pas s'approcher du bar. Il y a trois tables de billard, dans l'arrière-salle.

C'était tentant. Hélas, l'enthousiasme de Dylan retomba rapidement.

— Je ne peux pas. Je vais louper le bus !

Mme Babcock se mit à parler du prochain devoir sur table.

— Je peux emprunter une voiture, répliqua Nate. Je te ramènerai chez toi, après.

Chez lui... La bonne blague ! Comme s'il avait un chez-lui ! Sans compter qu'avec ce bébé sur les bras, Ben était encore plus débordé que d'habitude. Dès lors, pourquoi rentrer au ranch ?

— Entendu ! lança Dylan. Super !

Levant le nez, il vit le regard sévère de Mme Babcock fixé sur lui.

— Vous n'avez pas besoin de réviser, vous deux ? demanda-t-elle, en jetant un coup d'œil à Nate. Vous êtes parfaitement au point pour ce devoir ?

Nate grommela quelque chose entre ses dents. Dylan se contenta de baisser la tête.

Leur enseignante les toisa pendant quelques secondes, puis, s'emparant d'un morceau de craie, se tourna vers le tableau.

— Bien ! Qui peut me dire la différence entre une mitose et une méiose ?

Le cours lui parut interminable.

A la fin de l'heure, il ramassa son sac et se joignit au reste de la classe, la tête baissée. Malheureusement, Mme Babcock ne l'avait pas oublié : elle se tenait devant la sortie, les bras croisés, avec une moue peu engageante.

Lorsque tout le monde fut sorti, elle ferma la porte et regagna son bureau, faisant signe à Dylan de s'installer au premier rang.

Il s'exécuta avec méfiance.

Mme Babcock s'empara d'un dossier et le tapota d'une main.

— J'aimerais savoir comment tu te sens, dans cet établissement, Dylan.

Cela ne présageait rien de bon. Dylan passa rapidement en revue les quatre semaines qui venaient de s'écouler, se demandant ce qu'il avait fait de mal. En vain. A moins que Mme Babcock n'ait eu vent des « problèmes » qu'il avait eus dans son école précédente, il était bon pour un discours sur son potentiel gâché. Un de plus…

— Ici ? Ça va !

— Sans plus ?

— Ouais !

Apparemment confortée dans son opinion, Mme Babcock hocha la tête.

— Dylan, depuis l'école primaire, tu obtiens toujours les meilleurs résultats à l'examen annuel de maths et de science.

Et voilà ! C'était reparti. Dylan fit machinalement glisser son index sur deux initiales gravées dans le pupitre.

— Tu devrais être en tête de classe. Or…

Les sourcils froncés, elle ouvrit le dossier et se mit à le feuilleter.

— Tu n'as que de piètres résultats, en ce qui concerne les devoirs à la maison — quand tu les rends, bien entendu — et tu as à peine atteint la moyenne, à notre premier devoir. J'aimerais t'aider, Dylan. Que puis-je faire pour toi ?

Renvoyez-moi à New York, songea-t-il.

La cloche annonçant la fin de l'interclasse retentit. Derrière la porte, des élèves s'amassaient, attendant de pouvoir entrer. Quant à lui, il serait en retard au cours de maths, et devrait gagner sa place sous les regards interrogateurs de ses camarades.

— Dylan ?

— Je vais travailler davantage ! dit-il en s'agitant sur sa chaise.

— Je l'espère bien. Vois-tu, tu es doté d'une intelligence exceptionnelle. Tu pourrais facilement obtenir une bourse et entrer dans l'université de ton choix. Seulement si tu ne travailles pas…

Elle referma le dossier d'un geste abrupt et le laissa tomber sur son bureau.

— Je voudrais que tu restes, ce soir, après les cours. Je peux t'aider à rattraper les autres. Tu as pris un mauvais départ, en arrivant deux semaines après la rentrée.

Entre aller faire un billard avec Nate et rester à l'école après les cours, le choix était vite fait.

— Aujourd'hui, je ne peux pas.

— Et demain ?

— Oui. Je... Ça devrait être possible ! bredouilla-t-il en attrapant son sac, avant de se lever.

— Demain à 15 heures. Ici même. Oh ! Et, Dylan... A ta place, je choisirais mieux mes fréquentations.

Joanna s'était attendue à avoir beaucoup de travail à la clinique, le lundi matin. Elle n'avait pas prévu, cependant, que ses premiers patients seraient Ben Carson et sa fille.

— Alors ? Vous avez des nouvelles de la mère de la petite ? demanda-t-elle en survolant les notes prises par Eve.

— Non. Et ça fait déjà deux jours !

Ben remonta l'enfant sur son épaule, et la berça doucement.

— Pourvu que Max ne se réveille pas pendant que vous l'examinez, déclara-t-il.

— *Max* ? répéta Joanna en examinant les petits motifs roses sur la couche du bébé. Vous l'appelez Max ?

— Ça lui va comme un gant ! répliqua-t-il en caressant les cheveux soyeux de l'enfant. C'est un sacré personnage, vous savez ! Les petites de Gina étaient loin d'être aussi têtues.

Sa bouche était tendue par deux longues rides de fatigue.

Bien fait pour toi, songea amèrement Joanna.

— Vous avez pu dormir, la nuit dernière ?

— Non ! Par contre, elle s'est endormie dès que je l'ai mise dans la voiture. J'ai failli m'arrêter sur le bord de la route, pour faire un petit somme, moi aussi. Seulement, ajouta-t-il avec un sourire las, j'ai pensé qu'il valait mieux que je vous l'amène, pour voir si tout allait bien.

C'était tout à son honneur.

— Sa température est normale. Nous allons faire un bilan complet et une prise de sang, pour vérifier son taux de globules blancs et rouges. C'est tout ce que vous avez, comme dossier médical ? demanda-t-elle en tournant la page.

— Cela fait des années que je n'ai pas vu mon père. D'après ce que je sais, je n'ai aucun antécédent dangereux.

— Et la mère de Max ?

Il eut la bonne grâce d'avoir l'air contrit.

— Je… Je l'ignore.

Il ne savait décidément pas grand-chose sur cette Holly.

— Elle prendra certainement contact avec vous, d'ici peu. N'oubliez pas de lui demander où en est la petite, dans ses vaccinations. J'aimerais bien avoir une copie de son carnet de santé… Etendez-la sur la table, pour que je l'examine.

Ben déposa délicatement l'enfant, posant une main sur son épaule, pour la rassurer. C'était une main puissante, protectrice. Elle était hâlée et habile, et contrastait avec la peau veloutée de Max.

— Elle ne s'est pas réveillée quand nous lui avons retiré sa doudoune, murmura-t-il. Avec un peu de chance…

Hélas, l'enfant bâilla, ouvrit les yeux et battit des cils. La seconde d'après, elle éclatait en sanglots, tendant désespérément les bras vers Ben.

— Ça ira mieux quand…

Sans la laisser finir, Ben prit la fillette contre lui et lui murmura des mots de réconfort, en lui frottant le dos.

— De toute évidence, elle vous est déjà acquise ! commenta sèchement Joanna.

— Pas vraiment. Cependant Sadie était épuisée, hier, d'avoir veillé, samedi soir, et Dylan évite Max comme la peste. Je n'ai rien fait, au ranch, depuis l'arrivée de ce bébé.

— C'est ce que disent toutes les jeunes mères ! pouffa Joanna.

— Peut-être, seulement moi, je ne peux pas me le permettre ! Mon écurie est pleine à craquer. Je dois emmener des génisses dans un ranch de Las Cruces, la semaine prochaine. Je travaille de l'aurore à la tombée de la nuit, vous savez !

— Plus maintenant. A moins que vous ne trouviez une bonne nourrice ! Ne bougez plus !

Joanna s'empara de l'otoscope et, tenant la tête du bébé éploré d'une main, lui examina les oreilles.

— Bien sûr, vous pouvez toujours confier Max aux autorités compétentes !

— Pour la faire adopter ?

— Ecoutez… Après tout, vous n'êtes pas absolument certain qu'il s'agisse de votre fille ! Eve m'a parlé d'excellentes familles d'accueil. Vous pouvez déplacer un peu votre main ? demanda-t-elle en prenant son stéthoscope.

— Elle n'a pas besoin d'une famille d'accueil, dit-il dès qu'elle eut terminé. Elle a le fameux épi des Carson et les mêmes yeux noirs que Gina et moi.

Joanna sourit : il s'était déjà attaché à l'enfant.

— Allez ! Réessayons. Pour que je puisse l'examiner, elle doit être allongée.

Le petit visage de Max se crispa tandis que Joanna lui palpait doucement l'abdomen. Lorsqu'elle tâta les ganglions, dans son cou, l'enfant se mit à gémir doucement.

— C'est bien, bébé, chantonna-t-elle Tu es une grande fille !

L'enfant se calma, sans lâcher Joanna du regard, toutefois.

Une fois l'examen terminé, celle-ci appuya sur l'Interphone.

— Eve ?

Ben ramassa le sac posé à ses pieds, en tira une combinaison rose, ainsi qu'une paire de chaussettes en dentelle, et se tourna vers Joanna, avec un sourire gêné.

— Nous étions en retard, ce matin, alors je me suis contenté de lui changer sa couche. Je n'ai pas encore essayé de lui enfiler autre chose que son pyjama.

— Elle est très bien comme ça !

Il examina la combinaison, la retourna et la contempla de nouveau.

— Alors ? Elle vous paraît en bonne santé ?

Les yeux rivés sur le petit vêtement dont il se demandait visiblement quoi faire, Joanna dissimula un sourire.

— Ça m'en a tout l'air ! Sa courbe de croissance est bonne, autant au niveau du poids que de la taille.

Ben se saisit maladroitement d'un des petits bras de Max, et essaya de le glisser dans une manche. L'enfant se débattit et réussit à s'asseoir, coinçant le vêtement sous ses fesses.

— J'ai bien peur d'avoir tout oublié, depuis Allie !

— Prenez la petite dans vos bras. Etalez la combinaison sur la table. Maintenant, posez Max dessus et faites vite. Commencez par le pied, ça sera plus facile ! Si ça ne va pas, prenez-la sur vos genoux… Les pieds en avant.

Il dut s'y reprendre à plusieurs fois mais réussit à lui enfiler le vêtement, dont il se hâta de remonter la fermeture.

— Croyez-moi, c'est beaucoup plus facile de seller un pur-sang pour la première fois !

— Les Gordon sont dans la salle numéro 2 ! lança Eve, en entrant.

Max dévisagea Ben, puis se tourna vers la nouvelle venue, avec méfiance.

— Eve va s'occuper de la prise de sang. Ensuite, vous pourrez y aller ! déclara brusquement Joanna. N'hésitez pas à repasser, en cas de besoin.

— Joanna ?

Elle se figea, une main sur la poignée de la porte, et tourna lentement la tête.

— Je voudrais vous remercier pour votre aide, l'autre soir.

— Je vous en prie !

Elle le salua d'un geste et sortit.

Pendant ces quelques heures, le samedi précédent, elle avait tenté de réconforter une petite fille en détresse, abandonnée par sa mère… et dont le père ignorait jusqu'à l'existence.

Pendant ces quelques heures, et parce qu'elle avait si longtemps souffert, Joanna s'était laissée aller à s'imaginer que Max était son enfant… et qu'elle tenait là l'opportunité de lui dire adieu.

Et, à présent, elle savait.

Elle avait compris au petit matin, sur la route qui l'éloignait du ranch. Elle n'aurait eu aucune difficulté à s'impliquer dans la famille de Ben, surtout maintenant qu'il avait un bébé.

Quelle qu'ait été son opinion sur Ben jusqu'alors, elle ne pouvait nier qu'il acceptait sans trop de réticence ce que la vie lui apportait. Il semblait doté d'une belle âme et d'un instinct protecteur, ce qui, aux yeux de Joanna, importait bien davantage que son allure avenante, et même son si séduisant visage. Aussi devait-elle garder ses distances sous peine de souffrir le martyr quand elle devrait quitter Charme, dans trois mois.

Gina salua d'un geste les employées de Naissances, rassemblées dans la salle de réunion.

— La journée a été rude ? lui demanda Katherine Collins, une autre sage-femme, en se laissant tomber sur le canapé, à côté d'elle, un sourire compréhensif aux lèvres.

— *Les* journées, tu veux dire ! répliqua Gina avec lassitude.

— Tu as des nouvelles de Zach ?

— Non.

— Il n'a même pas appelé les filles ?

Gina secoua la tête.

— Elles ont l'habitude des absences de leur père et savent qu'il ne téléphone pas tous les jours. Ça va être tellement difficile…

— Si tu as besoin d'aide, appelle-moi, Gina. Jour et nuit ! Et si Zach n'essaye même pas de rester en contact avec ses filles, ajouta-t-elle, d'un ton plus dur, tu as peut-être pris la bonne décision !

— Tu crois ? demanda Gina, s'efforçant de refouler les larmes qui lui montaient aux yeux. C'est un brave homme, tu sais. Et un bon père ! Je me demande si j'ai le droit de faire fi de tout ça ! Si ça se trouve, je fais simplement preuve d'un égoïsme monstre !

— Tu devrais voir notre psychologue.

— J'adore Célia, répondit Gina avec un rire forcé. C'est un plaisir de travailler avec elle… Seulement il s'agit d'un problème de couple.

— Tu sais, elle a beaucoup aidé ma sœur, pendant son divorce.

Divorce. Gina sentit son cœur se serrer.

— J'espère qu'on n'en arrivera pas là, balbutia-t-elle. Cependant, tu as raison. Je devrais peut-être l'appeler.

Lydia Kane pénétra dans la pièce.

— Désolée de vous avoir fait attendre, mesdames. J'étais au téléphone… Venons-en à la raison de cette réunion. Comme certaines d'entre vous le savent déjà, nous traversons une période difficile, financièrement parlant. Kim ?

La comptable se leva. Elle tenait en main une liasse de documents.

— Nous avons eu 16 % de patientes en moins, le mois dernier, ainsi qu'un taux d'abandon de 6 %. Par ailleurs, l'Eglise Méthodiste nous a informé que cette année, elle verserait la recette de sa vente de charité annuelle à une organisation visant à nourrir des enfants nécessiteux. L'Association Féminine de Charme est également sur le point de se retirer. Tous ces facteurs réunis font que nous serons à découvert à la fin du mois. Et comme nous venons d'investir dans du matériel neuf, d'ici au mois suivant, nous pourrions avoir un découvert de 18000 dollars.

Trish leva timidement la main.

— Enfin… Comment est-ce possible ? Nous avons fini de rembourser la clinique… Nos clients sont assurés ou aidés par l'état…

— Certes, la clinique est payée, mais il y a les frais d'entretien et d'utilisation, répondit Kim. Et les impôts vont encore augmenter, cette année. Un grand nombre de nos services sont gratuits, et certaines de nos patientes ont trop d'argent pour obtenir une aide de l'état et pas assez pour payer leur facture. Or, comme vous le savez, la politique de Naissances est de les accepter, malgré tout.

Tout en manipulant distraitement son badge, Lenora jeta un regard inquiet en direction de ses collègues. Elle était veuve et élevait deux de ses petits-enfants grâce à son seul salaire. Gina savait que le moindre sou comptait, dans cette famille.

— Nous n'allons pas être obligées de fermer la clinique, quand même !

— Non, mais nos revenus, ne couvrent plus nos dépenses ! rétorqua sobrement Kim. Aussi, allons-nous devoir procéder à une compression de personnel.

— Une... Compression de personnel ? murmura Gina.

— Entre autres, oui.

— Nous ne pouvons rien faire ? Nous devrions essayer de parler à nos mécènes... De leur expliquer à quel point leur soutien nous est indispensable... Ou en trouver d'autres !

Lydia fit un petit signe de tête en direction de sa comptable et reprit la parole.

— Kim et moi y travaillons depuis plusieurs semaines. Sans grand succès, malheureusement. Kim cherche à obtenir des subventions. De mon côté, je continue de contacter différentes organisations et entreprises, hors de la circonscription.

— Comment se fait-il que le nombre de nos patientes ait diminué à ce point ? intervint Katherine. Pendant des années, tout le monde nous a épaulés. Nous avions même des femmes venant de loin !

Lydia se renfrogna.

— Il semble qu'il y ait des rumeurs sur notre manque de professionnalisme. Et nous ne pouvons ni prouver qu'il s'agit d'un mensonge, ni les arrêter. C'est pour calmer le jeu que j'ai quitté le conseil d'administration, dès que tout cela a commencé.

— Pourquoi ne pas organiser des rencontres d'information ou une journée « portes ouvertes » ? Nous pourrions également demander à *l'Arroyo County Bulletin* de publier un article en notre faveur ?

— Nous avons déjà commencé. En attendant, reprit Lydia, nous avons le choix entre deux maux. Soit nous licencions, soit nous diminuons vos horaires. J'ai pensé qu'il valait mieux que vous y soyez préparées.

Lenora laissa échapper un gémissement. Plusieurs sages-femmes blêmirent. Dans une petite ville comme Charme, les emplois étaient rares.

Gina ferma les yeux et revit l'expression rageuse de Zach, lors de leur dernière confrontation. Elle avait jugé important de montrer qu'elle avait d'autres talents que celui de mère et d'épouse. En exerçant le métier qu'elle adorait, elle voulait inculquer à ses filles l'ambition de devenir des femmes indépendantes, et elle déplorait que Zach ne voie pas les choses de la même façon.

Rongée par la culpabilité, elle se faisait violence pour ne pas faiblir dans sa détermination ou perdre son objectif principal de vue.

Qu'il le reconnaisse ou non, son salaire les avait bien aidés à conserver leur appartement et à élever les filles. En revanche, il n'était pas suffisant, loin de là, pour lui permettre de joindre les deux bouts, même avec une pension alimentaire. Et comme elle était la dernière arrivée à la clinique, elle serait la première à partir.

L'ironie de la situation la frappa de plein fouet : après avoir perdu son mari, voici qu'elle risquait de perdre son emploi.

9.

Le samedi suivant, tôt dans la matinée, Joanna enfila sa parka rouge et alla s'appuyer contre la balustrade de sa terrasse pour s'imprégner de l'odeur des pins dont les aiguilles avaient gelé.

Il était tombé une bonne dizaine de centimètres de neige, pendant la nuit, et quelques flocons voletaient toujours paresseusement, au-dessus des arbres. Le sol, lui, était d'une pureté cristalline.

Sauf, bien entendu, là où Moose avait commencé à s'ébattre. Le chiot enfonçait son museau dans la neige, soulevant des nuages poudreux qu'il tentait ensuite de happer. Dans son pâturage, Galaad hennit en repoussant la neige de son sabot. Le vieux hongre venait de Californie et pour lui aussi, ce temps hivernal était une nouveauté.

Joanna les regardait jouer avec joie. Il s'était écoulé une semaine, depuis sa soirée à Shadow Creek. A la clinique, les journées se passaient de mieux en mieux, ses doutes s'évanouissant, pour laisser place à un regain d'enthousiasme. Et elle avait devant elle un long week-end de détente.

La sonnerie de son portable retentit, interrompant le silence. Dès qu'elle entendit la voix anxieuse de Ben, la jeune femme perdit sa belle sérénité.

— Max est malade, dit-il, sans même prendre le temps de la saluer. Elle a un rhume depuis jeudi. Au début, ce n'était pas grand-chose : un peu de toux, une légère rhinite. Cependant ce matin, ses bronches me paraissent très encombrées et elle refuse de s'alimenter.

— Elle a de la fièvre ?

— Sans plus ! Elle n'est pas montée au-dessus de trente-huit, depuis que sa toux a commencé.

— Est-ce qu'elle dort bien ?

— Elle commençait tout juste à faire ses nuits. Evidemment, depuis qu'elle est malade, ce n'est plus le cas. Elle tousse beaucoup plus, la nuit.

— Il vaudrait mieux qu'elle voie un médecin. A votre place, je l'emmènerais aux urgences.

— Je n'ai trouvé aucun document d'assurance maladie dans son sac. J'ai contacté la mienne hier ; seulement pour que Max soit couverte, il me faudrait certains renseignements que, bien évidemment, je n'ai pas en ma possession. Holly devait avoir la tête ailleurs, lorsqu'elle a déposé la petite ici ! conclut-il, une nuance d'amertume dans la voix.

— Dans ce cas, retrouvons-nous à la clinique répondit Joanna. Dans une vingtaine de minutes, ça vous va ?

— Assurée ou non, je veux qu'elle bénéficie du traitement dont elle a besoin, déclara Ben, d'une voix tendue.

— Elle sera bien soignée, ne vous inquiétez pas !

Joanna raccrocha et, pivotant sur elle-même, rentra à l'intérieur du chalet. Un feu brûlait dans la cheminée, emplissant l'atmosphère d'une odeur agréable. Le contraste avec l'extérieur enneigé lui donna un sentiment de confort et de sécurité. En fin de journée, elle s'installerait devant l'âtre, avec un bon livre et un chocolat chaud.

« Tu es faite pour vivre en ermite, Weston », s'exclama-t-elle en se dirigeant vers sa voiture. Soudain, elle s'immobilisa et pouffa de rire. Voilà qu'elle parlait toute seule, à présent ! Fort heureusement, seuls Galaad et Moose étaient là pour l'entendre ! Elle tourna la tête une dernière fois, pour s'assurer que tout allait bien.

Moose longeait la clôture, en sautillant sur ses pattes arrières, dans l'espoir de sauter par-dessus. Galaad, lui… avait disparu.

Incrédule, elle courut jusqu'à l'enclos, en appelant l'animal. Le portail était toujours verrouillé. Et depuis que la clôture était électrifiée, elle ne l'avait pas vu s'en approcher. L'installation n'avait pas été désactivée : la lampe témoin du chargeur clignotait sous les pignons de l'écurie.

Moose émit un jappement triomphal et fonça à l'autre bout de l'enclos. Là, il se mit à aboyer furieusement. Joanna le suivit et comprit aussitôt les raisons de son excitation.

La planche la plus basse de l'enclos était déjà à terre. Sous ses yeux ébahis, elle vit Galaad démolir la planche médiane, d'un simple coup de sabot.

— Non ! hurla-t-elle, en courant vers lui.

L'animal ne daigna même pas tourner la tête. S'agenouillant, il se faufila sous la planche restante. Sous le choc, le dernier morceau de bois céda et Galaad disparut dans les collines.

Avec un soupir exaspéré, Joanna regagna sa voiture. Galaad reviendrait de lui-même, ou on l'appellerait pour lui demander de venir le chercher. Pour l'instant, le plus important était de s'occuper de la petite Max. Le reste devrait attendre.

Bien que le ranch de Ben soit plus éloigné de Charme que le chalet de Joanna, celui-ci arriva à la clinique cinq bonnes minutes avant elle.

— Vous avez mis votre gyrophare pour venir jusqu'ici ? plaisanta-t-elle en le faisant entrer.

— Si j'en avais eu un, je l'aurais fait !

Joanna étudia le bébé pendant quelques instants. Les sourcils froncés, elle retira ses bottes de neige et sa veste.

— Suivez-moi.

Depuis le début de la matinée, Ben avait l'estomac noué par l'anxiété. L'expression soucieuse de Joanna ne fit qu'aggraver les choses. Tapant des pieds pour débarrasser ses bottes de la neige qui les recouvrait, il accompagna la jeune femme jusqu'à la salle d'examen, où il entreprit de retirer sa combinaison à l'enfant.

— Asseyez-la sur la table.

Joanna l'aida à déshabiller la fillette puis se saisit de son thermomètre auriculaire, et prit la température de l'enfant.

— 39°.

— Ça a monté. Je lui ai donné du paracétamol pour nourrisson il y a trois heures. Ça aurait dû lui faire du bien, non ?

— Hum, répondit vaguement Joanna en examinant les oreilles de Max. Elle a le tympan droit très enflammé... Le gauche va bien.

Ben se sentit soudain terriblement coupable.

— Elle doit souffrir le martyr ! Certes, elle était grognon, mais elle n'a pas pleuré de la nuit. Si j'avais su, je vous aurais appelée plus tôt !

— Il arrive qu'au début de ce type d'infection, un enfant ne se plaigne pas trop. Ces maladies évoluent très rapidement. Il m'est arrivé de voir de petits patients pour un rhume, d'examiner leurs oreilles sans rien trouver de particulier et de les voir revenir, deux heures plus tard avec une méchante otite.

Se penchant en avant, elle écouta la respiration du bébé.

— Elle a les bronches encombrées, mais je n'ai détecté aucun symptôme de pneumonie. En revanche, sa respiration est légèrement sifflante. Nous allons la mettre sous antibiotiques et lui administrer un anti-histaminique. Ça devrait la soulager rapidement.

— C'est tout ? Ce n'est pas trop grave ?

— Rien d'exceptionnel, chez une enfant de cet âge. Ce qui m'inquiète, en revanche, c'est ce sifflement. Vous n'avez pas la possibilité de retrouver sa mère ? J'aimerais vraiment avoir le carnet de santé de la petite.

— Quand j'ai rencontré Holly, elle m'a dit être originaire du Texas. Et, bien que je lui aie donné mes coordonnées, je n'ai jamais eu de ses nouvelles. J'ai essayé de retrouver son numéro sur Internet, en vain. Elle doit être sur liste rouge.

— Et un parent ? Un proche qui pourrait vous dire où elle se trouve ?

— Ça ne va pas être facile, avec un nom comme Nelson.

Déçue, Joanna poussa un long soupir, avant de reprendre :

— Voyons le bon côté des choses. Il paraît que Max passe ses journées chez Gina ? Comment ça se passe, avec la baby-sitter ?

— Très bien ! Sadie n'est plus en âge de s'occuper d'un bébé. Et Sue Ellen m'inspire tout à fait confiance !

En souriant, elle aida Ben à rhabiller la petite, puis alla rédiger une ordonnance.

— Voila. Respectez scrupuleusement les doses et n'interrompez pas le traitement avant qu'elle ait tout pris. Si jamais vous constatez un changement dans sa respiration, si vous avez l'impression qu'elle halète, par exemple ou que ses bronches sont plus prises, appelez-moi immédiatement. D'accord ?

— Qu'elle… *halète* ? demanda-t-il, en prenant l'enfant dans ses bras, où elle s'abandonna mollement. Qu'entendez-vous par là, exactement ?

Joanna ne put réprimer un sourire.

— Venez donc me revoir demain.

— Un dimanche ?

— Ce n'est pas un problème. On se retrouve ici, à la même heure… Ou plus tôt, si jamais vous pensez que son état s'est aggravé.

Subitement gagné par la panique, Ben resserra son étreinte sur la petite Max. Lui qui accouchait sans difficulté les juments, soignait les blessures de son bétail et avait, dans sa jeunesse, fait du rodéo avec les taureaux les plus féroces, se trouvait confronté au plus gros défi de sa vie. Cette minuscule petite fille lui avait volé à la fois son cœur et sa tranquillité d'esprit.

— Et si je ne me rends compte de rien ? Si son état se détériore sans que je m'en aperçoive ?

— Ne vous en faites pas. Ce genre de changement ne vous échappera pas. Inquiétez-vous également si elle refuse de manger ou de boire. En résumé, appelez-moi si vous avez le moindre doute. Je sais qu'elle n'est pas assurée…

— L'argent n'a aucune espèce d'importance, coupa-t-il.

— Je vous préviens simplement, au cas où on devrait l'hospitaliser, pour quelques jours.

— L'hospitaliser ? balbutia Ben, en blêmissant.

— Ce n'est pas sûr ! Si ça se trouve, elle se remettra très vite ! Si vous devez m'appeler cet après-midi, faites-le sur mon portable. Je dois sortir et ça risque de me prendre un certain temps, poursuivit-elle, penaude.

— Encore Galaad ?

— Je commence à me demander sérieusement s'il ne prépare pas ses fugues. On dirait que ça l'amuse de comparer les méthodes… Cette fois-ci, il a carrément détruit deux planches de l'enclos et s'est glissé au-dessous. Si jamais vous le croisez…

— Je vous appellerai.

Elle tendit la main vers Max pour repousser sur son front une mèche noire.

— Je vous dois des excuses, reprit-elle. J'ai… Je vous ai jugé un peu hâtivement, la semaine dernière.

— Si ça peut vous consoler, vous n'êtes pas la seule ! Je crois bien que l'on n'avait pas autant jasé dans les chaumières depuis que le propriétaire des magasins généraux est parti avec une jeune employée de la quincaillerie !

— Je suis désolée.

— Il n'y a vraiment pas de quoi ! Au moins, d'après ma sœur, cela fait le bonheur des matrones : elles étaient déjà convaincues que je menais une vie de débauche. A présent, elles peuvent en voir les conséquences…

— Pourtant, ça ne regarde personne !

— Dans une petite ville, si ! Le plus drôle, dans tout cela, c'est que je ne suis pas à la hauteur de ma réputation ! J'ai toujours été très prudent, et Dieu sait si la dernière chose que je voulais était engendrer un pauvre gamin qui aurait grandi comme moi, sans jamais voir son père !

Joanna l'examina un moment, d'un air songeur.

— De toute évidence, Holly avait pris soin de conserver vos coordonnées. Par ailleurs, elle n'a eu aucun mal à trouver votre ranch, même de nuit. Même si elle ne cherchait pas à obtenir une pension alimentaire, elle aurait au moins pu vous prévenir de l'existence de Max… Qu'elle se soit volontairement fait mettre enceinte ou non !

— *Volontairement ?*

Jusqu'alors, Ben s'était représenté Holly seule, et trop gênée pour venir vers lui. Il en avait conçu un terrible sentiment de culpabilité. Cette nouvelle hypothèse lui donna la sensation d'avoir été utilisé.

Car si elle avait eu une idée derrière la tête, en cette soirée fatale, il avait suffi d'un excès de boisson et de quelques déhanchements pour le faire tomber dans le piège qu'elle lui avait tendu. A l'idée de laisser une telle femme élever la petite Max, il frémit d'horreur.

— Bien sûr, nous ignorons ce qui s'est vraiment passé, poursuivit Joanna. Cependant, ne trouvez-vous pas étrange qu'elle ne se soit même pas assurée que Max était entre de bonnes mains ?

Ben s'interrogeait sur ce point depuis l'arrivée de l'enfant. Il ferma brièvement les yeux.

— Une chose est certaine : j'ai du mal à me représenter Holly en mère poule ! Parfois, je me demande si elle reviendra vraiment un jour. A d'autres moments, je redoute qu'elle arrive à l'improviste, reprenne sa fille et s'enfuie avec elle… Ce qui serait bien pire !

— Peut-être s'est-elle simplement rendu compte qu'être parent isolé est beaucoup plus difficile qu'elle ne l'imaginait… D'un autre côté, si elle décide de reprendre Max, elle peut très bien refuser la garde partagée. Vous devriez passer un test ADN et demander à votre avocat de se pencher sur vos droits.

Tout cela allait lui coûter une fortune… qu'il n'avait pas, loin s'en fallait.

Max, qui somnolait depuis qu'il l'avait reprise dans ses bras, choisit ce moment pour se réveiller. Elle le considéra, de ses yeux grands ouverts, si confiants. Levant une petite main vers lui, elle frotta sa joue râpeuse et éclata de rire… ce qui déclencha une nouvelle quinte de toux.

Restait le problème de l'argent. Il avait investi tout ce qu'il possédait en chevaux, en équipements divers et en travaux. Sans compter qu'il avait déjà Sadie et Dylan à charge et qu'il donnait un petit coup de pouce à Gina, de temps en temps.

Tant pis. Même s'il devait perdre tout ce qu'il avait si durement gagné, il n'était pas question qu'il abandonne sa fille.

Galaad pensait peut-être avoir concocté l'évasion du siècle… Malheureusement pour lui, il avait compté sans les fidèles lecteurs de *l'Arroyo County Bulletin*.

Dès que Ben et Max furent repartis, Joanna composa le numéro de téléphone du chalet pour écouter ses messages.

Cinq personnes avaient appelé pour lui annoncer que le hongre se dirigeait vers le centre-ville. Chacun des correspondants précisait qu'il avait vu la photo de Galaad en couverture du journal du samedi précédent, et reprochait vivement à Joanna sa négligence.

Celle-ci pestait toujours lorsqu'une demi-heure plus tard, elle gara son 4x4 et la remorque devant la coquette demeure des Purdy.

Une femme au visage pincé, et ridée comme une petite pomme surgit sur son perron, avant même que Joanna eût atteint le perron.

— Il est toujours là ! annonça-t-elle sèchement. Dans l'arrière-cour. Maintenant qu'il en a terminé avec ma lessive, il mange tranquillement le massif que j'ai planté l'an dernier.

Joanna tira son carnet de chèques de la poche de son jean.

— Je suis désolée, madame. Je vais vous dédommager.

Mme Purdy se contenta de croiser les bras sur sa poitrine flasque.

— Je peux vous payer les frais de teinturier ? proposa Joanna. Et puis il y a ce massif, bien sûr... Combien je vous dois ?

— Tout ceci est très contrariant ! rétorqua sèchement son interlocutrice. Ce n'est pas seulement une question de dégâts, voyez-vous ! Il y a aussi toute cette perte de temps...

Joanna se pencha sur le côté, pour regarder derrière la maison. Galaad, devait sentir que sa petite escapade prenait fin car il la considéra fixement, les oreilles dressées.

Une petite culotte rouge vif était accrochée à sa crinière.

Sidérée, Joanna considéra Mme Purdy. Elle n'avait pas une tête à porter des sous-vêtements fantaisie.

— Je ferais bien d'aller le chercher tant qu'il est ici. Nous réglerons cela ensuite, d'accord ?

Mme Purdy ne répondant pas, Joanna s'avança vers son cheval, le licou dissimulé derrière son dos.

Elle fit le tour de la maison, les yeux dans le vide, l'air de rien. Comme d'habitude, il tomba dans le panneau, et la laissa approcher en la considérant avec intérêt.

— J'ai de la chance, dans mon malheur, marmonna-t-elle en lui passant le licou.

Après avoir remis la petite culotte sur le fil, elle fouilla dans sa poche, dont elle tira une carotte.

— Bourrique…, maugréa-t-elle. Si jamais tu décidais de filer maintenant, je ne pourrais pas te rattraper !

Mme Purdy n'avait pas bougé de son perron.

— Heureusement que vous m'avez laissé un message ! lui cria Joanna. Je vais électrifier la partie basse de son enclos. Comme ça, il ne s'échappera plus !

— J'espère bien ! Les voisins ne vont pas être ravis non plus ! déclara Mme Purdy, en désignant un bougainvillée dévasté, dans un jardin de l'autre côté de la rue. Mme Pennington devrait rentrer sous peu !

Surprise, Joanna s'immobilisa.

— Pennington ? Stuart et Fiona Pennington ?

— C'est cela même. Et je peux vous assurer que Stuart va être furieux, quand il va voir ce qu'il reste de son cher bougainvillée.

En un éclair, Joanna revit les poignets bleuis de Fiona. Puis elle songea aux accidents à répétition de leur fils, Jason.

— Il… a un tempérament plutôt sanguin, à ce qu'il paraît, commença-t-elle prudemment.

— Je n'en sais rien ! répliqua Mme Purdy, en plissant les yeux. J'entends la voiture de Mme Pennington. Vous n'aurez qu'à lui poser la question vous-même ! Elle se gare toujours derrière chez elle.

— Je vais m'excuser de ce pas. Combien vous dois-je ?

— Rien. Surveillez votre cheval, c'est tout ce que je demande.

Sur ces paroles lapidaires, elle rentra chez elle et claqua la porte.

Dès qu'elle eût fait monter Galaad dans sa remorque, Joanna, prenant son courage à deux mains, s'avança vers la demeure des Pennington. C'était une bâtisse immense, en terre cuite. Elle appuya sur la sonnette et le son mélodieux d'un carillon se fit entendre.

On retira une chaîne de sécurité, une main maladroite tourna une clé, la porte s'entrouvrit et elle se trouva face à un Jason visiblement étonné.

— Docteur Weston ?

— Bonjour, Jason !

— Vous faites des visites à domicile ?

— Ça m'arrive. Cependant, je ne suis pas venue pour cela.

S'écartant d'un pas, elle désigna une plate-bande endommagée.

— Je dois des excuses à ta mère.

— Ouah ! s'exclama-t-il. C'est vous qui avez fait ça ?

— Non. C'est mon cheval.

Le regard du gamin se porta brièvement sur la remorque et le 4x4 garés de l'autre côté de la rue.

— Je parie qu'il vous a fait tomber ! lança-t-il avec mépris.

— Perdu ! Il s'est échappé. Et cette fois-ci, il a fait des dégâts à la fois chez toi et chez ta voisine.

L'enfant pencha la tête sur le côté et se figea.

— Ma mère arrive. Vous feriez bien de voir ça avec elle avant que mon père ne rentre !

Se tournant, il éleva la voix d'une bonne centaine de décibels.

— M'man… Tu as de la visite ! Bonne chance, souffla-t-il à l'égard de Joanna.

Son expression compatissante laissait supposer qu'il avait lui-même été en difficulté plus d'une fois.

Il disparut, des voix retentirent et, quelques secondes plus tard, Fiona apparut sur le seuil, visiblement bien décidée à ne pas la laisser entrer. La mine renfrognée, elle estima rapidement les dégâts, en se mordant la lèvre.

— Ce… Ce n'est pas grave. Je vais m'en occuper moi-même.

Elle était très élégante, dans sa tunique rouge, bien coupée et son pantalon crème. Toutefois, au lieu d'avoir l'assurance des gens riches, elle semblait très nerveuse. Elle s'apprêtait à refermer la porte lorsque Joanna s'interposa.

— Attendez ! Je voudrais vous rembourser. C'est la moindre des choses !

Une Mercedes blanche s'arrêta juste derrière la remorque de Joanna. Bien qu'elle ne pût voir le conducteur, à travers les vitres teintées, Joanna comprit immédiatement de qui il s'agissait : Fiona s'était encore un peu plus crispée.

— C'est votre mari ?

Le regard affolé de Fiona se porta sur la voiture. Pennington en descendit, examina avec étonnement la remorque de Joanna et s'avança vers sa maison. Quand il vit l'état des plates-bandes, il ralentit l'allure.

— Partez, chuchota Fiona. Je vous en supplie !

— Impossible ! Il va voir les traces de sabot, dans la neige ! Passez me voir, cette semaine, souffla Joanna en lui prenant doucement la main.

— Fiona ! rugit Pennington. Qu'est-ce qui s'est passé, ici ?

— C'est ma faute, commença Joanna d'un ton égal. Je ne l'ai pas fait exprès, bien entendu, et j'ai la ferme intention de vous dédommager.

Il la dévisagea, de ses yeux gris et froids.

— C'est votre cheval qui a laissé ces traces, sur mon bougainvillée ?

— J'en ai bien peur, oui.

— Il s'agit d'une variété très particulière ! Je vais devoir faire venir mon paysagiste.

Derrière elle, Joanna entendit Fiona pousser un soupir d'exaspération.

— Il y en a bien pour 75 dollars… Si ce n'est 100 ! poursuivit Pennington.

— Ecoute, Stuart, intervint sa femme. Je vais voir ça avec la pépinière et nous…

— Fiona ! hurla-t-il.

Celle-ci sursauta et disparut sans rajouter un mot.

« Ainsi, je ne m'étais pas trompée ! » songea Joanna. Essayant de surmonter son dégoût, elle se tourna vers Pennington, un sourire conciliant aux lèvres.

— Faites le nécessaire. Ensuite, vous passerez me voir à la clinique, avec les factures. Qu'en pensez-vous ?

— Ah ! C'est vous que j'ai vue dans le journal, avec ce fichu cheval ! Vous êtes le nouveau médecin, c'est bien ça ?

Son regard se fit plus perçant et Joanna comprit qu'il cherchait à tirer le maximum de la situation.

Un raffut commençait à monter de la bétaillère.

— Je ne suis là que pour quelques mois… Je ferais bien d'y aller, avant qu'il ne casse sa remorque.

— Vous aurez de mes nouvelles.

« Toi aussi, mon gars, si jamais j'arrive à prouver que tu bats ton fils » songea Joanna, en le saluant.

10.

Avec un père comme le sien, qui ne faisait que de rares apparitions chez lui et changeait constamment de petite amie, Dylan savait déjà que la vie de famille n'était pas une sinécure. La vie au ranch, entre une vieille dame à demi sénile et le marmot le plus braillard de la planète ne faisait que le conforter dans son opinion.

Pendant la journée, c'est-à-dire pendant qu'il était au lycée, la petite était gardée par la nourrice des enfants de Gina, semblait-il. Malheureusement, elle passait ses soirées, et ses week-ends à Shadow Creek, vidant de leur contenu tous les placards de la cuisine quand tout allait bien… et se mettant à hurler, à la moindre contrariété.

En fait, et bien qu'il ne l'eût reconnu pour rien au monde, il la trouvait plutôt mignonne, par moments. Dès qu'elle le voyait, sa frimousse s'éclairait d'un grand sourire. Et s'il la prenait dans ses bras, elle lui faisait de gros bisous baveux, en babillant de contentement.

Il n'en restait pas moins qu'elle leur donnait un travail énorme. Il fallait la surveiller sans relâche, sans quoi elle faisait toutes les bêtises imaginables.

Et cette vigilance constante commençait à lui peser sérieusement.

C'est pour cette raison que ce jour-là encore, au lieu de rentrer sagement au ranch, Dylan choisit de suivre Nate, ainsi que deux de ses copains.

— On va chez Ricardo ?

— Pas aujourd'hui, répondit Nate. Les flics traînent souvent autour du bar, ces derniers temps. J'ai déjà eu affaire à Miguel Eiden, moi-même, et je n'ai pas envie de recommencer. On peut passer chez moi, si ça te dit ! Ma mère n'est pas là. Elle travaille tard, le vendredi soir.

Dylan était déjà allé chez son nouvel ami. Il vivait dans un minuscule mobile home, tout rouillé. Sa mère travaillait dur, dans un restaurant des environs, et Nate était souvent livré à lui-même.

Malgré sa réticence, Dylan se surprit à acquiescer.

Les deux autres garçons, Billy et Joshua, échangèrent un regard entendu, avant de se tourner vers Nate, d'un air mauvais.

— Qu'est-ce que c'est que cette histoire ? demanda Joshua. Et notre plan ?

— Ça ne change rien ! rétorqua Nate en donnant un petit coup de coude à Dylan. On peut lui faire confiance, pas vrai, le new-yorkais ?

— Bien sûr !

Les trottoirs, recouverts d'une couche de neige toute fraîche, brillaient au soleil et l'air humide laissait présager de nouvelles précipitations pour la soirée. Ils passèrent devant une boutique de location de skis, dont la vitrine était remplie de *snow-boards* multicolores.

Subitement, Dylan éprouva le besoin désespéré de voir son père. A une époque, quand ce dernier était là pour un week-end prolongé, il l'emmenait dans une station de ski du Vermont, et le jeune garçon avait gardé de ces escapades un souvenir émerveillé.

Ils étaient si bien, seuls tous les deux. Sans réunion, sans coup de fil professionnel… Sans que son père ait rendez-vous avec sa dernière conquête et le laissât seul devant la télé, dans l'appartement sombre et silencieux. En ce moment précis, il n'aurait rien tant aimé que skier avec son père.

Hélas, cela tenait de l'utopie. Philippe Carson n'avait jamais le temps… ou presque.

— Vous savez skier, les gars ? demanda-t-il, sans réfléchir.

L'expression de mépris qu'il lut sur leurs visages lui fit l'effet d'une douche froide.

— Bien sûr, gosse de riche ! On est même champions ! Vivement que la nouvelle station ouvre, railla Joshua, faisant un geste efféminé avec sa main. On ne voudrait pas rater ça, pas vrai, Billy ?

Les deux compères s'esclaffèrent bruyamment. Nate, lui, ne se démonta pas.

— C'est une station super branchée, dans les montagnes, au nord de la ville. J'ai des oncles qui travaillent sur ce chantier. Ils m'ont emmené le voir, une fois.

— Génial ! balbutia Dylan, confus.

Subitement, Joshua et Billy traversèrent la rue en courant et pénétrèrent dans un magasin.

Comme Nate continuait sa route, Dylan le suivit.

— Ils ne viennent pas avec nous ?

— Si ! Quand ils auront récupéré le matos.

Le matos ? Dylan avait déjà vu ça, à New York. La drogue qu'on achetait dans les toilettes des garçons et derrière le gymnase, à l'école. On faisait aussi ce genre de trafic sur le parking d'un fast-food, non loin de là. Sans compter les fêtes, où tout le monde fumait et où plus d'un finissait par s'écrouler lamentablement.

Toutefois, il n'avait pas encore franchi le pas et il n'avait aucune intention de commencer. Son plus grand traumatisme, à ce jour, avait été de voir son seul ami terminer aux urgences et ne jamais en revenir.

— Ecoute… Je crois que je ferais mieux de rentrer chez moi. J'ai oublié…

Nate le toisa avec mépris, tout en continuant son chemin.

— Tu ne vas pas reculer devant une malheureuse bière !

Dylan réprima un soupir de soulagement.

— Pour qui tu m'prends ? demanda-il en tirant de sa poche deux billets de cinq dollars. Vous vous êtes cotisés ?

— Ouais ! répondit Nate, en tendant la main. Nous mettrons ça dans la cagnotte. La petite amie de Billy travaille dans ce magasin. Elle nous fait des prix.

Les deux autres garçons arrivèrent quelques minutes après eux, chacun dissimulant un pack de six canettes sous son blouson.

Ils absorbèrent leur première bière dans un silence religieux, les deuxièmes et troisièmes dans un concert de blagues tapageuses. Affalé sur le canapé bancal, Dylan sourit à part lui en jetant ses cadavres dans la poubelle que Nate avait posée au milieu de la pièce.

Il était dans son élément, avec ces gars-là !

Entendant soudain des pas s'approcher, il se figea. Les quatre adolescents se regardèrent.

— Je croyais que ta mère travaillait, ce soir ! persifla Joshua.

Nate s'avança à quatre pattes vers la fenêtre, souleva un coin du rideau et blêmit.

— Bon sang ! C'est Miguel Eiden. Ce foutu flic… Vous n'êtes pas partis sans payer, au moins, les gars ?

On frappa bruyamment à la porte. Les garçons s'empressèrent de se débarrasser de leurs canettes. Nate passa frénétiquement la pièce en revue puis, entendant un second coup, traîna la poubelle dans un couloir étroit, la poussa dans sa chambre et en claqua la porte.

Allumant la lumière du salon, il se redressa.

— Pas de panique, d'accord ? Nous sommes venus ici pour… réviser nos cours, dit-il, en jetant un regard appuyé en direction de Dylan.

Joshua s'empara de son sac et en tira quelques cahiers à spirale écornés. Luttant contre la nausée qui s'était emparée de lui, Dylan en fit de même. Une sueur froide perlait sur son front, et sa gorge était soudain complètement desséchée.

Etant donné ses antécédents, cela pouvait tourner mal. Surtout si la bière avait été volée, ou si ce flic était décidé à épingler quelqu'un.

Quand Nate se décida enfin à lui ouvrir la porte, Dylan sentit le cœur lui manquer. Miguel Eiden était immense et terriblement musclé. Sa coupe de cheveux et sa prestance, quasi militaires, ainsi que son regard perçant n'annonçaient rien de bon.

L'officier inspira longuement pour s'imprégner de l'odeur de bière, et fronça les sourcils.

— Cette fois-ci, votre compte est bon. Je vous embarque !

Nate se laissa maladroitement tomber sur le canapé, et jeta à ses camarades un regard anxieux.

— Parce que nous faisons nos devoirs ensemble ? lança Billy. Tu parles d'un chef d'accusation !

— Dans cet état, l'âge légal pour boire est 21 ans, répliqua sèchement Eiden. Sans compter que vous avez bénéficié d'un tarif plus qu'avantageux, grâce à ta petite amie, Billy ! Au passage, cette dernière a quelques soucis à se faire, elle aussi : non seulement elle a enfreint la loi, mais elle n'est pas majeure non plus… Tout cela va vous coûter plutôt cher, en fin de compte !

Son regard impassible se porta sur Dylan.

— Et toi, qui es-tu ? Je ne t'avais encore jamais vu traîner avec ces voyous !

En un éclair, Dylan passa en revue une dizaine de réponses possibles. Il comprit immédiatement qu'aucune d'entre elles ne ferait long feu.

— Dylan Carson, marmonna-t-il, en s'efforçant de regarder son interlocuteur dans les yeux. Je vis au ranch de Shadow Creek.

Il n'avait plus qu'à prier pour qu'Eiden ne vérifie pas ses antécédents.

Gina ouvrit la porte à son frère et examina attentivement ses traits tirés, avant de le faire entrer.

— Qu'est-ce que c'est que cette histoire de vol avec effraction ? demanda-t-elle. Phil t'avait parlé de ça, en t'amenant Dylan ?

— Il a vaguement fait allusion à quelques comparutions pour vol à l'étalage et vandalisme, mais, selon lui, les plaintes avaient été retirées. A l'entendre, Dylan a été entraîné par de mauvais garçons. Et bien qu'il soit parfois difficile, comme gamin, jamais je n'aurais pensé qu'il était allé aussi loin !

— Comment a-t-il réussi à faire sortir son fils de l'Etat de New York ?

— La première fois, le tribunal pour enfants s'est montré indulgent. Comme il a récidivé, Dylan a eu un sursis de 18 mois... Ça sert, d'avoir un père célèbre, bourré de fric et capable de payer un bon avocat, ironisa Ben.

— Sauf qu'en l'occurrence, ce n'était pas un service à lui rendre ! Que compte faire Miguel ?

— Les copains de Dylan vont comparaître devant le juge pour enfants, soupira Ben. Ainsi que la jeune fille qui les a servis. Quant au propriétaire du magasin, il pourrait bien perdre sa licence.

— Et Dylan ?

— Il s'en est tiré avec un sermon, au commissariat... Ainsi qu'un avertissement. S'il recommence, il passera en justice, à son tour. Le fait qu'il ne soit à Charme que pour quelque temps et qu'il vive au ranch avec moi a joué en sa faveur.

— Est-ce que Phil est au courant ?

— Je lui ai envoyé un courriel dès mon retour à Shadow Creek. Il n'a pas encore répondu… Il se peut qu'il n'ait pas de ligne téléphonique à portée de main. Le plus triste, dans tout ça, c'est que lorsque j'ai annoncé à Dylan que j'allais prévenir son père, il s'est contenté de hausser les épaules et de dire que Phil s'en fichait complètement.

— Pauvre gosse ! s'apitoya Gina. On a bien raison de dire que l'argent ne fait pas le bonheur !

— Max dort ?

— Sue Ellen l'a couchée vers 16 heures, dit-elle en consultant l'horloge. Il y a tout juste une heure. Tu ne veux pas rester pour dîner et la laisser dormir ? J'ai fait mijoter un chili toute la journée…, précisa-t-elle lui donnant un petit coup de coude. Selon ta recette préférée.

— Je ne demanderais pas mieux, Gina. Malheureusement, je dois rentrer. Dylan est au trente-sixième dessous.

Gina était désolée de voir une telle lassitude dans les yeux de son frère. Lui qui, pendant si longtemps avait proclamé haut et fort ne vouloir ni attaches ni responsabilités familiales se retrouvait avec tous les inconvénients d'une famille, sans bénéficier du soutien d'une femme.

— J'aimerais pouvoir t'aider, murmura-t-elle. Si je déménageais, je pourrais héberger Sadie… ou même Max !

— J'ai toute la place nécessaire, rétorqua Ben en lui plantant un baiser sur la joue. Tu as des nouvelles de ton mari ?

— Non, soupira-t-elle, les larmes aux yeux. Et ça fait déjà treize jours… Je les ai comptés. Ceci dit, il a déposé de l'argent sur notre compte, pour que je puisse payer la traite de l'appartement.

— Comment les filles prennent-elles ça ?

— Ça dépend. Parfois bien, parfois très mal. Regan est persuadée que c'est ma faute et que c'est moi qui ai poussé son père à partir.

Ben se mit à jurer entre ses dents.

— Ce n'est pas grave… Je sais à quel point elles souffrent de cette situation. Et, à la vérité, je commence à me demander si Zach n'avait pas raison.

Une larme se mit à couler sur sa joue et elle se détourna.

— Je devrais peut-être abandonner mon métier, jusqu'à ce que les filles soient grandes. Tu crois que je fais preuve d'égoïsme, en voulant l'exercer maintenant ?

— Si ça représente tellement pour toi, Zach et les filles doivent comprendre que tu as droit au bonheur, toi aussi !

Le téléphone retentit. Se dégageant de son étreinte, Gina décrocha. La voix agitée de Sadie lui parvint.

— Ben… Est-ce que Ben est avec toi ? J'ai essayé de le joindre sur son portable, et il ne répond pas… Je… Je dois absolument lui parler.

Effrayée, Gina agrippa le combiné.

— Oui, Sadie ! Il est ici. Tout va bien ? Que se passe-t-il ?

— La mère de Max… Je sais que j'aurais dû prendre des notes, seulement j'ai été tellement surprise par le message…

Gina tendit l'appareil à son frère et resta à proximité, tandis qu'il s'efforçait de réconforter la vieille dame.

— Ce n'est pas grave. Elle rappellera ! Ne t'en fais pas, Tantine… Elle est à… où ? Un accident ? Que s'est-il passé ?

Il écouta encore quelques instants avant de reprendre la parole.

— Ce n'est pas grave. Je suis heureux de la savoir saine et sauve… Ne te fais pas de soucis. J'appellerai le standard central pour avoir son numéro. Non ! Je le ferai moi-même, Sadie. Si tu appuies sur la mauvaise touche, le numéro risque d'être effac…

Il ferma brièvement les paupières et rendit l'appareil à sa sœur.

— Elle a raccroché.

— Que se passe-t-il ?

— Holly a appelé. Nous n'avons pas son numéro et il est à parier que d'ici cinq minutes, nous n'aurons plus aucune trace de son appel non plus.

— Elle a eu un accident de voiture ?

— Non. Il semblerait qu'elle se soit arrêtée dans le Colorado, pour faire du ski avec un ami. Mais elle a fait une chute, et s'est fracturé plusieurs côtes. Elle a aussi une cheville cassée.

— Et elle compte revenir pour que nous nous occupions d'elle ?

— Non. Selon Sadie, son ami était sur le point de la rapatrier chez lui, à Los Angeles et elle nous rappellera dès son arrivée. Et elle ne semblait pas particulièrement inquiète pour sa fille, ajouta-t-il, la mâchoire tendue.

Tous deux se figèrent en entendant une subite quinte de toux monter de la chambre où dormait Max.

— Comment allait-elle quand tu l'as déposée, ce matin ? demanda calmement Gina. Toujours ce gros rhume ?

— Oui ! soupira Ben, l'air soucieux. Sue Ellen m'a affirmé que ce n'était rien et que je pouvais la lui laisser. D'après elle, les bébés ont souvent le nez qui coule…

Gina hocha la tête. Sue Ellen avait eu six enfants. C'était une des personnes les plus décontractées de sa connaissance. Parfois, cependant, il lui semblait que la nourrice ne prenait pas les choses assez sérieusement.

— Elle a bien dormi, la nuit dernière ?

— Pas beaucoup ! rétorqua Ben, contrit.

Il suivit sa sœur dans la chambre dont les volets étaient tirés, et tous deux se tinrent un moment au-dessus du berceau. L'enfant respirait difficilement et ses narines tremblotaient à chaque inspiration. Gina posa deux doigts légers sur son front, qui lui parut moite et chaud.

— Je crois que nous ferions bien de l'emmener chez le médecin, Ben. Pour plus de sûreté.

— Que veux-tu dire ? demanda-t-il, la voix tendue par l'angoisse.

Aux yeux de Gina, l'enfant présentait tous les symptômes d'une infection réactive des voix respiratoires.

— Ils sont fragiles, à cet âge-là, tu sais. Et, depuis son arrivée à Charme, elle n'a pas cessé d'être malade.

— Je vais prendre rendez-vous pour demain matin, à la première heure.

— A ta place, je n'attendrais pas demain. Je vais appeler la clinique, pour voir si Joanna Weston est encore là.

Quelques minutes plus tard, après avoir aidé Ben à emmitoufler le bébé, elle les regardait s'éloigner. Elle s'attarda quelques instants sur le pas de la porte, avant de rentrer. Lorsqu'elle se retourna, elle se heurta à Allie, qui était juste derrière elle.

— Oh ! Ma chérie… J'ai failli te marcher dessus !

La fillette la considérait d'un air sombre et solennel.

— Qu'est-ce qu'il y a ? Je te croyais dans la cour, avec ta sœur !

— Ben aime trop ce bébé, murmura Allie. Bien plus que nous ! Et c'est *notre* tonton !

Gina se pencha pour prendre sa fille dans ses bras, mais celle-ci se déroba.

— Voyons, ma chérie ! Ben vous aime toujours autant ! Vous serez toujours ses nièces préférées !

— C'est pas vrai ! s'écria Allie, le menton tremblant. C'est elle qu'il préfère ! Et maintenant, nous n'avons plus de tonton, et nous n'avons plus de papa parce que tu as été méchante avec lui !

Gina prit une longue inspiration.

— Allie, écoute-moi. Je suis désolée que ton père ne soit pas là en ce moment. Je… Il reviendra. Je te le promets !

— Tu me l'as déjà dit ! cria Allie d'un ton accusateur. Et il n'est pas revenu !

— Allie…

— Il ne nous aime plus et c'est ta faute ! Je le sais, poursuivit-elle, les larmes aux yeux. Parce que je vous ai entendus vous disputer !

— Quoi ?

Prise de court, Gina essaya en vain de se rappeler quand la fillette avait pu les entendre se quereller.

— Papa a dit que puisque tu préférais ton travail, il valait mieux qu'il s'en aille. Je te déteste ! dit-elle, les épaules secouées par des sanglots. Et Regan aussi !

Sur ces mots, elle courut se réfugier dans sa chambre, claquant la porte derrière elle.

Un gouffre, aussi large que le Grand Canyon s'ouvrit devant Gina. Qu'avait-elle fait ?

Ce matin-là, Joanna avait eu la surprise de voir le nom de Shanna Dodson sur la liste des patients de la journée. Elle fut encore plus étonnée de voir arriver Val avec sa fille, à 16 h 45 tapantes, comme prévu.

— Vous m'avez dit de revenir dans dix jours ! grommela la jeune femme. Je n'en vois pas vraiment l'utilité ! Shanna m'a l'air en pleine forme !

Elle se tenait à l'autre bout de la salle, les bras croisés sur sa poitrine. Shanna était près d'elle, la mine renfrognée et le pouce dans la bouche, agrippant fermement un pli du sweat-shirt maternel.

Joanna approuva chaleureusement.

— Vous avez bien fait ! Venez par ici, toutes les deux !

Val attrapa sa fille dans ses bras et la posa sur la table comme un vulgaire paquet. L'enfant laissa échapper un petit cri et se tourna vers sa mère, les bras tendus. Val la foudroya du regard en reculant de quelques pas.

— Ne bouge pas !

— Elle se sentirait plus rassurée si vous restiez près d'elle, vous ne croyez pas ?

Joanna attendit que Val s'approche, une main sur la jambe de Shanna pour qu'elle ne tombe pas, puis, prenant l'otoscope, examina les oreilles de la petite fille.

— C'est beaucoup mieux ! Maintenant, dites-moi. Comment vous portez-vous, toutes les deux ?

— Ma grand-mère a été obligée de quitter son appartement pour en prendre un plus petit, déclara Val en haussant les épaules. Du coup, nous n'avons plus de logement, Shanna et moi !

— Oh non ! Où vivez-vous, alors ?

— Chez une amie… Sa mère est furieuse, parce qu'elle n'a pas de place. Ce qui veut dire, soupira Val, que nous allons devoir retourner chez la mienne, de mère !

— Vous n'avez pas de chance, en ce moment !

Joanna fit asseoir la fillette pour l'ausculter, puis la gratifia d'une pichenette sur le nez.

— Tu peux respirer un grand coup, comme ça ? demanda-t-elle en lui montrant l'exemple.

Shanna l'imita aussitôt, ses grands yeux rivés sur le visage du médecin.

— Tu es vraiment une grande fille ! Tu as bien mérité ton sticker ! Tiens, ma belle. Choisis ! dit Joanna, avant de se tourner vers Val. Elle est parfaitement guérie. Elle a pris tous ses antibiotiques ?

Val hocha la tête.

— Dites-moi, commença Joanna, en choisissant soigneusement ses mots. Votre mère s'entend bien avec Shanna ?

— Oui ! A peu près…

— Et vous deux ?

— Quand elle n'est pas sur mon dos, oui. Elle a tendance à me prendre pour une gamine de douze ans.

Shanna choisit un sticker coloré et rendit la boîte à Joanna.

— Qu'est-ce qu'on dit ? intervint Val.

L'enfant fronça les sourcils une seconde puis releva la tête, un sourire radieux aux lèvres.

— Merci !

— Je t'en prie ! Val, nous organisons une nouvelle session de cours pour jeunes parents, à partir du 9 novembre. Ils sont gratuits et nous encourageons vivement tout le monde à y assister.

— Ça me paraît difficile. Ma mère travaille beaucoup et elle ne pourra pas garder Shanna.

— Nous disposons d'une crèche, et puis il y a les cadeaux…

Devant l'expression de Val, Joanna se lança. Si nécessaire, elle financerait elle-même l'opération.

— Nous donnons un prix à la fin de chaque cours. Un bon d'achat au magasin de vêtements pour enfants ou pour une pizza… et même pour le magasin de cassettes vidéo.

— Génial ! s'exclama Val, la mine réjouie.

— Sans compter que les chances de gagner sont plutôt bonnes, le nombre de participants étant assez réduit. Je vous inscris ? Ça devrait vous intéresser !

— Ça se pourrait.

— Une dernière chose. Comme je vous l'ai déjà dit, il y a toujours moyen de nous joindre, que ce soit ici ou par l'intermédiaire de notre répondeur. Surtout, si vous avez le moindre souci avec la petite, n'hésitez pas à nous appeler. Par ailleurs, nous pouvons vous mettre en rapport avec une assistante sociale. Elle vous aidera à trouver un logis ou à régler d'éventuelles difficultés financières.

— Merci !

Joanna les regarda s'éloigner en se mordillant la lèvre. Puis elle s'installa pour rédiger le compte rendu de la visite de Shanna. Il lui restait un dernier rendez-vous, avec Max et Ben Carson, qui venaient d'arriver.

Ensuite, elle pourrait enfin rentrer chez elle.

— Elle allait bien, ce matin. Je vous l'aurais amenée plus tôt, si je m'étais douté qu'elle était retombée malade !

Rongé par la culpabilité, Ben regardait Joanna ausculter la petite.

Allongée sur la table et nue jusqu'à la taille, l'enfant lui paraissait terriblement vulnérable. Elle n'avait vraiment pas de chance d'avoir pour père un rancher aussi incompétent en matière d'enfants. Quant à sa mère…

Joanna retira son stéthoscope de ses oreilles et le fit glisser autour de son cou.

— C'est compliqué, d'élever un enfant, déclara-t-elle.

Eve entra dans la salle et elle lui tendit un tube de prélèvement.

— Vous voulez bien déposer ça au laboratoire, en rentrant chez vous ? Dites-leur de me contacter sur mon portable pour me communiquer les résultats.

Avec une douceur infinie, elle remit le pantalon du bébé. Contrairement à son habitude, Max ne se débattit pas. Ses yeux vitreux et sa léthargie grandissante étaient véritablement inquiétants.

— Qu'est-ce qu'elle a ?

— Je n'en suis pas encore certaine. Les infections respiratoires réactives sont très courantes chez les enfants… Nous aurons bientôt les résultats du prélèvement. En attendant, nous allons la traiter au nébuliseur. Peut-être parviendrons-nous ainsi à lui dégager les bronches !

En entendant ces mots, Ben prit Max dans ses bras et la serra contre lui. Le souvenir d'un cousin éloigné, obligé de porter constamment un inhalateur avec lui, lui revint en force. Un jour, cependant, cela n'avait pas suffi et Ben n'avait jamais oublié les obsèques du jeune garçon.

— Vous pensez qu'elle est asthmatique ? balbutia-t-il d'une voix blanche.

— Non. Toutefois, je veux la suivre régulièrement.

Elle apposa un oxymètre sur l'index de Max, attendit quelques minutes, puis lut le résultat.

— 94 %.... Elle manque un peu d'oxygène, ce n'est pas dramatique !

Elle alla fouiller dans l'armoire à pharmacie et en tira un compresseur, ainsi qu'un sachet transparent contenant des tubes et d'autres pièces de plastique blanc.

— Je reviens tout de suite ! dit-elle, avant de sortir.

Max reposait sur l'épaule de Ben, les yeux mi-clos. Cela faisait maintenant deux semaines qu'il s'occupait d'elle. Autant dire une éternité. Des craintes de toutes sortes l'envahirent, sa hantise étant de ne pas se rendre compte d'une aggravation de son état.

Joanna revint quelques minutes plus tard, une petite fiole à la main. Elle le dévisagea avec inquiétude.

— Vous n'allez pas vous évanouir ? demanda-t-elle. Vous êtes blanc comme un linge !

— Bien sûr que non ! dit-il faiblement.

Elle se lava soigneusement les mains puis, avec des gestes rapides et précis, brancha les tuyaux sur la machine et dosa un liquide dans une tasse de plastique, avant d'assembler le reste des pièces.

— Il s'agit d'un mélange médicinal, destiné à favoriser la dilatation des bronches. Max est trop jeune pour un inhalateur.

Je vais donc lui insuffler cette préparation, pendant une dizaine de minutes.

Une vapeur âcre s'échappait du tuyau que Joanna posa sous le nez de la fillette. Celle-ci tenta d'abord de l'éviter, avant de se laisser aller contre le torse de Ben.

Lorsque la tasse fut vide, Joanna éteignit l'appareil.

— Vous voyez ! Ce n'était pas si terrible que ça !

— Comment saurons-nous si ça a marché ? demanda Ben en repoussant les mèches humides sur le front de l'enfant.

— Je vérifierai son taux d'oxygène dans quelques minutes, puis, de nouveau, dans une heure. Voulez-vous aller vous installer dans notre salle de repos ? Il y a un couffin. Vous pourrez l'allonger un peu… Il doit rester du café, ajouta-t-elle avec un sourire. Ça vous fera le plus grand bien !

— Merci beaucoup, Joanna.

Ben avait installé le bébé endormi dans le berceau et s'attaquait à son deuxième café lorsque la jeune femme entra avec son oxymètre. Prenant soin de ne pas réveiller la fillette, elle lui remit le senseur sur le doigt.

— Elle va mieux ?

Joanna reprit son stéthoscope et acquiesça.

— C'est remonté à 98 %… Elle respire beaucoup mieux.

— Qu'est-ce qu'on fait, maintenant ? demanda Ben, soulagé.

— Je voudrais la garder en observation pendant une heure ou deux, pour voir comment ça évolue.

— Je ne sais pas comment vous remercier… Je suis désolé de vous faire rester aussi tard.

— Ça fait partie de mon travail. Je rentre rarement chez moi avant 20 ou 21 heures, vous savez !

Elle lui paraissait pourtant bien fatiguée, avec ses grands cernes au-dessous des yeux.

— On pourrait commander des pizzas, en attendant ! proposa-t-il. Je n'ai rien avalé depuis 7 heures ce matin et je meurs de faim ! Je vous invite !

Sans attendre sa réponse, il s'empara de son portable et composa le numéro de la pizzeria.

Joanna s'éclipsa pour regagner son bureau. Lorsqu'elle revint voir Max, leur repas n'avait pas encore été livré.

Quand il arriva, Ben ouvrit la boîte et l'arôme appétissant du *pepperoni*, et des épices italiennes se répandit dans la pièce. Il déposa le tout sur la petite table de cuisine, près du canapé.

— J'avais oublié qu'on est vendredi, murmura-t-il en s'emparant d'une large part de pizza. Ils doivent avoir du monde.

Joanna s'installa sur une chaise et se servit à son tour.

— En tout cas, ça valait la peine d'attendre ! dit-elle en savourant la première bouchée. C'est délicieux !

Et quelque peu difficile à manger, avec toute cette garniture, et ce fromage fondu. Amusé, il la regarda se débattre avec sa part. Elle finit par aller chercher des serviettes et des ustensiles en papier, dans un placard.

— Je ne sais pas manger avec mes doigts… Hum ! Maintenant que je connais l'existence de cette pizzeria, je vais avoir du mal à l'éviter.

Pour ce qu'il pouvait en juger, elle n'avait pas de souci à se faire. Bien que très mince, elle avait des formes, des formes très agréables, même ! Certaines femmes étaient maigres comme des clous et fières de l'être. Grand bien leur fasse. Pour sa part, Ben préférait les rondeurs aux angles.

Max s'agita dans son berceau et se mit à gémir. Il se leva d'un bond et traversa la pièce pour lui masser le dos, jusqu'à ce qu'elle se rendorme.

— A votre avis, elle est hors de danger ?

Joanna s'essuya les doigts sur sa serviette et fronça les sourcils.

— Bien que l'oxygénothérapie l'ait soulagée, je réserve mon diagnostic. Vous me l'avez amenée le 17 et nous ne sommes que le 23. Il va falloir la surveiller de près. Si elle éprouve de nouvelles difficultés à respirer, venez immédiatement. Et si je ne suis pas là, emmenez-la aux urgences. Vous avez des nouvelles de sa mère ?

— Oui.

Il lui relata brièvement le coup de fil que la jeune femme avait passé au ranch, en son absence.

— Vous n'avez pas pu retrouver le numéro d'où elle appelait ?

— Non, soupira-t-il avec un sourire piteux. Sadie l'a effacé par erreur.

— De sorte que vous n'avez toujours aucun renseignement à fournir à votre assurance maladie ?

— Et non !

— Tout cela est plutôt dur pour vous, n'est-ce pas ?

— Le pire serait qu'Holly revienne à Charme comme par enchantement et emmène Max avec elle. Vous vous imaginez la vie de la petite, avec une mère pareille ?

— A première vue, Holly paraît complètement irresponsable. Malgré tout, il se peut qu'elle aime énormément sa fille. Si on a dû l'opérer, elle est peut-être sous l'effet des médicaments, ce qui pourrait expliquer qu'elle n'ait pas appelé plus tôt !

— Jamais je n'aurais abandonné ma fille ainsi, répondit simplement Ben. Et même sous médicaments, j'aurais trouvé le moyen de téléphoner.

De nouveau, Ben décela dans les yeux de la jeune femme cette tristesse infinie.

— Vous êtes décidément très attaché à cette petite ! Pour moi, j'en suis venue à la conclusion que le meilleur moyen de se protéger est d'essayer de garder ses distances.

— Garder ses distances ? Ça me paraît bien triste !

Joanna recula sa chaise, prit son assiette et ses couverts et alla les jeter dans une poubelle, à l'autre bout de la pièce.

— Peut-être, mais ça rend la vie plus facile…

Avec un petit haussement d'épaules, elle se dirigea vers la porte.

— Si vous avez besoin de moi, je suis dans mon bureau. Sinon, je reviendrai dans une heure.

Ben eut toute l'heure qui suivit pour songer à la signification du mot distance, et ce qu'il en déduisit fut loin de lui plaire.

Cela faisait trois ans qu'il vivait ainsi lui-même. Depuis le départ de Rachel, il se consacrait exclusivement à son travail et faisait en sorte que toutes ses relations soient sans lendemain et aussi brèves que possible. Toutefois, cela ne prouvait rien et il ne voyait pas en quoi cela l'avait préservé.

En fait, ce mode de vie ne présentait plus aucun attrait à ses yeux.

11.

Joanna revint voir Max à 19 heures, pour une dernière oxymétrie.

— Je pense que vous pouvez rentrer, maintenant. Ses bronches semblent être dégagées. Je n'aurai pas les résultats de l'analyse avant quelques heures ; je veux la revoir demain matin.

— Merci pour tout ! s'exclama Ben, avec gratitude. Avec tout cela, il est terriblement tard, votre chien et votre cheval vont vous attendre !

— Ne vous en faites pas pour eux. Au risque de vous surprendre, Galaad ne s'est pas enfui de la semaine.

— Qu'est-ce que vous lui avez fait ? Vous l'avez ligoté ?

— Même pas ! Je crois qu'il a laissé tomber, c'est tout ! Quant à Moose, après deux essais, j'ai compris que je ne pouvais pas le laisser à l'intérieur de la maison dans la journée.

— Il a… ?

— Pas vraiment, non, répondit-elle, les yeux brillant de malice. Il s'est contenté de dévorer l'intérieur de toutes mes chaussures. Il a également trouvé le moyen d'ouvrir le réfrigérateur et il a mangé tout ce qu'il pouvait. Ensuite, il s'est amusé avec mes oreillers en plume. Et ça, c'était le premier jour…

Quelques boucles blondes s'étaient échappées de son chignon. Ben ne sut jamais si le stress de la journée lui avait fait perdre sa retenue ou s'il était simplement rassuré d'être auprès d'une spécialiste qui avait le pouvoir de soulager Max, toujours est-il qu'il se surprit à tendre une main pour effleurer ces mèches folles. Peut-être avait-il simplement besoin d'un rapport plus intime avec une femme, après tout.

Joanna se figea et leva les yeux vers lui, les joues en feu. Le jeune homme persista, se délectant du contact soyeux de sa chevelure. S'aventurant jusqu'à l'arrière de sa nuque, il entreprit de retirer une à une les épingles qui retenaient ses cheveux, jusqu'à ce qu'ils tombent en cascade sur ses épaules graciles.

— Merci, Jo. Merci pour tout, murmura-t-il.

— Je vous en prie ! balbutia-t-elle en reculant d'un pas. Ecoutez... Je... Je ne voudrais pas que vous preniez votre reconnaissance pour de... Hum... De l'attirance. Cela arrive souvent et je comprends parfaitement... Je... Je vais remplir le dossier de Max, acheva-t-elle en se détournant.

— Attendez ! Vous ne m'avez pas dit ce que Moose a fait, la deuxième fois que vous l'avez enfermé dans votre chalet, souffla-t-il d'un ton taquin.

Certes, il lui était terriblement reconnaissant d'avoir tant fait pour la petite. Toutefois, il y avait autre chose. Il souhaitait qu'elle reste là, à lui parler. Il voulait entendre encore son rire si mélodieux, et s'imprégner des effluves de son parfum. Le simple fait d'être auprès d'elle lui donnait le sentiment... d'exister.

Un petit sourire tendait les commissures de ses lèvres.

— La deuxième fois ? Il s'est attaqué aux plantes. Il les a sorties de leurs pots et a mis de la terre partout. Et il a griffé la porte pour essayer de sortir. Quand je suis rentrée, le chalet semblait sortir tout droit d'un roman de Stephen King. On aurait dit que les forces du mal en avaient pris possession !

— Vous n'avez jamais envisagé de le ramener au refuge d'où vous l'avez tiré ?

— Je l'ai adopté ! répondit-elle, horrifiée. Je ne pourrais pas faire une chose pareille ! Il est comme un membre de ma famille !

— Légèrement plus destructeur…, répliqua Ben, amusé. Et accessoirement, aussi gros qu'un rhinocéros !

— D'après le vétérinaire, sa réaction est due à l'angoisse de la séparation. Il m'a suggéré de lui faire prendre un sédatif, mais je préfère l'enfermer dans un des boxes de l'écurie, quand je m'en vais. Comme ça, tout le monde est content : Galaad, Moose et moi. Vous avez une idée de la quantité de poils que peut perdre un berger des Pyrénées ?

La seule chose qu'il savait, c'est qu'il aurait adoré passer le restant de la soirée à discuter avec elle. Mieux encore, il aurait voulu passer un bras autour de sa taille, pour l'attirer plus près de lui.

Malheureusement, elle avait été parfaitement claire sur ce sujet. S'il se sentait irrésistiblement attiré par la jeune femme, il ne devait pas oublier que cela n'était pas réciproque.

— Je serai à Charme dimanche ! annonça Zach, sans préambule.

En entendant la voix familière, Gina avait serré le combiné. L'espoir l'empêcha momentanément de parler.

— Nous serons ravies de te voir. Les filles te réclament à corps et à cris.

— Tu sais bien que j'ai fait de longs trajets, ces derniers temps ! répliqua-t-il, sur la défensive. Et, cette semaine, j'ai appelé tous les jours.

— Je sais, souffla Gina. C'est simplement que nous avons hâte de te voir !

— J'irai m'installer chez mon frère.

Cette déclaration atteignit la jeune femme de plein fouet. Au lieu d'essayer de démêler la situation, il prenait la fuite.

Elle garda le silence, jusqu'à ce qu'il ajoute :

— C'est mieux ainsi.

— Pour qui ? Pour tes filles, qui vont prendre peur et s'inquiéter ?

— Tu n'auras qu'à leur expliquer.

Gina sentit la colère s'emparer d'elle.

— Voyons… Que dois-je leur dire ? Que tu as peur de la moindre confrontation ? Ou bien que j'ai tellement peu d'importance à tes yeux que tu refuses même d'envisager un compromis ?

— Ne me fais pas porter le chapeau, Gina. Moi, au moins, je fais au mieux pour ma famille. Alors que toi, tu fais ce qui t'arrange.

— C'est faux.

— Pas du tout !

— On pourrait essayer de démêler la situation… Pourquoi ne verrions-nous pas un conseiller conjugal ? J'ai entendu dire que Célia Brice était particulièrement douée…

— C'est cela ! ricana Zach. Nous allons demander de l'aide à une de tes collègues. Nul doute qu'elle sera parfaitement objective.

— Dans ce cas, allons voir quelqu'un d'autre !

— Je n'ai pas besoin qu'on m'explique le problème. Je le connais. Jusqu'ici, je travaillais dur pour vous nourrir, pendant que tu t'occupais de nos enfants. Et cela marchait parfaitement bien. C'est toi qui as changé, Gina. Pas moi !

— Je sais que tu trouves cela injuste, mais les gens changent. Ils mûrissent et évoluent !

— Et, à présent que tu as « évolué », comme tu dis, nous ne comptons plus… Je passerai vers 15 heures, dimanche. Débrouille-toi pour que les filles soient là !

Après avoir raccroché, Gina resta longtemps, le front appuyé contre le mur, à côté du téléphone. Des dizaines de souvenirs heureux lui revinrent à la mémoire. Les gaufres que Zach préparait pour les filles, le samedi matin. Les randonnées dans la montagne. La famille entière réunie sur un des bancs de l'église. L'adoration avec laquelle Zach regardait ses fillettes jouer dans la cour.

Certes, leur mariage avait été quelque peu précipité par une grossesse inattendue. Cependant, Gina avait toujours pensé que Zach et elle vieilliraient ensemble et se tiendraient toujours la main, quand, sur leurs vieux jours, ils iraient s'installer dans une maison de repos.

Hélas. Elle s'était fait des illusions.

Joanna jeta un coup d'œil à la selle posée sur la rambarde, devant son écurie et secoua la tête.

— Je ne voudrais pas qu'il vous arrive quelque chose !

— C'est mon boulot, vous savez ! répliqua Ben. Je monte huit heures par jour, six jours sur sept !

— Qui vous dit que Galaad n'a pas été mis en vente parce qu'il était dangereux ?

Ben déposa une lourde couverture Navajo sur le dos du cheval, et se retourna pour s'emparer de la selle.

— Il ne m'a pas l'air bien féroce, à moi !

Galaad profita de l'intervalle pour attraper un coin de la couverture, avec ses dents, et la retirer de son échine. Il la secoua vigoureusement, avant de la jeter sur le sol couvert de neige. Comme pour faire bonne mesure, il planta fermement un sabot en son centre.

Joanna éclata de rire.

— Joli coup ! ronchonna Ben, en faisant pression sur l'animal, jusqu'à ce qu'il relâche son trophée. Je voudrais bien savoir quel autre tour il a dans sa poche !

— Vous pensez qu'on lui a appris tout ça ? Moi je crois qu'il est très intelligent, voilà tout !

Ben raccourcit la corde, de manière à ce que le hongre ne puisse se retourner, secoua la couverture et sella prestement l'animal.

— Je te tiens, murmura-t-il en lui frottant le cou. Maintenant, voyons ce que tu sais faire.

Joanna examina le cheval d'un air de doute.

— Et s'il faisait une chute ! N'oubliez pas qu'il est censé être handicapé !

— La vraie question est de savoir pourquoi on l'a mis aux enchères. Peu de gens l'auraient d'emblée déclaré boiteux, de peur que les abattoirs l'emportent pour une somme dérisoire. D'après ce que je vois, il se porte comme un charme. Aucune inflammation, rien... Et, à première vue, il ne semble pas avoir été blessé. Cela dit, vous pouvez toujours lui faire passer une radio !

— J'y songerai... Comment va Max ? Je ne l'ai pas vue depuis deux jours !

— Pour l'instant, tout va bien : ni toux ni reniflements, et aucune difficulté respiratoire.

— Vous m'en voyez ravie !

Les résultats de l'analyse n'avaient rien révélé d'anormal, mais cette dernière semaine, Ben avait dû l'amener trois fois à la clinique, dont deux après les heures d'ouverture, et, en plus du prix des consultations, il avait insisté pour aider Joanna à dresser son cheval.

— Ne vous croyez pas obligé de monter Galaad !

— J'y tiens !

Il guida le vieux hongre jusqu'à l'intérieur du corral, puis, s'emparant des rênes, il glissa une botte dans l'étrier.

Galaad tourna la tête et dévisagea Ben avec intérêt, les oreilles penchées en avant et la mâchoire inférieure pendante. Il ne bougea pas davantage lorsque Ben grimpa sur la selle.

— Jusqu'ici, tout va bien. Si ça se trouve, vous pourrez bientôt le monter vous-même.

L'idée de dresser Galaad ne lui avait tout d'abord pas paru très judicieuse, mais à présent, elle se demandait sérieusement si l'animal n'allait pas se révéler étonnamment docile, après tout.

Galaad commença à marcher, tête baissée, avant de se mettre à trotter vigoureusement. En jouant avec les rênes, Ben réussit à le faire ralentir sensiblement.

— Pas mal ! Malgré tout, je ne crois pas qu'il ait l'habitude d'être monté. Il voudrait aller plus vite. Et sur une bête pareille, c'est à peu près aussi confortable que de manipuler un marteau-piqueur !

Ben passa au galop et Joanna sentit sa respiration se coincer dans sa gorge. Bien qu'elle ne fût pas experte en matière de chevaux, le spectacle lui parut extrêmement bucolique. Le cheval, le cou tendu et la queue en l'air, était si beau qu'elle ne put réprimer la joie qu'elle sentait monter en elle. Ce cheval était à elle.

Certes, avec sa robe blanche et noire et son corps efflanqué, il n'avait rien d'un pur-sang. Toutefois, il se déplaçait avec une grâce surprenante.

Subitement, et sans prévenir, l'animal se déchaîna.

Ben ne s'y était de toute évidence pas plus attendu qu'elle, car il faillit perdre l'équilibre. Lorsque l'animal se cabra de nouveau, il se reprit et se prépara au rodéo, tirant d'un côté sur le rêne, pour faire tourner la tête de sa monture.

De sa main libre, il frappa de l'autre côté de l'encolure du cheval, pour l'obliger à bifurquer. Galaad pivota sur lui-même, fit un mouvement brusque sur sa droite et rua.

Joanna retint son souffle. Les pattes arrières de l'animal étaient montées bien trop haut et ses sabots retombèrent brutalement, dérapant sur la neige. Il tenta de se rattraper, et fut emporté par son propre poids.

Horrifiée, Joanna ne put qu'assister, impuissante, à l'inévitable.

Ben laissa échapper un chapelet de jurons et se dégagea des étriers. Une fraction de seconde plus tard, le cheval tombait en arrière, atterrissant contre la vieille barrière de chêne, Ben toujours en selle.

Laissant échapper un cri, Joanna enjamba la barrière. Etendu sur le dos, Galaad commençait à paniquer et se tortillait dans tous les sens pour se relever, les yeux vitreux et les narines frémissantes.

Il parvint enfin à se remettre sur pieds, et, les pattes écartées, haletant, reprit ses esprits.

Puis il s'avança vers le corps inanimé de Ben.

— Non ! hurla Joanna en se précipitant vers eux.

A son grand étonnement, toutefois, au lieu de piétiner le cow-boy, le hongre donna un petit coup de tête à une de ses bottes. S'avançant encore un peu, il se mit à renifler la jambe, le blouson... puis la mâchoire de Ben. Ce qui le fit éternuer violemment.

— Hé ! cria Ben, en se redressant lentement, pour s'adosser contre un poteau. Qu'est-ce qui...

S'emparant des rênes, Joanna entraîna le cheval, alla l'attacher à un poteau et revint vers Ben. Agenouillée près de lui, elle examina ses yeux.

Il la contempla fixement, et finit par lui sourire.

— Vous êtes une véritable amie !

S'il mâchait légèrement ses mots, ses pupilles paraissaient normales, et il ne saignait pas. Son teint, en revanche, était pâle.

— Vous savez que vous avez fait une chute ? Vous êtes tombé de mon cheval.

— Certainement pas ! bredouilla-t-il, visiblement perplexe.

— D'accord... En fait, c'est Galaad qui est tombé en arrière, vous entraînant dans sa chute. Ça vous va, comme ça ?

Il parut réfléchir à cette éventualité. Comme il ne répondait pas, elle ajouta, brusquement :

— Dites-moi quel jour nous sommes.

— Euh... Jeudi... 30 octobre.

— C'est exact. Et vous savez qui je suis ?

Bien qu'il lui semblât un peu hébété, il la gratifia d'un petit rictus.

— Bien-sûr, Grand-mère, vous êtes le Père Noël… Ceci ne vous rappelle pas notre première rencontre ? Moi, désarçonné par mon cheval ?

Elle fut tellement soulagée par sa lucidité qu'elle sentit ses genoux la lâcher.

— Tout à fait ! Laissez-moi vous examiner rapidement. Remuez les pieds, s'il vous plaît.

Il s'exécuta et elle fit remonter ses mains le long de ses jambes, en évitant soigneusement tout geste ambigu. Lorsqu'elle atteignit ses cuisses, cependant, il voulut la repousser.

— Pas de panique, Ben ! Je compte sur vous pour me dire si tout va bien, de ce côté-là !

Un petit sourire aux lèvres, elle déboutonna son blouson. Ses muscles tressaillirent lorsqu'elle effleura son ventre plat. Elle monta un peu plus haut.

— Je vous fais mal ?

Réprimant un soupir, il lui attrapa les mains.

— Non ! Je suis terriblement chatouilleux, c'est tout. Aidez-moi plutôt à me relever.

— Je n'arrive pas à croire que vous soyez indemne !

— Désolé de vous décevoir, s'esclaffa-t-il. Cela dit, je ne me sens pas au mieux de ma forme !

Inquiète, elle palpa ses épaules et ses bras, sans trouver quoi que ce soit de suspect.

— Plus haut !

Levant les yeux, elle vit qu'il la regardait avec intensité, de ses yeux sombres… et irrésistibles.

— Si vous m'embrassiez, je suis certain que je me sentirais mieux ! murmura-t-il. Vous me devez bien ça, après m'avoir laissé monter ce cheval assassin !

— Comment ça ? J'ai fait tout ce que j'ai pu pour vous en empêcher !

— Vous n'avez pas été très claire !

En riant, elle tendit la main vers le cou de Ben.

— Restez un peu tranquille.

— Je vous assure que je me porte comme un charme !

Il laissa échapper un petit rire et l'attira contre lui.

— Merci tout de même ! lui chuchota-t-il à l'oreille.

Prise de court, elle sentit son cœur s'emballer.

— Je vous en supplie, Ben. Laissez-moi !

— Et pourquoi ? demanda-t-il, en l'embrassant sur le front.

Complètement subjuguée, Joanna sentit les bras virils se replier autour d'elle, tandis qu'il l'attirait encore un peu plus près, pour lui planter un petit baiser sur le bout du nez.

Leurs regards se croisèrent et elle eut le sentiment d'avoir touché la clôture électrique. Un courant, aussi puissant que saisissant les unissait irrémédiablement.

— Vous… Vous n'avez pas tous vos esprits et…

— Au contraire ! En fait, ça fait un bon moment que je rêve de vous embrasser !

— Ben…

— Et vous avez beau vous retrancher derrière votre blouse blanche, depuis que nous nous sommes rencontrés, j'ai réussi à découvrir la femme que vous êtes, en réalité.

Sa voix était de plus en plus rauque, de plus en plus basse, porteuse d'une promesse muette qui la parcourut tout entière, réchauffant des parties de son corps qui n'avaient été stimulées depuis… une éternité, semblait-il.

Ben déposa un nouveau baiser, sur sa bouche, cette fois. Ses lèvres étaient fermes et fraîches, elles avaient le goût de la neige. Il s'écarta et, désemparée, elle leva la tête vers lui.

Le regard fiévreux, il l'embrassa fougueusement, un bras enroulé autour de sa nuque, la serrant tout contre lui. Joanna se sentit fondre et, enivrée, lui rendit son baiser, lui offrant ses lèvres, essayant de se rapprocher encore de lui…

Elle ne comprit pas immédiatement ce qui se passait. Sous ses doigts, une bosse énorme. Et un liquide chaud et poisseux, au bas du crâne du jeune homme.

Retirant vivement sa main, elle se dégagea. Du sang. La plaie était cachée par cette masse de cheveux bouclés.

— Qu'est-ce que…

— Une simple égratignure !

— *Une égratignure* ? répéta-t-elle, outrée.

Se penchant vers lui, elle examina de nouveau ses pupilles.

— Vous êtes blessé. La plaie enfle rapidement. Vous pourriez avoir une fracture du crâne !

En un éclair, elle envisagea le pire.

— Vous pouvez vous relever ? Vous croyez que nous arriverons jusque chez moi ?

— Bien sûr ! Seulement je n'irai nulle part tant que je n'aurai pas débarrassé Galaad de sa selle. Et une fois que ce sera fait, ajouta-t-il en la foudroyant du regard, c'est *chez moi* que je rentrerai !

Exaspérée, Joanna se releva et secoua la neige de son jean.

— Restez-là ! Je vais m'occuper de Galaad moi-même.

Lorsqu'elle eut terminé, Ben était debout, un bras enroulé autour d'un poteau. Ses jambes le portaient à peine.

— Vous avez la tête qui tourne ? Des nausées ?

— Non.

— Et, bien entendu, si ça n'allait pas, vous me le diriez tout de suite ! Allez, venez, tête de mule !

— Ça dépend où ! déclara-t-il, avec un sourire de guingois.

— Jusqu'à ma voiture.

Au début, elle ne s'était pas inquiétée outre mesure. Après tout, il l'avait embrassée avec la fougue et l'énergie d'un homme en pleine possession de ses moyens. Cependant, il fallait être extrêmement prudent avec ce genre de blessures. Il pouvait faire une hémorragie cérébrale, ce qui, dans le meilleur des cas, provoquait des lésions irréversibles.

Son inquiétude ne fit qu'augmenter quand il se laissa docilement entraîner jusqu'à son 4x4.

Elle parcourut la distance qui l'éloignait du centre-ville en un temps record, s'arrêta devant l'entrée des urgences de l'hôpital du Comté d'Arroyo et interpella un brancardier.

— J'ai besoin d'un fauteuil roulant !

— Pas du tout ! grommela Ben.

Après avoir péniblement réussi à se débarrasser de la ceinture de sécurité, il sortit tout seul de la voiture.

Malgré tout, pour rester debout, il lui fallut s'appuyer à la fois de Joanna et sur la portière du véhicule.

— J'espère bien que cette chaise n'est pas pour moi, parce qu'il est hors de question que je m'en serve !

Joanna échangea un regard entendu avec le brancardier et tous deux prirent Ben par un bras. Ils le firent entrer dans la salle des urgences. Après un bref coup d'œil, Sandy, l'infirmière de garde, les fit entrer dans une salle d'examen.

— C'est ton jour de chance, Ben ! Nous n'avons presque personne, aujourd'hui…

Le brancardier aida le blessé à monter sur un lit roulant. Ben, cependant, refusa catégoriquement de s'allonger.

— Je vais très bien. Un léger mal de tête, c'est tout !

— C'est ça ! rétorqua Joanna en se tournant vers Sandy, pour lui relater l'accident en détail.

— Qui est le médecin de garde, aujourd'hui ?

— Woodgrove. Vous êtes bien la nouvelle pédiatre, non ?

— Oui… Ben ? Qui est votre médecin traitant ?

— C'est lui ! répondit Ben, la mine renfrognée.

— Woodgrove ? Ça tombe bien ! Il a votre dossier et saura quoi faire.

Elle tournait les talons lorsqu'elle l'entendit protester.

— Hé ! Vous n'allez pas me laisser ici !

— Ne vous en faites pas… Je vais garer ma voiture et prévenir votre famille.

— Surtout pas ! gronda Ben, en faisant mine de descendre du lit roulant. Vous ne feriez qu'inquiéter Sadie. Je ne vais pas tarder à rentrer, de toute façon.

— Et Max ?

— Elle est chez Gina, avec la nourrice. Je dois la récupérer à 18 heures au plus tard.

L'horloge indiquait 18 h 15.

— J'y vais ! dit-elle. Je la garderai jusqu'à ce que vous puissiez sortir. Après tout, si vous êtes ici, c'est à cause de mon cheval !

— Vous êtes tombé de cheval ? répéta Sandy, sidérée. Un Mustang, que personne n'a jamais pu monter ou quoi ?

— Pas vraiment ! répliqua Ben. Seulement on dirait que Joanna me porte la poisse, avec les chevaux.

— Hum… Ça ne doit pas être bien grave. Je veux juste procéder à quelques vérifications de routine. D'accord ?

Joanna leur fit un petit signe de la main, et sortit.

Ben n'était peut-être pas content, mais elle savait qu'elle avait eu raison de se préoccuper de son état. Et, bien qu'elle s'efforçât de se concentrer sur la nécessité d'aller récupérer Max, ses pensées la ramenaient sans cesse à ce moment magique, dans le corral, où elle avait été complètement électrisée par son baiser.

Dans moins de trois mois, elle rentrerait à San Diego. Sans regrets… et sans attaches.

Malgré tout, elle aurait bien aimé savoir où cet homme avait appris à embrasser ainsi.

*
* *

Au bout de trois heures qui lui parurent interminables, Ben Carson descendit du 4x4 de Joanna et la regarda sortir Max de son siège auto.

— Merci de votre aide, grommela-t-il. Ça ira, comme ça.

— Pensez vous !

— Je vous dis que je vais parfaitement bien, reprit-il, de plus en plus agacé. Woodgrove a mis un temps fou à me dire ce que je savais déjà.

— La radio n'a peut-être rien décelé d'anormal, mais il n'en reste pas moins que vous souffrez d'un traumatisme !

— Ecoutez, Jo, j'ai fait du rodéo pendant des années. Ce n'est pas la première fois que je tombe de cheval !

— Raison de plus pour s'inquiéter. Il faut une personne responsable pour vous surveiller pendant la nuit. Et puis qui va s'occuper de Max ? Vous avez besoin de moi !

Ses baisers avaient beau être renversants, elle était têtue au point d'en être horripilante.

— Je m'en sortirai tout seul !

— Parce que vous pensez vraiment qu'elle va faire sa nuit ? demanda Joanna en désignant l'enfant endormie.

Tous deux savaient qu'il n'en serait rien. Max était réveillée par ses quintes de toux plusieurs fois chaque nuit, et il fallait la bercer pendant plus d'une heure pour qu'elle se rendorme.

Et quand c'était fait, Ben, rongé par l'inquiétude, ne faisait que somnoler. Il redoutait de ne pas entendre son moniteur, si jamais il s'endormait vraiment. Si elle restait tranquille un peu trop longtemps, il se levait pour aller la voir. Au moindre soupir, il sursautait. Il continuait de se demander comment faisaient les autres parents pour supporter ça.

Au bout de trois semaines de veille et de sommeil entrecoupé, après ses journées épuisantes, la présence d'une personne de confiance pour le remplacer, ainsi que l'éventualité d'une bonne nuit de sommeil lui parut soudain miraculeuse.

— D'accord, dit-il simplement. Et merci encore !

Dans la cuisine, il faisait sombre. Dylan, privé de sortie pour une semaine entière, après ses exploits du vendredi précédent, devait bouder dans sa chambre. Quant à Sadie, elle était couchée.

Ben retira ses bottes et pénétra silencieusement dans la maison, pour gagner la chambre contiguë à la sienne où il avait installé une pouponnière. Avec une douceur infinie, il allongea Max sur le dos et baissa la fermeture Eclair de sa veste fourrée.

— Vous avez besoin d'aide ? demanda Joanna en allumant la veilleuse.

Max s'agita légèrement quand il lui retira ses chaussures et sa combinaison.

— Je crois que je vais la laisser dormir en T-shirt. Qu'en pensez-vous ?

Se débarrassant à son tour de sa veste qu'elle jeta sur le rocking-chair, Joanna, alla le rejoindre près du berceau.

— Parfait. De plus, je l'ai changée juste avant d'aller vous chercher aux urgences.

Ben la regarda poser une main douce sur le front du nourrisson et fut inexplicablement ému par la compassion qu'il décela dans ses yeux. Cette femme n'avait rien en commun avec les jeunes écervelées avec lesquelles il avait flirté, ces dernières années. Joanna Weston était forte et extrêmement intelligente.

Le départ brutal de sa fiancée l'avait mis dans un si triste état qu'il s'était juré de ne plus jamais souffrir autant. Pourtant, un courant mystérieux semblait passer entre Joanna et lui, s'intensifiant un peu chaque jour, et il lui était de plus en plus difficile de se rappeler sa résolution.

Certes, il avait été un peu sonné, un peu plus tôt : pour preuve, il ne se rappelait toujours pas comment ce satané cheval avait pu l'entraîner dans sa chute. Il ne savait pas très bien non plus comment il en était venu à embrasser la jeune femme, mais dès l'instant où il avait sentit ses lèvres sous les siennes, il avait éprouvé une sorte de vertige. Et elle lui avait indéniablement rendu son baiser.

Malgré lui, il tendit la main, et lui effleura les cheveux. Puis, glissant un index sous son menton, il lui releva le visage.

Lorsque leurs regards se croisèrent, le temps s'arrêta et il n'eut plus conscience que des battements fous de son cœur, ainsi que d'un désir intense, et si inattendu qu'il en fut submergé.

— C'est impossible, chuchota-t-elle.

— Vous avez parfaitement raison, dit-il en faisant glisser son pouce sur la bouche de la jeune femme.

— Je... Je n'aime pas les aventures sans lendemain.

Ben ne voyait pas les choses sous cet angle. Un baiser sans conséquence était celui qu'on donnait à une jeune fille, lors d'un bal. Un flirt sans avenir était une histoire de foire aux chevaux, de rodéo. Ce qu'il ressentait, en ce moment même, était beaucoup plus profond, plus... irrésistible... et infiniment plus terrifiant.

Ses yeux, si sombres, laissaient supposer une certaine désillusion, alliée à une souffrance muette. Il aurait voulu les en débarrasser, et la faire rire à la vie. Elle devait partir dans quelques mois et il trouverait un moyen de l'en empêcher.

— Une seule fois, souffla-t-il. Une dernière fois.

La jeune femme sourit légèrement.

— Et, poursuivit-il, si c'est notre dernier baiser, autant qu'il soit inoubliable !

Le sourire de la jeune femme s'effaça momentanément. Pourtant, lorsque prenant son visage entre ses mains, il se pencha pour l'embrasser, elle ferma les paupières. Il sentit un frisson la parcourir et elle s'offrit sans réserve.

Quelque part, loin d'eux, comme venant d'une planète distante, ils entendirent des pas s'approcher.

Tous deux se tournèrent vers la porte. Dylan se tenait sur le seuil, une expression finaude sur le visage, un sourire vaguement méprisant aux lèvres.

— Je voulais te voir, *tonton*. Je ne voudrais pas avoir un empêchement de dernière minute !

Un empêchement ? Ben se creusa la cervelle, essayant de se souvenir de quoi parlait l'adolescent. Hélas, il n'avait pas les idées très claires et ses tempes battaient bien trop fort pour qu'il puisse réfléchir.

Dylan leva les yeux au ciel, en laissant échapper un petit soupir exaspéré.

— Ma punition se termine demain et j'ai des projets pour Halloween. On peut en dire deux mots ?

Ben aurait pu lui objecter un certain nombre de choses. Cependant, il n'avait pas envie de discuter.

— Va te coucher ! On parlera de cela demain.

— Compris ! rétorqua Dylan en regardant Joanna avec une insolence marquée. Tu es *très* occupé, à ce que je vois !

Sur ces mots, il disparut dans le couloir.

— Je… Voilà une situation plutôt embarrassante ! murmura Joanna. Votre vie sentimentale ne doit pas être facile, avec lui !

Ben faillit éclater de rire.

— J'essaye de me rappeler si j'étais comme lui, adolescent. J'espère bien que non.

Joanna le dévisagea un instant, la tête penchée sur le côté.

— Je dirais que vous avez été un adorable bambin… avant de devenir un adolescent à fleur de peau.

— C'est exact.

Max s'agita dans son berceau. Ben alla lui frotter le dos, jusqu'à ce qu'elle se rendorme.

— Les bébés sont si innocents ! C'est à se demander comment ils peuvent devenir des ados bravaches, et insolents, non ? En tout cas, merci de tout ce que vous avez fait pour nous, aujourd'hui.

— C'est quand même de ma faute si…

— Non. Comme je vous l'ai déjà dit, c'est mon métier, que de monter des chevaux. C'est ma faute à moi. Galaad m'a semblé tellement placide, que j'ai baissé ma garde…

Il s'avança vers la porte, faisant signe à la jeune femme de le suivre.

— Et merci également de vous occuper aussi bien de Max !

— C'est mon métier ! répondit-elle négligemment. Y a-t-il une autre chambre, pas trop loin, que je puisse l'entendre si elle se réveille.

Ben avait bien une idée… Toutefois, il se contenta de tendre la main devant lui.

— La chambre d'amis se trouve juste en face. Elle est toujours prête, et le lit devrait être fait.

— Je m'occuperai de Max, si elle se réveille. Seulement je… Je dois aussi surveiller votre sommeil… A cause de votre traumatisme.

— Je n'ai pas de traumatisme.

— Oh que si ! Je viendrai m'assurer que vous vous réveillez sans difficulté et que vos pupilles ne se rétractent pas à la lumière. Je ne vous dérangerai pas, n'ayez crainte !

Hélas, il savait déjà qu'après avoir entendu sa douce voix et s'être soumis à son inspection, il ne pourrait jamais se rendormir. Il était prêt à parier qu'il ne fermerait pas l'œil de la nuit, et rêvasserait à tous les avantages qu'il aurait pu tirer de la situation.

— Je ferais bien de fermer ma porte à clé, alors ?

— Si vous faites ça, je frapperai jusqu'à ce que vous me répondiez. Et si vous réveillez la petite, je vous la collerai dans les bras, avant d'aller me recoucher. Compris ?

— Je n'ai pas vraiment le choix, s'esclaffa-t-il. J'espère seulement qu'un de ces jours, nous trouverons un compromis un peu plus agréable !

12.

C'est le plus naturellement du monde que Joanna avait proposé de passer la nuit à Shadow Creek. Après tout, elle devait bien ça à ses voisins.

Toutefois elle commençait à regretter de ne pas s'être contentée de déposer Ben et Max au ranch. Cela lui aurait permis de retrouver la tranquillité de son chalet avec Galaad et Moose.

Au lieu de quoi, elle avait passé deux heures à bercer Max, serrant contre elle le précieux fardeau, s'imprégnant de sa douce odeur de bébé. Qu'avait donc de si particulier cette fillette, pour venir à bout des barrières derrière lesquelles elle se retranchait depuis si longtemps ? Elle savait pourtant bien que ce serait une erreur que de s'attacher cette enfant.

Malheureusement, cela n'était pas une question de logique et cette soirée avait encore davantage miné sa détermination à garder ses distances, et mis l'accent sur tout ce qui lui manquait depuis la mort de son bébé.

Et puis il y avait Ben…

Les nuits du Nouveau-Mexique étaient d'une beauté ensorcelante, avec cette voûte étoilée si lumineuse, et l'odeur enivrante des pins. La jeune femme avait l'impression de revivre. Tout ce dont elle avait toujours rêvé lui paraissait soudain réalisable.

Pourtant, elle savait déjà que rêves et fantasmes sont des commodités dangereuses, et que, dans la vie, rien n'est jamais acquis. En soupirant, elle alla reposer Max dans son couffin. Puis, après s'être emparée d'une lampe torche, elle se dirigea vers la chambre de Ben. Elle allait le réveiller doucement, pour vérifier ses réflexes.

Malheureusement, Ben ne dormait pas. Il regardait fixement le plafond, les deux mains sous le crâne, le drap enroulé autour de sa taille.

Une taille étroite et longue, sous un torse tonique, musclé et toujours hâlé, après un été de travail en plein air.

— Je vais très bien, murmura-t-il, en se tournant à peine.

— Ecoutez...

— Je vous assure ! Il est inutile de m'examiner.

Puis, d'une voix plus basse, les yeux brûlant d'une fièvre qui lui donna la chair de poule, il ajouta :

— Ah moins que vous ne soyez venue pour autre chose...

— Non ! Je suis simplement venue m'assurer que vous alliez bien, répondit-elle en relevant le menton.

— Si vous venez me voir toutes les heures, ça va être difficile !

— Votre mal de tête n'a pas empiré ?

Se penchant en avant, elle alluma la lampe torche et la dirigea vers les yeux du rancher.

— Hé ! s'écria-t-il en se détournant. Enlevez-moi ce truc !

— Vos pupilles sont normales. Et votre teint aussi, répliqua-t-elle froidement. Donnez-moi le nom du vice-président et je vous laisse vous rendormir.

Son regard se fit égrillard et sa voix devint encore plus rauque.

— Non ! Par contre, je peux vous dire autre chose.

Joanna préférait ne pas entendre. Pas maintenant, pas quand elle était seule avec lui dans cette chambre sombre. Elle recula d'un pas, mais il la retint par le poignet.

— J'aimerais vous dire à quel point je vous suis reconnaissant de tout ce que vous avez fait pour Max et moi, commença-t-il en l'attirant plus près de lui.

Il la contempla un instant, un sourire, rempli d'une promesse ambiguë, lui éclairant lentement le visage.

— Et je voudrais également vous dire l'importance que vous avez dans ma vie.

Fascinée, elle sentit ses mains puissantes remonter sur ses poignets, puis sur ses bras. Un courant sensuel passa entre eux, la faisant frissonner. Elle n'avait aucun doute sur ce qui allait se produire, maintenant… oui, elle le savait : elle allait vivre la nuit la plus folle de sa vie.

Cependant, une petite voix lui murmurait que le flirt était la spécialité de Ben… Ensuite, il partait sans se retourner.

— Quel baratineur vous faites… Vous ne devez avoir aucun mal à parvenir à vos fins ! dit-elle d'une voix légère.

— Baratineur ? s'esclaffa-t-il. Non. Ma dernière relation remonte si loin que je m'en souviens à peine…

— Vraiment ?

— Et oui ! En temps normal, je ne suis guère sentimental… Mais pas quand je vous regarde, et que je pense à toutes les raisons pour lesquelles je suis attiré par vous.

Encore une formule toute faite, songea-t-elle. Néanmoins, si l'émotion qu'elle décelait dans ses yeux était feinte, il était sacrément bon comédien.

Il l'attira par le poignet pour la faire asseoir sur le rebord du lit.

— Voyez-vous, Joanna, je préfère être assis avec vous devant un café plutôt que de sortir avec une autre, en sachant quelle sera l'issue de la soirée.

— Tout ce que vous voulez, c'est discuter ? demanda Joanna, sceptique.

— Je m'en contenterai. Vous êtres intelligente et dévouée. Vous avez le sens de l'humour, pourtant, vous êtes la femme la plus mystérieuse que j'aie jamais rencontrée. En fait, j'ai le sentiment qu'on ne vous a pas toujours appréciée à votre juste valeur. Que s'est-il passé ?

— Disons que je suis probablement plus âgée, et donc plus mûre que la plupart des gamines que vous rencontrez.

— Je n'ai pas pour habitude d'avoir des aventures sans lendemain.

Joanna ayant jeté un regard éloquent en direction de la chambre de Max, il crut bon d'ajouter :

— Une seule fois. Parce que je souffrais, parce que j'ai été stupide et trop ivre pour prendre les précautions nécessaires. Et même si Max n'était pas prévue, je ne regrette rien. Je l'aime.

Joanna s'efforça de ne pas flancher. Une « erreur » avait suffi à faire naître une magnifique petite fille. Pour sa part, elle avait désiré son enfant, avait adoré être enceinte et s'était mise à aimer son bébé bien avant sa naissance. Elle avait fait des plans pour son avenir… Et le fiasco avait été absolu.

— Tout le monde n'a pas votre chance, murmura-t-elle lentement.

— Que s'est-il passé ? demanda-t-il d'une voix douce. Pourquoi êtes-vous si triste ?

La compassion teintée d'inquiétude qu'elle décela dans sa voix lui fit le même effet que s'il l'avait étreinte.

— J'ai perdu mon bébé, il y a deux ans. Le 1er décembre.

— Oh, Jo !

— Sacré Noël, non ? Aujourd'hui encore la vue d'une crèche me fait pleurer. Sans parler des bougies… des illuminations…

Elle frissonna. Se redressant, Ben posa une main sur son visage, sans la lâcher des yeux.

— Vous devez détester les fêtes !

— Même pas ! En tout cas, plus maintenant. Je pense simplement au sens profond de Noël et je m'efforce d'ignorer tout le reste. Même au bout de deux ans, je ne parviens pas à oublier la douleur que j'ai éprouvée en perdant Hunter.

— Je suis navré, Joanna.

Il se pencha vers elle et elle se retrouva dans ses bras, la tête calée contre la chaleur de son torse, ses bras puissants autour d'elle. Il lui offrit réconfort et force, jusqu'à ce que les larmes qu'elle retenait depuis si longtemps se forment enfin sous ses paupières.

Elle sentait son cœur battre. Il lui releva doucement le menton, et quand sa bouche sensuelle se posa sur la sienne, elle eut le sentiment d'être enfin à sa place, d'avoir trouvé la compassion, la tendresse et la force qu'elle recherchait depuis si longtemps.

Après tout ce temps, elle avait enfin trouvé la paix.

Dylan regarda son oncle entrer dans la cuisine, pour prendre son petit déjeuner. Il était 8 h 30. Un véritable exploit ! Ben semblait être incapable de dormir au-delà de 5 heures du matin. Son métier ne l'obligeait pas à mettre son réveil à sonner, et il aurait pu prendre un jour de congé, de temps en temps. Eh bien non ! Chaque matin, il se levait à l'aube, de si bonne humeur que c'en était presque insupportable.

Joanna entra dans la cuisine quelques minutes plus tard, les cheveux en bataille et les yeux bordés de rouge. Ben n'avait pas l'air bien vaillant, lui non plus. Ses gestes étaient ceux d'un vieillard et à en juger par la raideur de sa nuque, on pouvait en déduire qu'il avait un sérieux mal de tête… ou tout simplement une gueule de bois.

Tu parles d'un exemple ! Son père lui avait décrit Ben comme un type intelligent et stable. Le citoyen modèle, en quelque sorte.

Censé avoir une bonne influence sur lui. A cette pensée, Dylan ne put réprimer un ricanement.

— Eh bien… Je ferais bien d'y aller, moi ! marmonna la jeune femme. Galaad et Moose doivent commencer à s'impatienter, et j'ai des messages à écouter. Ben, n'oublie pas d'appeler Woodgrove, si jamais tu as le moindre symptôme de traumatisme crânien. D'accord ? Si tu vois double, si tu as mal à la tête…

— Je sais, je sais ! Tu m'as déjà expliqué ! l'interrompit-il, les mains en l'air.

Un traumatisme crânien ? Dylan étudia son oncle et étouffa un petit rire narquois. Une sérieuse gueule de bois, oui ! Son propre père avait essayé de lui cacher ce genre d'état assez souvent… Il ne fallait tout de même pas le prendre pour un idiot !

Se tournant vers lui, Joanna le salua, d'un geste embarrassé.

— Sadie dort encore ?

— Elle est partie se recoucher. Elle s'est levée ce matin, pour faire cuire les petits pains. Ils sont sur le comptoir, si vous en voulez.

— Une prochaine fois ! Dis-lui que je suis désolée de l'avoir manquée… Max dort à poings fermés. N'hésitez pas à m'appeler, si elle se remet à tousser, d'accord ? dit-elle, ne s'adressant à personne en particulier.

Ben s'avança vers Joanna et lui passa une main dans les cheveux. Visiblement, ils avaient autre chose en commun que leur préoccupation pour Max. Dylan s'immobilisa, dans l'espoir d'entendre ce que Ben lui disait à l'oreille, en vain.

Haussant les épaules, l'adolescent avala une grande gorgée de Coca, tout en épiant Joanna du coin de l'œil. Elle enfilait sa veste et mettait ses bottes. Il attendit d'entendre le moteur de sa voiture au-dehors, avant de se lancer.

— J'ai fait ce que tu voulais. J'ai obéi toute la semaine. Alors j'ai le droit de sortir avec mes copains, ce soir. Ils viennent me prendre à 18 heures.

Ben se versa une tasse de café froid et la mit dans le four à micro-ondes. Lorsque la sonnerie retentit, il reprit la tasse et s'assit avec raideur. Dylan trouva qu'il réfléchissait bien trop longtemps à la question.

— Je voudrais que tu m'en dises plus.

— Il n'y a rien à dire !

Dylan était rongé par le ressentiment. Chez lui, en l'absence de son père, il n'avait jamais le moindre problème. La gouvernante du moment cessait généralement de le materner au bout d'une ou deux semaines et le laissait aller et venir à sa guise, à condition qu'il ne découche pas.

Au début, ça avait été assez sympa, d'être ici, avec Ben, d'avoir affaire à une personne stable. Malheureusement, il n'avait jamais pu supporter l'autorité que son oncle pensait être en droit d'exercer sur lui.

— Rien à dire ? demanda Ben, l'air surpris. Dans ce cas, je ne peux pas te laisser sortir !

— On se réunit entre copains..., répondit l'adolescent, s'efforçant de parler d'un ton égal et calme. On va se balader en ville.

— Quels copains ?

Dylan envisagea de mentir... Hélas, Ben ne manquerait pas de vérifier, ce qui ne lui vaudrait rien de bon.

— Nate.

— Qui d'autre ?

— Billy... Et Joshua, avoua Dylan avec un gros soupir.

— Ceux qui t'ont entraîné, la dernière fois !

— Joshua et Billy ont été privés de sortie, eux aussi ! La mère de Joshua était vraiment furax !

— Tu sais, la manière dont on choisit ses amis est d'une importance capitale, fiston.

Dylan faillit lui répliquer qu'il n'était pas son fils, et se retint à temps.

— On va chez Joshua ! Ses parents seront là et sa petite sœur aussi. Je ne vois pas où est le mal !

Ben le dévisagea pensivement, avala une gorgée de café et reposa sa tasse.

— Je serai de retour pour minuit. Nate a son permis. Il va venir me chercher.

— Et tu vas aller là-bas directement ? Et en revenir directement ?

Dylan hocha la tête. Il était prêt à tout pour ne pas passer une soirée supplémentaire consigné à Shadow Creek.

— Entendu ! Je fais de mon mieux, tu sais, Dylan. Ton père aimerait te récupérer entier, à son retour !

— Ouais.

— Je vais faire travailler un poulain. Tu veux venir avec moi ? Tu pourras monter Badger, si tu veux.

C'était une main tendue, et Dylan en était conscient. Badger était exceptionnel. Il réagissait merveilleusement bien et était rapide comme l'éclair.

— Oui ! Dans quelques minutes. Je veux d'abord voir si j'ai un e-mail de papa.

— Depuis quand n'as-tu pas eu de ses nouvelles ?

L'enthousiasme de l'adolescent retomba subitement.

— Deux semaines. Il est très occupé, tu sais. Et puis il n'a peut-être pas de téléphone à portée de main !

— Ce doit être ça !

— Tu ne veux pas déjeuner ? cria Sadie. Je peux te faire des crêpes, si tu veux ou des œufs ou bacon… Il faut…

Sans se retourner, Dylan fila dans sa chambre et referma la porte à clé. Déjeuner ! Quelle horreur ! Chez lui, il se contentait d'un verre de Coca et de ce qu'il trouvait dans le réfrigérateur. En attendant que l'ordinateur se mette en route, il consulta le calendrier. Plus que sept semaines. A Noël, il serait à la maison. Et si ça se trouve, son père l'emmènerait skier…

Le sourire aux lèvres, il se connecta à Internet, ouvrit son serveur et passa en revue la liste de ses messages. Il y en avait un de Phil. S'adossant à son fauteuil, il le lut rapidement. Peut-être son père lui annonçait-il son retour anticipé ?

Il cligna des yeux. Son cœur se serra.

« Désolé, Dylan, je ne vais pas rentrer avant un bon bout de temps. Ted ne peut pas venir me remplacer et je suis coincé ici jusqu'au premier janvier, voire jusqu'au 10. Mais je sais que tu es bien, au ranch. Je parie que tu n'es pas pressé de quitter cette région magnifique. Et ton oncle est sympa, non ? »

Les mots se brouillèrent sur l'écran.

Sans même prendre le temps de fermer les programmes, Dylan coupa l'ordinateur d'un doigt rageur et pivota sur sa chaise, pour faire face à la fenêtre et aux collines rocailleuses qui s'élevaient vers les montagnes recouvertes de pins.

Ah ça, c'était formidable, d'être ici ! A peu près autant que dans ce centre de détention juvénile de New York ou ce lycée miteux qu'il avait dû fréquenter, en classe de seconde. Et voilà qu'on lui annonçait qu'il ne verrait même pas son père pour Noël. Il laissa la colère monter en lui, et donna un coup de poing dans le mur ; il éprouva un sentiment de puissance en voyant le plâtre voler en poussière.

Puis il s'écroula sur son lit, se demandant jusqu'où il irait s'il prenait le vieux fourgon rouge garé près de l'écurie.

Ben s'arrêta devant la porte de la chambre de Dylan et fronça les sourcils.

— Tu es là, fiston ?

L'adolescent n'était pas venu monter Badger, finalement. Sadie l'avait vu se préparer un sandwich et repartir dans sa chambre, vers midi. Depuis, il n'avait pas donné signe de vie.

Il était près de 18 heures, à présent. Le dîner était servi et les copains de Dylan étaient censés arriver d'une minute à l'autre. Ben actionna la poignée de la porte, frappa plus fort. Le silence qui régnait de l'autre côté de la porte ne fit que le conforter dans ses soupçons.

La journée avait été plus que rude : ses tempes battaient toujours férocement, et, après sa chute de la veille, il avait mal partout. Sans compter que la présence de Joanna, si près de lui, l'avait empêché de fermer l'œil, la nuit précédente.

Et voilà que Dylan avait disparu.

Ben gagna la cuisine où Sadie s'efforçait en vain de faire manger Max.

— Il dort toujours ? demanda-t-elle, l'air soucieux.

— A mon avis, il n'a pas dormi de la journée. Tu n'as pas vu partir la camionnette rouge, cet après-midi, par hasard ?

— Je… Je ne crois pas.

Sadie remplit une autre cuiller d'une purée verdâtre et l'agita devant la bouche du bébé. Max fit la grimace et tourna la tête, se concentrant sur les biscuits détrempés de salive qu'elle tenait dans chaque main.

Dylan avait dû profiter de ce que Sadie s'occupait de la petite pour filer sans se faire remarquer. Ben attrapa son Stetson, et enfila sa veste.

— Je sors quelques minutes.

— Tu n'as pas faim ? Le dîner est prêt !

Il avait fait travailler quelques poulains, avec Rafe, avant de recevoir des clients venus voir les progrès de leurs chevaux, de sorte qu'il n'avait pas eu le temps de déjeuner. L'arôme appétissant du rosbif lui mit l'eau à la bouche. Sur la table, un saladier rempli de la délicieuse purée de Sadie ainsi que des petites carottes en gelée n'attendaient que lui.

— Pour l'instant, je dois retrouver ce maudit gamin. Il est peut-être dans une écurie !

Ben savait à peu près comment s'y prendre avec les petits ; mais il en allait différemment des adolescents. Quelques minutes lui suffirent pour constater que Dylan et la camionnette rouge avaient disparu. Une fois de plus.

De retour dans la maison, il avala rapidement son repas, avant d'emmitoufler Max dans sa combinaison, tandis que Sadie préparait deux biberons et remplissait le sac de l'enfant.

— C'est ma faute, Ben. J'aurais dû me douter qu'il était parti !

— Pas du tout. Tu le croyais dans sa chambre, devant son ordinateur. Il a dû attendre que tu sois occupée pour s'enfuir.

— Il n'est pas en âge de conduire ! gémit-elle en se tordant les mains. Qu'est-ce qui lui a pris, de partir comme ça ?

— Je me le demande. Miguel Eiden l'a pourtant prévenu. Cette fois-ci, il risque de l'arrêter, purement et simplement.

Enserrant les épaules de la vieille dame, Ben l'étreignit tendrement.

— C'est dur pour lui, tu sais, de vivre ici, sachant son père à l'autre bout du monde. Essaye de ne pas trop t'en faire. Il est quelque part en ville. Je te le ramènerai d'ici à une heure.

Le regard de Sadie se porta sur le bébé aux joues écarlates, qui attendait sagement dans les bras de Ben.

— Elle a été grognon toute la journée. Tu es sûr que tu ne veux pas la laisser ici ?

Comme si elle avait entendu, Max se mit à gémir et à s'agiter, le repoussant des deux mains et lui donnant de petits coups de pieds dans les flancs. Mais Sadie avait l'air épuisé. Pour elle aussi, la journée avait été longue.

— Je n'aurai pas fait deux kilomètres qu'elle dormira à poings fermés, dit-il en souriant. A ta place, j'irais prendre un bon bain, et je me coucherais tôt.

— Si tu le dis…

— Je vais demander à Rafe de surveiller les environs pendant mon absence, d'accord ? Une bonne nuit de sommeil te fera le plus grand bien, ajouta-t-il en lui plantant un baiser sur la joue. Je vois de la lumière chez Rafe. Il est chez lui, avec son père. Si tu as besoin de quoi que ce soit, appelle-les. Tu peux aussi me joindre sur mon portable.

Max s'endormit dans son siège auto avant même qu'il n'eût atteint le bungalow de son aide rancher. Après lui avoir fait un bref résumé de la situation, il s'engagea sur la nationale, regardant sur le bord de la route s'il ne voyait pas la camionnette.

— J'espère que tu n'es pas sorti de la route, mon gars ! marmonna-t-il à part lui.

Toutes les routes sinuaient à travers la montagne, avec virages en épingle à cheveux, d'où on avait une vue spectaculaire sur les falaises et les vallées escarpées. Celle qui descendait du ranch était dangereuse pour un conducteur inexpérimenté et susceptible de prendre les virages à trop vive allure... Avec un peu de chance, Dylan était à Charme. Dans le cas contraire, Ben serait obligé de demander l'aide de la police. La camionnette rouge, avec les mots *Ranch de Shadow Creek,* inscrits sur chacune des portières ne passerait pas inaperçue... à moins que le gamin ne soit sorti du comté, pour aller dieu sait où.

L'étape suivante consisterait à prévenir le shérif de comté et les patrouilles chargées de la surveillance des routes du Nouveau-Mexique. Ben espérait bien ne pas avoir à en arriver là : cela ne pourrait que valoir de nouveaux ennuis à ce gamin au passé déjà chargé.

Max geignit dans son sommeil. Soucieux, Ben tendit le bras pour lui tâter le front. Il était plus chaud que tout à l'heure.

En ville, des hordes de gamins déguisés déambulaient sur les trottoirs. Gobelins, fantômes et sorcières allaient d'une maison à l'autre, leur citrouille à la main, sous l'œil attentif de leurs parents. Et même à travers les vitres fermées de sa voiture, Ben entendait leurs cris et leurs rires surexcités.

Il sourit au souvenir des années où sa mère les chaperonnait, Phil, Gina et lui, dans ces mêmes rues, le soir d'Halloween. Au retour, ils déposaient leur butin sur la table de la cuisine et procédaient au partage. La soirée se terminait toujours autour d'un verre de cidre, devant de délicieux brownies bien chauds. Et ils jouaient aux cartes jusqu'à minuit, même quand la fête tombait un jour de semaine…

Ben jeta un coup d'œil au bébé endormi et sentit son cœur se serrer. Où serait-elle, quand elle aurait l'âge de fêter Halloween ? A l'idée de ne jamais voir la joie de Max en enfilant un déguisement de sorcière, il se sentit plus seul que jamais.

L'esprit occupé par les bambins qui écumaient les rues, Ben descendit lentement *Paseo de Sierra*, passant en revue les parkings du Sunflower, le fast-food local, et de Slim Jim, avant de bifurquer dans l'avenue Sage. Au croisement suivant, il aperçut une silhouette féminine familière, emmitouflée dans une épaisse veste rouge et suivant de loin deux petites filles.

Il s'arrêta, descendit de son véhicule et les interpella.

— Ben ! s'écrièrent Allie et Regan, à l'unisson, en se précipitant vers lui, pour se jeter dans ses bras.

— Voyons ! En quoi êtes-vous déguisées, cette année ? Laissez-moi deviner. Allie, je parie que tu es un pompier. Et toi, Regan… Euh… Une astronaute. C'est bien ça ?

Ravies, les fillettes se mirent à rire dans ses bras. Par-dessus leurs têtes, il sourit à Gina. Hélas, un seul coup d'œil lui suffit à comprendre que les choses n'allaient pas comme elle voulait. Reposant ses nièces au sol, il s'avança vers elle.

— Pas de nouvelles ? demanda-t-il à voix basse.

— Zach a appelé jeudi. Il va rentrer à Charme, mais il a décidé d'aller s'installer chez son frère.

— Si jamais je le vois, renchérit Ben, sidéré, il va avoir de mes nouvelles !

— Tu as beau être mon grand frère, je ne crois pas que tu puisses grand-chose pour moi !

— Ecoute…

— Non ! J'étais prête à négocier. Malheureusement, Zach refuse de discuter. Il est aussi entêté qu'égoïste. J'en suis venue à la conclusion qu'il ne m'a jamais aimée. La triste vérité est qu'il s'est tout simplement senti piégé…

— Dans ce cas, c'est un imbécile ! grommela Ben, atterré. Quand doit-il rentrer ?

— Ne te mêle pas de ça, Ben. Sérieusement ! Je suis sur le point de consulter un avocat.

Elle contourna la camionnette pour aller voir l'enfant endormie. De toute évidence, elle préférait changer de conversation.

— Max est un peu jeune pour sortir, le soir de Halloween, tu ne trouves pas ? demanda-t-elle, avec un sourire forcé.

— Je cherche Dylan.

— Oh non !

— Il est parti avec la camionnette.

— Je ne l'ai vue nulle part, dit-elle en se mordillant la lèvre. Pourtant, nous avons fait un bon bout de chemin ! Je dois emmener les filles au restaurant…

— Appelle-moi si tu vois la camionnette, d'accord ? Et tiens-moi au courant, surtout !

Il passa le quart d'heure suivant à écumer les alentours, en vain. Ni dans le vieux cinéma, ni sur le parking du lycée…

Ben alla voir au caravaning, où habitaient certains des amis de Dylan. De nombreuses camionnettes y étaient stationnées, et aucune ne provenait de Shadow Creek.

Exaspéré, il regagna *Paseo de Sierra* et s'arrêta devant la place principale. Une faible odeur de brûlé lui parvint aux narines. Les petits étaient rentrés, à présent, et seuls restaient les adolescents.

Quelques collégiennes surgirent, dans des accoutrements divers, leurs rires aigus ne pouvant qu'attirer l'attention. Trois garçons traversèrent la rue et les sifflèrent.

Dylan ne pouvait pas avoir quitté la ville ! Si c'était le cas, on pouvait se demander jusqu'où il irait, avec un réservoir plein et une fureur inextinguible. Restait la possibilité qu'il soit dans un fossé…

Max se réveilla en braillant, agitant les bras et les jambes pour se dégager de son siège. Elle respirait… difficilement. Et plus rapidement. Ses joues, qui étaient si roses avant, lui apparurent soudain bien pâles, à la lumière des réverbères. Trop pâles.
Il se demanda comment son état ait pu changer aussi rapidement. Etait-ce dû à la fraîcheur ambiante ? A moins qu'elle ne fut en train de retomber malade… Elle avait bien été grognon toute la journée, toutefois il avait attribué cela à la fatigue. A présent, il n'en était plus si sûr.

Il la réconforta comme il le put, et elle se calma un peu… pour être aussitôt submergée par une quinte de toux.

Il se pencha pour détacher sa ceinture et la prendre dans ses bras. Son petit cœur battait à une vitesse folle, sous ses doigts.

Il fit passer son poids inerte contre son épaule, dans l'espoir d'arranger les choses. Sa respiration était courte, haletante. Elle étouffait.

13.

Joanna le rejoignit aux urgences un quart d'heure plus tard, les cheveux ébouriffés et les joues rouges. L'infirmière avait déjà installé Max et Ben dans une cabine, et vérifié les réflexes vitaux du bébé.

Après une deuxième série d'examens, elle revint dans la cabine, avec les radios qu'elle avait prescrites à l'enfant.

— Bonne nouvelle, chuchota-t-elle. Ce n'est pas une pneumonie.

— Pourtant, elle n'est pas dans son état normal ! L'autre jour, tu m'as dit qu'il fallait la surveiller étroitement… Tu crois qu'elle est asthmatique ? demanda-t-il, redoutant la réponse.

— La plupart de mes confrères répugnent à faire ce diagnostic, chez un nourrisson, d'autant plus que la maladie disparaît souvent avec l'âge.

— Enfin, Joanna… Avec cette respiration sifflante, elle a forcément un problème !

— En général, et à moins que l'affection n'évolue différemment, ce genre de crise aiguë est classée comme un épisode allergique des voies respiratoires.

Ben sentit sa gorge se nouer. Après avoir envisagé toutes les conséquences possibles, il s'efforça de trouver les mots pour exprimer ses craintes, en vain. Il finit par fixer Joanna du regard. Son expression parlait sûrement d'elle-même, de toute manière.

— Ce qu'il faut que nous trouvions, à présent, reprit-elle, c'est ce qui déclenche ces crises. Nous allons la garder ici, au moins pour la nuit. Elle a besoin d'une surveillance constante et elle est déshydratée.

— Tu veux la mettre sous perfusion ? balbutia Ben, en blêmissant.

— C'est indispensable. Nous allons commencer le traitement tout de suite. Ensuite, nous te montrerons comment la soigner, chez toi.

— Tu me parlais de ce qui provoque ces crises, tout à l'heure…

— Les voies respiratoires de Max sont très sensibles. Elles peuvent enfler, se rétrécir et même se boucher par excès de mucus, quand elle respire certaines substances, comme le pollen, la poussière, les acariens, les poils d'animaux…

— Tu crois que ce sont les chevaux ?

— C'est possible, cependant j'en doute. Max est exposée à cet allergisant tous les jours, par ton intermédiaire. Or elle ne fait pas une crise chaque jour ! Certains produits chimiques peuvent être à l'origine du problème… ou encore la fumée… Parfois, un simple rhume…

— La fumée, tu as dit ? La première fois qu'elle a fait une crise, les voisins de Gina faisaient brûler des feuilles mortes, dit-il lentement. Et ce soir, la crise a commencé à peu près au moment où j'ai senti cette même odeur, en ville.

— Cette maudite fumée est à l'origine de bien des maux… La chambre sera prête dans quelques minutes. Tu as prévenu Sadie que tu étais ici ?

— Je l'ai appelée, ainsi que Rafe, il y a quelques minutes. Rafe va dormir dans la chambre d'amis, au cas où Sadie aurait besoin de quelque chose.

Il ne lui restait plus qu'à contacter Miguel Eiden. Il devait retrouver son neveu avant qu'il ne soit trop tard.

*
* *

Dylan se tourna vers la fenêtre du foyer de jeunes.

— Vous n'avez tout de même pas prévenu les flics ! s'exclama-t-il, en jetant au journaliste un regard horrifié,

Au-dehors, le gyrophare d'une voiture de police, garée derrière sa camionnette, clignotait dans l'obscurité.

— Pourquoi ? Tu as commis un hold-up ? demanda Nolan McKinnon, en lui passant un bras autour des épaules, avant de regarder par la fenêtre, à son tour.

— Non ! rétorqua Dylan. Je me suis perdu, voilà tout.

— Perdu ? Pendant combien de temps, au juste ? Des heures ? Des semaines ? demanda Nolan, sceptique.

— Quelques heures. Pas de quoi en faire un plat ! Je dois être mal garé !

Il était parti en milieu de matinée, dans l'espoir de rallier Albuquerque, d'où il pensait prendre un billet d'avion, avec la carte de crédit que son père lui avait laissée. Il aurait bien réussi à se faire héberger par un de ses copains, à New York !

Malheureusement, il s'était égaré, sur ces routes de montagnes sinueuses, et avait fini par rebrousser chemin, en suivant un semi-remorque qui se dirigeait, du moins il l'espérait, vers Charme.

Il avait ensuite roulé au hasard, dans les rues du centre-ville, avant de tomber sur le foyer de jeunes, encore éclairé et où des adolescents jouaient au ping-pong ou au billard.

Il avait entendu parler de ce foyer, qu'il s'était représenté comme un endroit pour ringards… Aussi avait-il été désagréablement surpris de constater que les autres l'accueillaient comme si c'était lui, le ringard. Puis McKinnon était arrivé et l'avait entraîné dans une partie de billard. Plus tard, tous deux s'étaient joints à un match de basket-ball, dans le gymnase.

Dylan avait fini par parler à Nolan de sa vie au ranch, de Ben et de l'absence de son père. A présent, il en était à appeler ce drôle de type par son prénom. Va comprendre !

— Ben sait que tu es ici ? demanda Nolan, un sourcil soulevé.

— Oui ! Bien sûr ! Il... Enfin, il sait que je suis en ville.

Le journaliste sembla le croire. Néanmoins, lorsqu'il vit le policier entrer dans le bâtiment, il se départit de sa bonhomie.

En reconnaissant Miguel Eiden, Dylan sentit sa gorge se nouer. Il allait se faire chapitrer, et peut-être même arrêter, devant les autres adolescents... qui s'empresseraient de relater l'incident à qui voudrait l'entendre, au lycée.

— Bonsoir, Nolan ! fit Eiden,

— Salut, Miguel. Tu as eu du pain sur la planche, ce soir ?

— Plutôt...

Les deux hommes se tournèrent vers Dylan.

— Je passais par là quand j'ai remarqué que les phares de ta camionnette étaient allumés, dit Miguel. Tu es là depuis longtemps ?

— Environ deux heures, intervint Nolan. Sympa, ce gamin ! C'est le neveu de Ben Carson.

— Nous nous sommes déjà rencontrés. Allez, viens, mon gars. On va voir si on peut faire démarrer cet engin. Si on n'y arrive pas, je te ramènerai chez toi, d'accord ?

Dylan savait qu'il n'avait pas laissé ses phares allumés... D'autre part, il était conscient de ce qu'il ne s'agissait pas d'une requête, mais bien d'un ordre. Tant de tact, de la part de cet homme, le soulagea infiniment.

— Euh... Merci !

— Reviens quand tu veux ! lança Nolan. On refera un billard !

Une fois à l'extérieur, Eiden prit Dylan par le bras pour qu'il se tourne vers lui.

— Pas si vite, mon gars ! Tu sais aussi bien que moi que la camionnette va démarrer au quart de tour... Seulement, il est hors de question que tu la ramènes au ranch.

— J'y arriverai sans problème, je vous assure ! J'ai déjà...

— Je sais. En plus de conduire sans permis, tu as plongé toute ta famille dans l'inquiétude et la moitié de ma brigade te recherche, à l'heure qu'il est. Ton oncle craignait que tu sois sorti de la route, et que tu gises au fond d'un ravin, blessé… ou pire encore !

— Je sais conduire ! s'exclama Dylan, vexé.

— Même les adultes de la contrée redoutent ces routes de montagne. Ces six derniers mois, nous avons compté douze accidents, dans les environs. Dont six mortels. Ben avait raison de se faire de la bile. Il pourrait porter plainte contre toi : après tout, tu lui as volé son véhicule !

— Je… Je vais le ramener au ranch. Et je vous promets d'y rester.

— Pas question. Je ne peux pas t'autoriser à enfreindre la loi, Dylan. Ben reviendra chercher sa camionnette plus tard. Par ailleurs, rugit-il, tu risques de passer devant le juge pour enfants. Ce qui pourrait t'empêcher d'obtenir un permis de conduire quand tu auras l'âge requis.

Dylan ferma les paupières.

— Je t'aurais envoyé Ben, seulement il a eu un problème, poursuivit Eiden, apparemment absorbé par ses pensées. Cela dit, je pourrais te faire passer la nuit au poste…

— Je vous en supplie, ne faites pas cela, balbutia Dylan, affolé.

— Tu n'as pas pensé un seul instant à ta famille, aujourd'hui. Je me trompe ? Sais-tu au moins que ta cousine est à l'hôpital ?

Sa *cousine* ? Dylan le regarda sans comprendre.

— Max… Elle souffre de difficultés respiratoires et Ben a dû l'emmener aux urgences. D'après ce que j'ai compris, ils vont la garder en observation.

Dylan n'avait jamais considéré l'enfant comme faisant partie de sa famille. Et quand Sadie la lui confiait, pour pouvoir préparer le dîner ou faire une lessive, il ne rêvait que d'une chose : que sa mère passe à Shadow Creek et la reprenne avec elle.

Toutefois, Miguel Eiden avait raison. Max était sa cousine, au même titre qu'Allie et Regan. Lui qui avait ignoré l'existence de ses cousines jusqu'à l'automne précédent, en comptait à présent trois ! D'accord, c'étaient des filles, et elles étaient beaucoup plus jeunes que lui. Cependant, il n'avait ni frères ni sœurs, et elles représentaient toute sa famille.

Penaud, il haussa les épaules.

— Elle n'a rien de grave ?

— Je ne crois pas, répondit Eiden, en consultant sa montre. Tu veux qu'on passe à l'hôpital, en rentrant ?

Dylan hocha la tête.

Il avait eu le temps de réfléchir, pendant son périple. Il savait qu'il avait commis une erreur en partant ainsi. Pire encore, il s'était montré totalement immature. Ben s'efforçait de l'aider, et il aurait peut-être dû lui en être reconnaissant, après tout.

— J'ai pris contact avec un détective privé, murmura Ben. Pour essayer de retrouver Holly.

Il avait passé toute la nuit au chevet de Max, à l'hôpital, la consolant lorsqu'elle s'éveillait, l'embrassant quand elle se débattait pour éviter les vapeurs du nébuliseur. Le jour allait bientôt se lever et il semblait épuisé.

Joanna aurait pu rentrer chez elle et laisser aux infirmières le soin de s'occuper de Max. Mais devant l'angoisse de Ben, elle n'avait pas eu le cœur de partir.

— Il faut que je sache où elle est, poursuivit-il. Elle a eu beau affirmer qu'elle reviendrait dans quelques mois, je ne peux pas rester les bras croisés, à me demander ce qui va se passer. Ça fait trois semaines, à présent… Et pendant que je suis ici, à l'hôpital, je voudrais que Max et moi passions un test ADN. Tu peux m'arranger ça ?

Joanna l'examina. Il semblait résolu.

— Je peux le demander au laboratoire dès ce matin, si tu veux ! Je me suis déjà renseignée là-dessus. Il t'en coûtera 475 dollars et vous aurez les résultats dans deux semaines.

— Le plus tôt sera le mieux, déclara-t-il en se redressant sur son fauteuil. Qu'est-ce que je ferais si Holly revenait et disparaissait avec Max ?

— Elle en serait capable, d'après ce que j'ai vu…, répliqua Joanna en consultant sa montre. Ecoute, il faut que je remonte au chalet. Tu veux faire un saut au ranch, avant que je parte ?

— Non. Rafe et Manny s'occupent de tout. Rafe ira voir de temps en temps si Sadie n'a besoin de rien. Quant à Dylan… J'ai bien l'impression que Miguel a eu plus de succès en une heure que moi en deux mois…

— Entre son autorité naturelle et son badge, il remettrait sur le droit chemin n'importe quel gosse, commenta Joanna, en s'avançant vers la sortie. Allez ! Ne t'en fais pas ! Je repasserai avant ce soir, pour voir comment va Max. Si ça se trouve, vous pourrez même rentrer aujourd'hui !

Il se leva et la rejoignit en deux enjambées. Leurs regards se croisèrent et, l'espace d'un instant, elle eut envie de passer une main derrière cette nuque couverte de cheveux noirs, pour attirer Ben vers elle. Ici même, avec toutes ces infirmières qui déambulaient devant la porte ouverte… Ce qui aurait constitué un manque de professionnalisme certain…

Ben, lui, n'avait apparemment pas ce genre d'états d'âme. Il tendit la main vers elle, et déposa un baiser infiniment tendre sur ses lèvres. Elle sentit une chaleur intense l'envahir, et ses belles résolutions fondant comme neige au soleil, elle se blottit contre lui pour prolonger l'étreinte.

— Un jour, sûrement…, lui chuchota-t-il à l'oreille.

Un frisson la parcourut tout entière. Il n'avait nul besoin de s'expliquer davantage. Elle savait ce qu'il voulait dire.

C'est en se répétant cette promesse qu'elle rentra chez elle.

Son nouveau poste l'attendait toujours, en Californie. Et elle gardait à l'esprit l'inconstance des hommes. Toutefois, elle voulait faire l'expérience de l'amour avec ce cow-boy. Ne fût-ce qu'une seule fois, avant de quitter le Nouveau-Mexique.

En fin d'après-midi, Ben, pénétra dans la pharmacie de Charme, la petite Max entre les bras.

— J'aurais dû venir chercher tes médicaments avant, chuchota-t-il contre le capuchon de la petite combinaison. Il ne manquerait plus que tu attrapes les microbes d'un client !

Mis à part le caissier et le pharmacien, il n'y avait qu'une personne dans l'officine : d'où il était, Ben voyait un chapeau semblable au sien se déplacer dans les rayons.

L'individu atteignit le bout de l'allée au même moment que lui. Sidéré, Ben se trouva soudain nez à nez avec son beau-frère, hagard.

— Tiens, Zach ! Ça fait un moment !

— Je n'étais pas dans les parages, rétorqua Zach, sans sourciller. Tu dois être au courant !

— Gina m'a vaguement expliqué, fit Ben, s'efforçant de ne pas laisser transparaître son animosité.

— Tu dois être de son côté, de toute façon !

— Ça fait combien de temps qu'on se connaît, Zach ?

— Depuis la sixième, je crois ! A l'époque, nous étions tous les deux amoureux de Mary Beth Tucker... Tu te souviens ?

— Et tu n'étais pas du genre à laisser tomber la partie !

— C'est vrai ! s'exclama Zach avec un rictus sardonique. J'ai poursuivi cette fille pendant des années et elle ne m'a jamais accordé un regard. Du moins jusqu'à la terminale... Je m'en suis tiré avec un œil au beurre noir.

— Parce qu'elle me préférait, moi !

— Pas toi... Tes chevaux. Moi, je n'avais qu'un vélo.

Cet échange se termina par un silence gêné. Si leur relation avait commencé dans la rivalité, ils étaient devenus comme frères, bien que, de par leurs différents métiers, ils n'aient pas souvent l'occasion de se voir.

— Eh bien, balbutia Zach, visiblement gêné… Je vais y aller !

— Tu n'as rien à me dire ? Ecoute. J'aimerais te parler. J'achète mes médicaments et on va boire un café ?

— Elle va bien, ta petite ? s'enquit Zach, le front creusé par une ride soucieuse.

— Nous avons passé la nuit à l'hôpital. Elle a des difficultés respiratoires.

— Aïe ! Gina m'a dit que tu l'avais trouvée sur ton perron… Tu as des nouvelles de la mère ?

Ben secoua la tête.

— Alors ? On se retrouve au Sunflower ?

— Mon frère… Oh, et puis il attendra !

Un quart d'heure plus tard, Max, assise sur une chaise haute, jouait avec deux biscuits qu'elle faisait avancer sur son plateau.

— Da ! lança-t-elle, à l'égard de Ben, en lui tendant un des gâteaux.

Assis de l'autre côté de la table, Zach observa l'échange d'un air songeur.

— Ce n'est pas facile, déclara-t-il soudain, en se passant une main dans les cheveux. Après toutes ces années que Gina et moi avons passées ensemble…

— Dans ce cas, je ne vois pas où est le problème !

Avant de tomber sur lui, par hasard, Ben avait envisagé de casser la figure de son vieil ami, pour l'honneur de Gina et des filles. A présent, les choses ne lui semblaient plus aussi simples : de toute évidence, Zach souffrait, lui aussi.

— Rentre chez toi, Zach. Discutez de tout cela, tous les deux, une bonne fois pour toutes. Ce sera plus clair !

— Gina a déjà pris sa décision. Elle préfère son fichu boulot à sa vie de couple. Tu crois que ça me fait plaisir ?

— Au cas où tu ne l'aurais pas remarqué, de nombreuses femmes travaillent à l'extérieur, de nos jours !

— C'est possible. Cependant, comme je passe mon temps sur les routes, tu imagines le genre de vie de famille qu'ont les petites ? Elles mangent à n'importe quelle heure. Elles sont gardées par des nourrices. Personne n'est là pour les aider à faire leurs devoirs, ni pour leur souhaiter bonne nuit… et ce n'est pas une adolescente, qui préfère se vernir les ongles ou une vieille dame épuisée qui vont s'en charger !

— Les enfants s'habituent à tout, tu sais !

— Je ne veux pas que mes filles vivent ainsi.

— Si je comprends bien, tu es en train de mettre fin à une union de dix ans, et accessoirement de faire du mal à ma sœur, parce que tu es trop borné pour accepter un compromis !

Zach se mit à jurer, puis rougit, en songeant à Max. Cette dernière, cependant, était bien trop occupée à écrabouiller ses biscuits pour prendre garde à son accès de colère.

— Tu es souvent venu chez moi, quand on était gamins !

— Oui, répondit Ben, et alors ?

— Ma mère restait à la maison, et mon père subvenait aux besoins de la famille. C'est ainsi que les choses doivent être.

— Oui, ricana Ben. Dans les séries télévisées des années soixante !

— Tout marchait comme sur des roulettes. Le repas était servi à 18 heures tapantes, la lessive toujours faite. Maman repassait tout, même les draps. C'est comme ça qu'on éduque les enfants et c'est ce que je veux pour les miens.

— Il me semble pourtant que…

— D'accord, l'interrompit Zach, la mine sombre. Quand papa s'est retrouvé au chômage, maman s'est mise à travailler. Et il est vrai que tout a changé, du jour au lendemain… Quand mon père s'est mis à boire, j'ai appris à me faire discret.

— Je ne comprends toujours pas très bien, déclara Ben, en posant les coudes sur la table. Tu parles d'une famille idéale… tout en envisageant de quitter Gina. Tu crois vraiment que ça va résoudre le problème ?

— Bon sang, Ben ! Je peux tout de même nourrir ma famille ! Je veux que les choses redeviennent ce qu'elles étaient, quand Gina nous aimait suffisamment, les filles et moi, pour rester à la maison. A présent, son travail passe avant tout. Le téléphone sonne et la voilà partie. Et tu n'as aucune idée de l'heure à laquelle elle rentrera ! Je ne peux pas vivre comme ça, conclut-il en se glissant hors du box. Je n'en peux plus !

— A mon avis, tu fais fausse route !

Zach tira une liasse de sa poche et jeta un billet de 5 dollars sur la table.

— C'est terminé, Ben. Je suis désolé. Tout ce que j'espère, c'est que nous resterons amis, toi et moi !

Max se tortilla pour le regarder partir, puis se tourna de nouveau vers Ben.

— Da ! dit-elle, solennellement.

— Je suis d'accord avec toi, soupira Ben. Il faut croire qu'au bout du compte, il ne suffit pas de s'aimer…

Et peut-être que ça n'en valait pas la peine, après tout.

— Les jumelles des Taylor vous attendent dans la salle 1, pour leur bilan du sixième mois, annonça Nicki, le vendredi suivant. Et Jason Pennington dans la 2. Il s'est fait mal au poignet.

— Merci, Nicki, marmonna Joanna en déposant le dossier qu'elle consultait, sur son secrétaire. J'y vais tout de suite.

La jeune fille s'attarda sur le seuil de la pièce, une lueur particulière dans les yeux.

— Vous l'avez vu, cette semaine ? chuchota-t-elle. Je veux dire… Il vous a invitée à dîner ?

— Non ! répliqua fermement Joanna, devinant de qui parlait son assistante. Nous sommes amis, rien de plus !

— Vous iriez pourtant tellement bien ensemble ! insista Nicki, en lui faisant un gros clin d'œil.

Il fallait croire que leur étreinte, dans la chambre d'hôpital de Max, le dimanche précédent, n'était pas passée inaperçue ; car depuis lors, Joanna entendait murmurer derrière son dos dès qu'elle passait voir un malade. Quant à Nicki, elle n'avait cessé de la harceler de questions toute la semaine.

Hélas, la situation semblait s'enliser. Ben ne l'avait pas appelée. Il n'était pas passé la voir non plus et l'embarras de la jeune femme allait croissant. Il était clair qu'elle s'était méprise sur le sens de son baiser et sur les paroles qu'il avait prononcées, ce jour-là.

Un jour, sûrement…

De toute évidence, il avait simplement voulu lui montrer sa gratitude… La distance qui les séparerait bientôt serait décidément bienvenue.

Joanna entra dans la salle d'examen, sourit à Fiona Pennington et se tourna vers Jason, s'efforçant de dissimuler son inquiétude. Stuart Pennington lui avait envoyé sa facture, pour le remplacement de son fameux bougainvillée et depuis, elle n'avait revu ni l'enfant ni sa mère.

— Alors, mon grand ? Qu'est-ce qui t'arrive ?

Jason était assis sur la table, soutenant maladroitement son poignet de l'autre main.

Elle se pencha pour examiner l'hématome.

— Tu as sauté en parachute ?

— Non. Je me suis fait ça à vélo.

— Dans la rue ?

— Sur des pistes. Parfois, je pars en randonnée avec mon père, dans les montagnes.

— Tu aimes bien ça ? demanda-t-elle en palpant le poignet blessé.

Le gamin grimaça.

— En général, oui. Sauf quand je fais une bêtise.

Choquée par son amertume à peine dissimulée, elle le dévisagea attentivement.

— Comment ça, une bêtise ?

— Une bêtise ! Comme déraper sur des racines et tomber !

— J'appellerais plutôt cela un accident ! Ça n'a rien d'une bêtise, rétorqua-t-elle.

Elle prit son autre main dans la sienne et compara les poignets de l'enfant.

— Tu es enflé. Je vais t'envoyer faire une radio, à l'hôpital. Ensuite, on décidera de ce qu'il convient de faire. Ça te va ?

Jason acquiesça.

— Tu peux aller dans la salle d'attente ? J'ai à parler à ta mère… Ne t'en fais pas, ajouta-t-elle, devant son air alarmé. Il ne s'agit pas de toi.

L'enfant jeta un regard incertain vers sa mère, puis se laissa glisser de la table et sortit.

— Ne vous en faites pas pour lui. Je n'en ai pas pour longtemps, commença Joanna en refermant la porte. Je voudrais vous poser quelques questions.

— Je ne vois pas…, murmura Fiona.

Elle jeta un coup d'œil furtif à son interlocutrice, puis baissa les yeux, examinant ses ongles, avec un ennui marqué.

— Comment vous portez-vous ?

— Comment je me porte ? s'esclaffa Fiona, une main protectrice sur son ventre arrondi. Plutôt bien, pour une femme de 35 ans, enceinte de 6 mois.

— Je me fais du souci, pour vous et pour votre fils.

Fiona attrapa son sac et se leva d'un bond.

— Du souci ? Je voudrais bien savoir pourquoi !

— J'ai examiné le dossier médical de Jason.

— Vous ne croyez tout de même pas que je laisserais quiconque faire du mal à mon fils !

Sa voix s'était faite plus forte, et était teinté d'une nuance d'hystérie.

— Pas n'importe qui, non, répliqua Joanna calmement. Seulement, j'ai vu votre mari, Fiona. Le jour où je suis passée chez vous. Il n'était pas exactement calme, en arrivant, et je n'ai pu que remarquer à quel point vous étiez nerveuse !

— Qu'est-ce que vous racontez ?

— La première fois que nous nous sommes vues, vos poignets étaient tout bleus. Jason a eu plus que son compte d'accidents notoires. Alors j'en déduis que vous avez besoin d'aide… Avant que votre mari n'aille trop loin.

Fiona se tourna soudain vers la porte. Elle sursauta et recula d'un pas.

— Stuart !

Il était entré sans bruit, et avait dû surprendre une partie de leur conversation.

— Heureusement que j'ai décidé de te venir te rejoindre ! persifla-t-il, sans quitter Joanna des yeux. Tu te rends compte ? Arriver jusqu'ici pour me rendre compte que ma délicieuse épouse raconte des mensonges sur notre foyer ?

— Je n'ai pas… Je…

Il la contempla avec un mépris sans mélange.

— Fiona. J'ai très bien entendu !

— Je te jure, Stuart ! J'étais simplement en train d'expliquer au docteur pourquoi Jason se blesse si souvent. Il pratique un grand nombre d'activités sportives, et…

— Je veux parler au docteur, moi aussi. Et seul ! rugit-il, voyant sa femme se figer.

Le cœur battant, Joanna se rapprocha subrepticement de l'Interphone. Stuart Pennington lui lança un sourire moqueur.

— Je ne sais ce que vous vous imaginez, docteur, cependant, je ne suis pas du genre violent. C'est plutôt l'apanage des classes ouvrières, non ?

— Si ! Tout à fait !

— Je n'ai jamais levé la main sur mon fils. Par contre, j'ai tendance à m'énerver un peu, lorsque l'on se mêle de ma vie privée ou qu'on essaye de ternir ma réputation.

— C'est mon métier, que de me préoccuper du bien-être de mes patients. Et si nous prenions rendez-vous, pour parler de tout cela calmement ?

— Inutile. Je vais être tout à fait clair. Dans mon métier, la réputation fait tout. Je n'ai aucune intention de vous laisser sous-entendre quoi que ce soit qui puisse me nuire.

— Enfin, il faut bien que je pose certaines questions, si…

— Laissez-moi m'expliquer encore plus clairement, reprit-il lentement, avec un regard glacial. La clinique de Jones travaille en étroite collaboration avec Naissances. Or, ma femme et moi-même sommes les principaux mécènes de Naissances, et cela parce que ce projet lui tient particulièrement à cœur. Par ailleurs, je siège au conseil d'administration et je sais que la maternité traverse une grave crise financière.

Exaspérée par tant de condescendance, Joanna dut se faire violence pour rester calme.

— Je ne vois pas le rapport avec…

— Il est hors de question que je laisse un médecin fouineur et complètement à côté de la plaque me harceler ou harceler les miens ! Je vais interdire à ma femme et à mon fils de remettre les pieds ici, gronda-t-il d'une voix plus basse, tant que vous y travaillerez. Et si vous essayez de reparler de ces prétendues violences domestiques avec ma femme, ou de divulguer ces mensonges autour de vous,

Lydia Kane pourra dire adieu à la subvention que je compte verser cette année à sa petite entreprise !

Le venin qu'elle perçut dans sa voix, allié à l'étrange éclat de son regard, la firent reculer d'un pas.

— De sorte que si la maternité Naissances ferme boutique, ce sera votre faute ! Compris ? Notre contribution est, de loin, la plus importante. Et avant Noël, poursuivit-il en désignant d'une main le calendrier accroché au mur, ces pauvres sages-femmes, et peut-être Lydia elle-même, chercheront du boulot. Quant aux mères… elles iront accoucher à Arroyo ou à Taos. Et s'il y a eu quelques chutes de neige, cet automne, vous n'avez encore rien vu, pouffa-t-il. Dans cette région, traverser les montagnes pour obtenir une aide médicale peut vous coûter la vie, croyez-moi !

— Ceci n'a aucun sens ! murmura-t-elle, éberluée.

— Oh, que si ! Je pourrais vous envoyer mon avocat… Seulement je suis prêt à parier qu'en tant que médecin, vous êtes couverte, pour ce genre de problème, pas vrai ? Par contre, vous aurez du mal à réparer les dégâts que vous pourriez causer à Naissances…

— Et vous seriez prêt à punir toute la communauté pour satisfaire votre besoin de vengeance ?

— Non. Pour protéger mon bien… Encore une chose… Cette conversation n'a jamais eu lieu. Vous n'avez aucune preuve.

Joanna resta figée, les yeux rivés sur la porte, longtemps après le départ de Pennington. En sortant, elle l'entendit plaisanter avec le personnel et d'autres patients.

Certes, elle était dans l'incapacité de prouver qu'il battait sa femme ou son fils. Néanmoins, à présent, elle ne doutait plus qu'il en fût capable. La sécurité de Jason devait donc rester sa priorité. Elle sortit de la pièce, regagna son bureau, ferma la porte à clé et décrocha son téléphone.

14.

Lydia Kane s'installa confortablement dans son fauteuil et serra sa tasse de thé entre ses mains.

— Je suis ravie de vous revoir, mon petit !

Elle portait une longue jupe de coton, une tunique resserrée à la taille par une ceinture turquoise, et, avec son pendentif en onyx rose autour du cou, elle semblait aussi posée et digne qu'à l'ordinaire.

— Merci d'avoir pris le temps de me recevoir, Lydia. J'ai un petit problème à vous exposer.

— Comment ça se passe, à la clinique ?

— Très bien, mais quel travail ! Le Dr Jones a intérêt à être en forme, à son retour !

— Certes… Et ce poste en Californie ? Vous envisagez toujours de le prendre ?

— Oui. Jones m'a bien proposé de rester, seulement, voyez-vous, le poste de San Diego est une opportunité unique que je ne peux me permettre de laisser échapper.

— Et moi qui espérais que vous aviez changé d'avis ! murmura Lydia, un petit sourire aux lèvres.

— Hum. Et ce projet de cours pour les jeunes parents ?

— Le premier aura lieu lundi. Treize mamans se sont déjà inscrites et nous acceptons toute nouvelle arrivante.

— C'est un bon début ! s'exclama Lydia, visiblement satisfaite. Parker et moi sommes convaincus que c'est une excellente chose, pour l'avenir de Naissances.

Joanna avait rencontré l'administrateur à plusieurs reprises, pendant la mise en place du projet, et elle avait été ravie de constater qu'elle avait tout son soutien.

— Oui. Sans compter que la classe sera très hétérogène. Vous vous souvenez sans doute de l'une de vos patientes, une adolescente répondant au prénom de Val ? Elle s'est déjà inscrite. Mary Davidson viendra, elle aussi. La petite enfance de sa fillette de six ans lui semble loin et elle souhaite se remettre dans le bain.

— C'est une femme adorable, commenta Lydia. Son mari et elle sont d'excellents parents.

— La session prévue pour janvier est déjà à moitié pleine, ce qui signifie…

— Que le Dr Jones sera obligé de poursuivre votre œuvre…, enchaîna Lydia, aux anges.

— Il y a… autre chose, commença Joanna, un peu hésitante. Cela concerne les difficultés financières de votre établissement.

— Elles sont tombées dans le domaine public, ces derniers temps, rétorqua Lydia, d'une voix plus froide. Néanmoins, Kim a fait des merveilles avec nos créanciers et…

— Cela me paraît plus complexe que ça ! dit Joanna. Enfin… Vous avez fondé cette clinique. Vous en êtes la directrice et pourtant, c'est votre petite-fille qui siège pour vous au conseil d'administration. Et personne ne semble vouloir me dire pourquoi !

Lydia s'agita dans son fauteuil et détourna les yeux.

— Je n'ai jamais été très douée pour les affaires. Je préfère travailler en relation directe avec nos patientes.

— Sans vouloir me mêler de ce qui ne me regarde pas, je crois savoir que quelqu'un vous en veut suffisamment pour vous causer du tort. Et, poursuivit-elle en secouant lentement la tête, je dois savoir si cette personne en serait vraiment capable.

Lydia se leva avec rigidité, et s'avança vers la fenêtre. Prenant appui des deux bras sur le rebord, elle posa son front contre le carreau.

— Il y a des années, un bébé est né dans cette clinique. Sa mère m'a chargée de le faire adopter. Plutôt que de passer par les filières habituelles, nous lui avons trouvé un papa fabuleux, qui, par la suite, nous a fait des dons substantiels. Ce qui comptait, bien sûr, était que l'enfant puisse s'épanouir normalement… Au printemps dernier, toutes les parties concernées ont appris ce qui s'était passé et chacun a été ravi du résultat, précisa Lydia, sur la défensive.

— Dans ce cas, pourquoi souffririez-vous des conséquences maintenant ?

— Nous avons essayé de garder cette adoption sous silence. Malheureusement, la rumeur s'est propagée et certaines personnes ont choisi de voir le problème sous son angle le plus négatif. C'est pourquoi, plutôt que de ternir la réputation de Naissances, j'ai préféré me retirer du conseil d'administration.

— D'après ce que j'ai compris, cela n'a pas été suffisant pour tout le monde. En fait, poursuivit Joanna en prenant son courage à deux mains, je crains même que les choses ne s'aggravent encore et… ce sera ma faute.

Lydia se retourna, la considérant avec appréhension.

— Que s'est-il passé ?

— Tout d'abord, dites-moi deux choses. Que savez-vous de Stuart Pennington et quel intérêt aurait-il à voir cet établissement fermer ?

Le dimanche suivant, peu après minuit, le téléphone sonna chez Gina. La jeune femme alluma sa lampe de chevet à l'aveuglette et s'empara du combiné. Il ne pouvait s'agir d'une urgence : elle n'était pas de garde !

En entendant la voix de Zach, elle se laissa retomber sur son oreiller, et inspira longuement, pour se calmer.

Zach avait passé quelques heures dans leur maison, le dimanche précédent. Depuis, il avait appelé les filles deux fois, en évitant soigneusement de parler à Gina.

— Tu m'as fait peur ! Qu'est-ce qui te prend, d'appeler si tard ? Les filles sont couchées depuis longtemps !

— Excuse-moi. Je suis en Californie. Je n'ai pas pensé au décalage horaire.

Elle attendit en silence qu'il poursuive, sa voix distante ne lui rappelant que trop qu'elle était seule dans leur chambre, l'oreiller de Zach coincé derrière son dos, pour que le lit semble moins vide.

— Je rentre dans deux semaines… Le 19, précisa-t-il après une pause.

— Dans ce cas, tu ferais bien de prévenir ton frère ! répliqua Gina, en s'efforçant de ne pas élever la voix.

— Ce n'est pas lui que je viens voir.

L'espace d'un instant, Gina se prit à espérer… puis se raisonna.

— Les filles seront ravies.

— Il faut qu'on parle, Gina. Nous ne pouvons pas continuer comme ça. Ça n'est bon pour personne !

Ainsi, il voulait mettre définitivement fin à leur relation. Bien que cette échéance la fît frémir d'horreur, Gina ne voulut pas lui donner la satisfaction de le supplier.

— D'accord ! répondit-elle sèchement.

— Gina… Ne me fais pas passer pour ce que je ne suis pas… Je ne voulais que notre bonheur… Le nôtre et celui des enfants.

Sa voix était lasse, empreinte d'une nuance de résignation. Pour lui non plus, la vie n'avait pas été facile, ces dernières années.

— Moi aussi, souffla-t-elle. Il faut croire que nous nous y sommes mal pris !

— Embrasse les filles de ma part !

Gina avait bien perçu une note conciliante dans son ton, sans que rien laissât présager un avenir meilleur, toutefois. Elle resta longtemps, pelotonnée sous ses couvertures, à contempler le plafond, l'oreiller de Zach entre les bras et l'esprit envahi par une foule de souvenirs heureux. Soudain, prise par une sorte de dégoût inexplicable, elle jeta l'oreiller à l'autre bout de la pièce.

A présent, ils devaient tous deux affronter une nouvelle vie et elle n'avait pas l'intention de perdre son temps à regretter ce qui ne serait plus jamais.

Assis derrière son bureau, Stuart Pennington venait de conseiller une de ses clientes. Les investissements boursiers, c'était sa spécialité.

Le téléphone retentit. Stuart sourit. A une semaine de Thanksgiving, les autochtones les plus fortunés tendaient à se rendre à Taos ou Albuquerque, faire leurs achats, dans l'espoir d'éviter l'affluence de Noël et Pennington ne voyait pas grand monde. Aujourd'hui, toutefois, il avait été relativement occupé.

Et ce soir, au dîner dansant donné par son club, il lui faudrait rassurer Paul Thompson, un de ses associés, qui devait venir spécialement du Colorado pour le rencontrer.

Les deux hommes avaient racheté un restaurant en faillite, près du Nid de l'Aigle, et l'endroit serait bientôt d'un bon rapport. Quant à la petite station de ski qu'ils avaient acquise pour trois fois rien, deux ans auparavant, elle marcherait mieux une fois que le complexe d'Angel Gate serait terminé.

Ils avaient également investi dans d'autres affaires. Bien sûr, pour cela, Pennington avait dû trafiquer ses livres de comptes, mais bientôt, tous ses rêves de succès et de richesse se réaliseraient. Il rembourserait l'argent détourné et personne ne saurait jamais rien de ses malversations : ni son écervelée d'épouse, dont

la principale préoccupation, était la couleur des vêtements qu'elle s'achetait lors de leurs séjours à Dallas ; ni son beau-père, qui le considérait toujours comme un intrus de bas étage.
Pennington eut néanmoins un moment de panique, à la pensée de ce qui se produirait si les choses tournaient mal. Cependant, tout irait bien, il en était certain.

Il considéra fixement le téléphone, le laissant sonner jusqu'à ce que le répondeur se déclenche.

— Stuart ? Paul à l'appareil. Je ne pourrai pas descendre à Charme avant le 1er décembre. J'aimerais que nous nous voyions le 2. C'est possible ? Disons à 10 heures ? Je souhaite examiner les comptes du restaurant. Oh… Et j'allais oublier. J'ai quelques questions à te poser à propos de nos investissements…

Pennington sentit son estomac se serrer à lui faire mal. Paul l'avait laissé s'occuper de tout, jusqu'à présent. *De tout !* Il s'était toujours contenté des bilans mensuels qu'il lui faisait parvenir.

Alors pourquoi voulait-il mettre son nez dans leurs comptes maintenant ? Et surtout, comment pouvait-il l'en empêcher ?

Allie et Regan furent les premières à apercevoir leur père. Criant leur excitation, elles se mirent à sauter sur le canapé et collèrent leurs petits minois sur la vitre glacée.

— Papa est arrivé ! hurla Regan. Il est là ! Il est là, maman !

Les deux fillettes étaient devant la porte d'entrée, lorsque Zach l'ouvrit. Il s'agenouilla et les serra toutes les deux dans ses bras. Son visage était las et hagard. Par-dessus leurs têtes, il fit un petit signe à Gina.

Cette dernière aurait bien voulu savoir ce qu'il pensait. Il n'y avait pas la moindre lueur de remords, d'espoir ou même de colère dans ses yeux bruns. Naguère, ces mêmes yeux avaient été emprunts d'une sensualité sans mélange. Aujourd'hui, elle avait l'impression d'être transparente.

— Tu as fait un long déplacement ? demanda-t-elle froidement.

Il déposa un baiser sur les joues des petites et se releva lentement.

— Plusieurs d'affilée.

Elle sentit le ressentiment l'envahir. Six semaines… Six longues semaines, durant lesquelles elle avait oscillé entre l'attente et la colère. Elle savait qu'elle avait ses torts, elle aussi. Cependant, au fur et à mesure que sa culpabilité et ses doutes laissaient place à une détermination froide, elle en était venue à penser que peu importait de savoir qui était le fautif. La position de Zach était sans équivoque.

— Je me demandais si tu allais tenir parole, et venir jusqu'ici, dit-elle.

— Maman !

Gina examina le visage horrifié de Regan et regretta immédiatement ses paroles. Pour ses filles, elle se devait d'être agréable… Du moins jusqu'à ce qu'elles aillent se coucher !

— Je savais que tu passerais, reprit-elle avec un sourire forcé, seulement j'aurais aimé savoir vers quelle heure. J'aurais pu préparer un bon repas. Comme je suis de garde, ce soir, je me suis limitée à un plat de pâtes avec du fromage.

— Tu travailles ce soir ? soupira-t-il avec lassitude.

— Oui. Et j'en suis heureuse, crois-moi ! répliqua-t-elle, s'efforçant de garder son calme. Nous subissons des réductions d'horaires et chaque heure de travail est une bénédiction !

— Tu n'as pas écouté la météo ? Il doit tomber entre 8 et 10 cm de neige, cette nuit. Avec des rafales de 140 km heure.

— Et bien, je serai prudente, voilà tout ! Tu restes ici ou…

Le simple fait de formuler sa question la rendait malade. Elle attendit sa réponse pendant ce qui lui parut une éternité.

Ses quelques séances avec Célia avaient clarifié un bon nombre de points. Celui de la dépendance, par exemple. Par ailleurs, elle avait appris à gérer sa colère ainsi que les angoisses de ses filles.

Malgré tout, et bien que Célia lui ait conseillé une séance en compagnie de son mari, s'il revenait, Gina avait opté pour une mesure beaucoup plus radicale.

Devant l'expression blessée de Zach, cependant, elle sentit sa détermination vaciller quelque peu.

— Allez vous laver avant le dîner, les filles ! Et attendez-nous dans la cuisine, d'accord ? J'ai deux mots à dire à votre père.

— Tu restes là, hein ? supplia Allie en agrippant la main paternelle, les yeux remplis de larmes. Je ne veux pas que tu partes. La semaine prochaine, c'est Thanksgiving et tu dois être ici pour la dinde !

— Je serai là ! promit-il en lui passant une main dans les cheveux.

Dès que les fillettes eurent disparu dans le couloir, Gina croisa les bras et prit une longue inspiration.

— Si tu dois partir, fais-le après manger. Tu peux bien rester jusque-là, pour tes filles !

— Je n'ai pas prévu de partir ! dit-il.

Il jeta un coup d'œil à leurs photos de famille, accrochées au-dessus du canapé, avant de se tourner vers elle, la mine sombre.

— Je voudrais que nous trouvions une solution Gina. Vous m'avez terriblement manqué, toutes les trois !

Zach était un grand gaillard, au ton mesuré et aux manières posées, sauf quand on le provoquait. Pour un homme aussi taciturne que lui, il s'agissait là d'un long discours. Mais cela n'attestait en rien de sa sincérité.

— Comment veux-tu que je te croie, après tout ce que tu as pu me dire ? Ça n'a pas eu l'air de te gêner outre mesure, que de partir comme ça, des semaines d'affilée !

— J'ai fait deux allers-retours entre la Californie et New York. C'est mon boulot, Gina… Et puis, reconnut-il simplement, j'étais absolument furax.

— A cause de mon emploi !

— A cause de ce qui nous est arrivé parce que tu travailles.

— Tu ne penses pas que j'ai le droit d'avoir des ambitions, moi aussi ? Je ne veux pas cesser de travailler.

— Je ne te demande pas de renoncer à tes ambitions pour toujours. Simplement de les reporter à plus tard. Je peux subvenir aux besoins de ma famille tout seul. Bon sang, c'est ce que je suis censé faire ! C'est ce que mon père et mon grand-père ont fait avant moi !

— Ce n'est pas seulement une question d'argent !

— Dans ce cas, pense aux filles. Fais-les bénéficier de ta présence à la maison pendant quelques années supplémentaires. Ce serait si dur que ça ?

— Non, seulement…

— Nous avons beau parler de tout cela chaque fois que nous nous voyons, rien ne change. Tu continues de te soucier davantage de ce fichu boulot que de nous !

Agacée, Gina leva les yeux vers son mari.

— Ce n'est pas vrai !

Des rires joyeux emplirent la maison et bientôt, le bruit de petits pieds courant dans la cuisine et de chaises glissant sur le lino se firent entendre.

— Je vais aller prendre une douche, moi aussi, dit-il en soupirant. Nous reparlerons de tout ça plus tard.

— Si tu veux. Seulement, je risque d'être partie, d'ici là. Deux de nos patientes sont à terme et cette tempête pourrait provoquer leur accouchement. J'appelle Sue Ellen pour lui dire que tu t'occupes des filles ?

Zach ouvrit la porte d'entrée et recula d'un pas pour que sa femme puisse voir les flocons énormes qui tombaient en spirales.

— La tempête a commencé. A ta place, je demanderais à Sue Ellen de venir quand même, parce que si tu dois vraiment sortir, il est hors de question que tu partes seule !

15.

En frissonnant, Joanna remua les bûches dans l'âtre et regarda les étincelles s'engouffrer dans la cheminée. Quelques braises s'enflammèrent, des flammes timides se formèrent autour des bûches, pour s'éteindre presque aussitôt.

A ce rythme, elle serait morte de froid avant le petit matin.

L'électricité avait été coupée une heure auparavant, et la température avait tant chuté que Joanna faisait de la buée en respirant.

Exaspérée, elle se frotta les mains l'une contre l'autre et fourragea dans la pile de bûches posées sur le bord du foyer. Aucune n'était totalement sèche : la jeune femme avait été surprise par les précipitations de la nuit précédente, et toute la pile avait été ensevelie sous dix centimètres de neige.

Elle finit par en trouver une qui lui parut moins humide que les autres, la posa sur la grille, jeta une poignée de copeaux dans les coins et gratta une allumette.

A son grand désarroi, elle ne réussit pas à embraser les bûches. Le crépuscule approchait. Joanna n'avait que quelques bougies pour s'éclairer, et la route de Charme était bloquée par des congères. La nuit risquait d'être longue… A moins qu'elle ne laisse Moose dans un box de l'écurie avec Galaad, et qu'elle n'affronte la tempête pour gagner l'une des chambres d'hôte de la ville.

Des phares firent un arc devant les fenêtres, balayant le chalet d'une lumière aveuglante. Affolée, elle traversa la salle de séjour en toute hâte et ferma les rideaux dont elle souleva un coin pour regarder au-dehors.

Son téléphone portable n'avait pas fonctionné de la journée et celui du chalet ne marchait plus non plus. S'il s'agissait d'un malfaiteur, elle n'avait aucun moyen de demander de l'aide. Tremblante, elle s'avança furtivement vers la porte de derrière. Elle avait peu de chances de s'en tirer, surtout par un temps pareil…

— Joanna ? Tu es là ?

En entendant la voix familière de Ben, elle poussa un soupir de soulagement.

Le rancher cogna à la porte et en actionna la poignée, avant d'aller jusqu'à une fenêtre et de se remettre à frapper, plus fort, cette fois.

— Joanna ! Tout va bien ?

— Tu m'as fait peur ! dit-elle, en lui ouvrant la porte. J'étais loin de me douter que tu monterais jusqu'ici !

— J'ai essayé de te joindre sur ton portable, sans succès, dit-il en s'essuyant les pieds sur le paillasson. Les lignes de téléphone sont tombées, à quelques kilomètres d'ici. Ce n'est qu'en appelant la clinique que j'ai compris que tu étais coincée chez toi. Sinon, je serais venu plus tôt ! Il y a un peu moins de neige, au ranch, et nous avons toujours de l'électricité.

— Comment as-tu réussi à passer ? La route est bloquée !

— J'ai mis un chasse-neige sur mon camion.

Ben retira sa grosse veste et l'accrocha au portemanteau, près de l'entrée.

— Tu n'as pas de chauffage !

— Il n'y a plus d'électricité, donc plus de chauffage et plus de lumière. J'ai bien essayé d'allumer un feu, seulement le bois est trop humide. En fait, j'étais en train de me demander si je n'allais pas tenter de descendre à Charme, pour passer la nuit au Morning Light.

— Tu n'arriveras jamais jusque-là. J'ai eu un mal fou à monter avec la Ford !

Il était si grand, si fort et si attirant, dans sa chemise de flanelle, qu'elle aurait voulu s'enfouir contre lui, pour s'imprégner de sa chaleur.

— Tu claques des dents, non ? dit-il, en lui effleurant la joue, du bout des doigts. Bon sang ! Pourquoi ne mets-tu pas quelque chose de plus chaud ? Tu trembles de tous tes membres !

Ben alla rouvrir la porte. La neige continuait de tomber, en flocons épais et son pare-brise en était déjà recouvert.

— Partons tout de suite. Je peux t'emmener au ranch ou te déposer au Morning Light, comme tu préfères.

Elle réfléchit quelques instants. A l'idée de passer un peu de temps auprès de Ben, elle fut parcourue d'un petit frisson, qui n'avait rien à voir avec le froid. Hélas, elle savait bien qu'elle ne pouvait pas faire cela.

— Si jamais je ne peux pas remonter, Moose et Galaad manqueront d'eau. Ils sont dans l'écurie. Il y fait suffisamment chaud pour eux, mais l'eau va geler, dans les seaux.

— Tu n'as qu'à leur laisser la porte ouverte… Ils se débrouilleront avec la neige, pour une journée…

— Il ne faut pas qu'ils sortent ! Ils risqueraient de prendre froid. Moose n'est qu'un chiot, et il vient de Californie. Au moindre courant d'air, ses muscles se mettent à trembler comme de la gélatine. Tu devrais voir ça !

— Enfin, Jo ! Il survivra bien pendant une journée ! s'exclama Ben, exaspéré.

— Je dois avouer que l'idée d'un bon lit bien chaud est très tentante. Toutefois, si tu m'aides à allumer un feu, avant de partir, je peux très bien rester ici, tu sais !

— Le vent se lève, Jo, insista-t-il, en la foudroyant du regard. Tu pourrais rester coincée pendant plusieurs jours !

— C'est-à-dire trop longtemps pour que je laisse mes animaux tout seuls.

— On ne t'a jamais dit que tu étais têtue ? demanda Ben, un sourire tendu aux lèvres.

— Moi ? s'esclaffa la jeune femme. Non ! Jamais !

— Enervante ?

— Non plus !

Le regard de Ben était sombre, déterminé… irrésistible. En le voyant s'avancer d'un pas, elle sentit son estomac se contracter.

— Et… Exceptionnelle ? poursuivit-il, en lui soulevant le menton d'un doigt, avant de poser un baiser sur ses lèvres.

— Non, murmura-t-elle. Et je pourrais te retourner le compliment !

Qu'est-ce qui lui prenait, tout à coup ? Elle voulait toujours rentrer en Californie et la vie de Ben était au Nouveau-Mexique. Mais l'autre jour, à l'hôpital, il lui avait murmuré une promesse qui, depuis trois semaines, hantait ses nuits.

Il avait ramené Max à la clinique à deux reprises, depuis lors. Ces marques de dévouement étaient allées droit au cœur de la jeune femme.

Et voilà qu'il la contemplait de ses yeux brûlants, l'air de deviner ses pensées les plus intimes.

— Je vais démarrer le feu et rester ici. Ne t'inquiète pas, je ne te demanderai rien de… personnel. D'accord ? Si jamais la tempête perdure, tu auras besoin d'aide, ne serait-ce que pour aller jusqu'à l'écurie et je ne veux pas passer les prochains jours à me faire du souci pour toi.

— Et Max ?

— Gina et ses filles passent la nuit au ranch. Les filles voulaient voir leur cousine. Max est entre de bonnes mains, fais-moi confiance !

Joanna leva une main et fit glisser le bout de ses doigts sur la joue mal rasée de Ben, puis redescendit le long de sa chemise molletonnée. Le cœur du jeune homme battait régulièrement, et très, très fort.

— Ainsi, tu veux rester pour me protéger, murmura-t-elle. Et si je voulais autre chose ?

Les battements de cœur s'accélérèrent.

— Ça se discute, dit-il lentement.

Une lueur d'amusement se mit à briller dans ses yeux, aussitôt remplacée par un éclat beaucoup plus sombre, rempli de désir et d'une promesse qui faillit lui couper le souffle.

— Toutefois, j'ai quelques réserves !

— *Des réserves ?* répéta-t-elle, interloquée.

— Je ne veux pas que tu te sentes… obligée de faire ça !

— Ce n'est pas le cas.

— Et… Je ne crois pas avoir apporté de quoi me protéger, dit-il avec sourire contrit. Que tu le croies ou non, je n'en ai pas eu besoin depuis bien longtemps.

C'était bien ennuyeux, car elle n'en avait pas eu l'utilité, elle non plus, depuis son divorce.

— Désolée.

Ben l'attira près de lui, brièvement, et pourtant suffisamment longtemps pour la faire tressaillir.

— Hé ! s'écria-t-il. N'oublie pas que ce n'est pas pour cela que j'ai décidé de rester !

Un quart d'heure plus tard, le feu crépitait dans la cheminée et Joanna leur avait préparé un plateau de biscuits, de fromage et de fruits frais. Au fond d'un des placards du haut, elle avait même dégoté une bouteille de Merlot, sans doute laissée par un locataire.

— Qu'en penses-tu ? demanda-t-elle en exhibant la bouteille. Il y a du vin ou, si tu préfères, je peux faire chauffer de l'eau dans la cheminée et nous préparer un café en poudre ou un cacao. Il reste aussi des sodas, dans le réfrigérateur.

Ben prit quelques coussins, une épaisse peau de mouton sur le canapé et les disposa sur le tapis, devant l'âtre. La lumière dorée dansait sur ses traits hâlés, accentuant encore les rides profondes, qui se formaient de part et d'autre de sa bouche, lorsqu'il souriait.

— Soda pour moi. Je sors voir si tout va bien, dans l'écurie et chercher du bois. Je fais rentrer Moose ?

— Puisqu'on reste ici, je veux bien. Merci !

Ben remit sa veste et ouvrit la porte du chalet. Une rafale de neige s'engouffra dans la pièce, et il referma la porte derrière lui. Lorsqu'il réapparut, les bras chargés de bûches et le chien se dandinant à ses côtés, comme un gros ours polaire, elle ouvrit grand la porte pour les faire entrer.

— Un moment, j'ai craint de devoir venir vous chercher, lança-t-elle d'un ton taquin, pour dissimuler son soulagement. Tout va bien ?

— J'ai brisé la glace dans le seau de Galaad, et je lui ai redonné une ration d'avoine et de luzerne.

Il s'interrompit, jetant un regard faussement furieux en direction de Moose qui laissait des traces de pas partout.

— Avec sa fourrure blanche, Moose est quasiment invisible, dans la neige. Il m'a fait tomber deux fois !

Apparemment ravi d'entendre son nom, le chien posa ses lourdes pattes mouillées sur les épaules de sa maîtresse. Il était déjà assez grand pour la regarder dans les yeux et, fort heureusement, il avait fini par comprendre qu'elle n'appréciait pas qu'il lui lèche le visage.

— A la niche !

Il la contempla, d'un air piteux.

— Moose ! J'ai dit à la niche !

Il se remit maladroitement sur ses quatre pattes et traversa la pièce d'un pas lourd, pour gagner sa niche, où il s'installa d'un air triste, son regard dépité rivé sur Joanna.

— Hum. Il se prend toujours pour un chiot, commenta-t-elle, en apportant le plateau dans la cuisine. Ne fais pas attention à lui. D'habitude, il reste à mes pieds, seulement je suppose que tu n'as pas envie de te battre pour manger ton fromage et tes biscuits !

— Vu sa taille, il gagnerait probablement !

— Il ne pèse même pas 50 kg, tu sais ! Ce sont ses poils qui le font paraître aussi… enrobé. C'est mon excuse, à moi aussi, poursuivit-elle en riant. Je suis un peu… enrobée.

Le feu commençait à réchauffer ses os glacés. Pourtant, lorsque, levant les yeux, elle croisa ceux de Ben, qui la contemplait avec intensité, elle sentit monter en elle une chaleur d'une nature toute différente.

— Je ne dirais pas que tu es *enrobée* ! Je dirais plutôt que tu es une femme exceptionnelle, avec des formes aux bons endroits !

Il posa sa cannette de Coca, écarta quelques coussins. Puis, se rapprochant d'elle, il passa un bras autour de ses épaules et la serra contre lui. Sans quitter le foyer du regard, il poussa un soupir de satisfaction.

— Pour rien au monde, je ne voudrais être ailleurs.

Elle eut l'impression que sa voix se faufilait sur sa peau, comme une couverture chaude.

— Nous ne pouvons peut-être pas aller jusqu'au bout, chuchota-t-elle, en se tournant vers lui pour glisser une main derrière sa nuque. Mais nous pouvons au moins faire ceci… Embrasse-moi, Ben !

Elle l'entraîna dans un baiser langoureux, qui la bouleversa entièrement.

Au début, il se tint coi, lui laissant l'initiative de l'étreinte. Subitement, sans prévenir, il la renversa, l'embrassant en retour, avec passion et tendresse, jusqu'à ce que tout autour d'elle disparaisse et qu'elle ne puisse plus songer à autre chose qu'à cet homme si séduisant, qui, d'un simple baiser, réalisait ses rêves les plus fous.

Il se dégagea pour la dévisager, une lueur dangereuse et sombre dans les yeux.

— Tu es si belle, souffla-t-il…

Serrée contre lui, elle sentait à quel point il la désirait, et combien il lui en coûtait de se retenir. Et de son côté, elle le désirait au moins autant que lui. Cela faisait si longtemps…

— Si seulement nous avions…, commença-t-elle.

— J'ai fouillé la camionnette, dit-il, avec un petit sourire en coin. Et j'en ai trouvé un.

Elle allait parler mais il posa un index sur ses lèvres.

— Tu n'es pas obligée, Jo. C'était peut-être plus facile quand c'était impossible !

Un seul préservatif. Une opportunité de se sentir revivre, de se sentir de nouveau femme.

Et pas avec n'importe qui. Cet homme l'avait émue au plus profond de son âme. Son sens de l'honneur, des responsabilités, sa douceur et quelque chose d'indéfinissable, tout cela la faisait tressaillir au moindre contact.

Elle posa une main sur sa chemise de flanelle et défit le premier bouton, puis le suivant, sans le quitter des yeux.

— Je n'ai aucune hésitation, chuchota-t-elle. Absolument aucune.

— Ah, Jo ! souffla-t-il, fermant les paupières. Je veux que cette nuit soit merveilleuse… Inoubliable.

Avec des gestes d'une délicatesse que Ben n'avait jamais connue, Joanna déboutonna sa chemise, son pantalon, et se dévêtit à son tour. Enfin, l'un face à l'autre, ils étaient nus, devant les flammes dorées, enveloppés par le velours noir de la nuit. Seuls les crépitements du feu et le bruit de la neige précipitée sur les vitres par les rafales, interrompaient le silence.

Il la considéra avec une telle intensité, un tel appétit, une telle tendresse, qu'elle sentit ses dernières réticences s'évanouir.

Elle comprit soudain ce qu'elle ressentait pour lui. Elle l'aimait. Cette pensée, venue de nulle part, la prit par surprise.

Et elle se glissa entre ses bras.

Si Joanna avait eu le choix, ils seraient restés dans le chalet pendant une semaine. Hélas, dans cette région montagneuse, les équipes de déblayage étaient toujours sur le qui-vive et la route fut praticable dès le lendemain midi. Néanmoins, et bien que le temps ait passé à une vitesse folle, elle avait eu l'occasion de découvrir des aspects cachés de Ben.

Elle qui l'avait d'abord pris pour un de ces cow-boys sans attaches et peu éduqués, allait de surprise en surprise. Elle n'aurait pas imaginé, par exemple, qu'il fût si doué pour les échecs. Le dimanche soir, après qu'elle lui eût patiemment expliqué les règles du jeu et l'eût guidé dans ses premiers déplacements, elle avait levé les yeux sur lui, surprenant son amusement. Il l'avait battue deux fois.

Joanna avait découvert autre chose : une nuit auprès de lui ne lui suffisait pas.

La semaine suivante passa comme dans un songe, entre les journées chargées, à la clinique et les soirées avec Ben, à se promener sous la lune, dans les montagnes ou à dîner à l'Aigle d'Argent. Toutefois, les meilleurs moments furent ceux qu'ils passèrent devant la lumière faible de la cheminée, avec un chocolat chaud, Moose enroulé à leurs pieds.

Le jour de Thanksgiving, à midi, Joanna arriva à Shadow Creek.

— Je suis ravie que vous ayez pu venir, mon petit ! s'exclama Sadie, en la serrant dans ses bras. Vous êtes toujours la bienvenue, dans cette maison !

Joanna entra dans la cuisine et inhala longuement.

— J'adore l'odeur de la dinde rôtie. C'est fantastique !

— Et presque prêt ! Nous passerons à table dans quelques minutes.

— Désolée de n'être pas arrivée plus tôt. J'ai eu une urgence…

— Ne vous en faites pas ! lança joyeusement Sadie par-dessus son épaule. Dylan et Gina m'ont bien aidée !

Debout devant le comptoir, l'adolescent terminait une purée de pommes de terre.

— Je n'aurais jamais pensé que ça demandait autant de travail, marmonna-t-il. Ça nous a pris toute la journée ! Quand je suis chez moi, avec mon père, on *sort*, c'est tout !

Joanna regarda le jeune homme avec étonnement. Dylan s'était départi de son allure bravache et on ne percevait plus qu'une faible note de rébellion dans sa voix.

Sadie lui fit un clin d'œil complice.

— Il commence à s'habituer, dit-elle à mi-voix. Je crois que c'est grâce à Max… Cette petite a le don pour l'amadouer. Il aide également Ben à dresser un des poulains et il paraît qu'il est plutôt doué. C'est fou ce que quelques compliments peuvent changer quelqu'un !

Gina apparut sur le seuil de la cuisine, Max sur une hanche, les joues écarlates.

— Salut, Joanna. Je viens de jouer à chat… Maintenant, il faut que j'aide Sadie à préparer la sauce. Tu peux t'occuper de Max ? Elle se balade partout, et les filles sont sorties jouer à cache-cache avec Ben et leur père.

Joanna tendit les bras pour attraper le bébé.

— Comment ça se passe, entre vous deux ? demanda-t-elle à voix basse.

Gina jeta un rapide coup d'œil derrière elle, puis s'avança jusqu'à la cuisinière.

— Plutôt bien. Zach a fait quelques déplacements, plus courts, et il est à la maison, la plupart du temps. Il m'a même accompagnée, une nuit, pour un accouchement. Il ne voulait pas que je roule seule, dans la tempête.

— C'est plutôt prometteur, non ?

— Sûrement. Tu sais… J'étais sur le point de quitter mon travail, pour avoir la paix, et puis j'ai décidé que ce n'était vraiment pas juste.

— Et ?

— Je lui ai dit que nos filles ressentaient vivement toutes ces disputes et la tension ambiante, et que je m'étais suffisamment fustigée et inquiétée comme ça.

— Tu lui as posé un ultimatum ?

— On peut appeler ça comme ça, répliqua Gina, avec un sourire triste. Je veux que le problème soit résolu avant début décembre. Ainsi, nous ne passerons pas les fêtes de Noël à nous chamailler.

Sadie passa précipitamment, emportant la dinde dorée à souhait vers la salle à manger.

Dix minutes plus tard, un festin magnifique était disposé sur la table, et tous les convives étaient dans la pièce.

Gina et ses filles étaient assises face à Zach, qui les considérait d'un air pensif. Rafe et son père, Felipe, plaisantèrent avec Sadie à l'en faire rougir. Et il y avait Dylan, dont l'attitude frondeuse avait indéniablement cédé place à une certaine morosité. Soit il était fatigué, soit son père lui manquait, en ce jour de fête.

Ben s'assit au bout de la table, entre Sadie et Joanna, et chacun joignit les mains pour réciter une courte prière. Il entreprit ensuite de découper la dinde, tandis que Sadie lui tendait le plat. Joanna, qui les observait, fut prise d'une soudaine mélancolie.

Les mains chaudes de Ben s'emparèrent des siennes, sous la table.

— Je suis heureux que tu aies décidé de te joindre à nous, finalement, déclara-t-il. Nous t'aurions envoyé une délégation, si tu étais restée chez toi.

Une simple caresse, le son de sa voix grave, tout en lui avait le don de la faire frémir et de la ramener à des visions de la semaine qu'ils venaient de passer ensemble. Il était sensuel, séduisant, terriblement fort... Et très tendre. Jamais elle ne parviendrait à l'oublier.

Il n'en restait pas moins qu'elle n'aurait pas dû venir partager avec les siens le repas de Thanksgiving.

La conversation était aisée, entre ces gens qui se connaissaient depuis toujours et se fréquenteraient jusqu'à leur mort. Joanna surprit le regard de Dylan et se demanda s'il ressentait la même chose qu'elle. Ces moments étaient un enchantement. Hélas, ils n'étaient qu'un simple aperçu de la vie de famille qu'elle n'aurait probablement jamais.

Elle sourit à l'adolescent, qui eut un petit rictus, en retour, et elle ne put que se demander à quoi ressemblaient ses jours de fête, lorsqu'il n'avait que son père pour compagnie.

« Sûrement aux miens... De grands restaurants, avec un service impeccable... Et une maison vide, quand on rentre. »

Pas de restes, par exemple, pour prolonger un peu la magie de la fête.

Après ces mois merveilleux, elle retrouverait sa vie de solitude, en Californie.

Et elle se sentirait plus seule encore, en sachant qu'elle avait laissé Ben Carson derrière elle.

16.

Le biper de Gina se mit à sonner. La jeune femme s'en empara et eut la surprise de constater que le numéro était le sien. Allie, Regan et Max étaient chez elle, avec Sue Ellen et personne n'était censé l'appeler, sauf en cas de problème. Pourvu que Max ne fasse pas une nouvelle crise !

Gina se précipita dans le couloir et entra dans le bureau des infirmières, dont elle referma la porte. Ce fut Zach qui répondit, dès la deuxième sonnerie.

— Tu ne devais pas aller à Denver, aujourd'hui ?

Le silence s'installa entre eux, un silence gêné et chargé de tout ce qu'ils n'avaient pas osé se dire depuis leur dernière dispute, juste avant Thanksgiving. Tels deux funambules, ils vivaient leur vie de couple précautionneusement, de peur de faire un faux pas.

— Je ne peux pas, dit-il enfin. J'étais sur la route et j'ai dû revenir... Il faut que je te parle.

— Je suis au travail, Zach. J'ai des patientes jusqu'à midi !

— Tu ne peux pas rentrer déjeuner à la maison ?

Sue Ellen serait là et elle ne pourrait s'empêcher de les écouter.

— Tu ne veux pas venir, toi ? On discutera dans la voiture. On peut même aller déjeuner au Sunflower.

— Entendu. A tout à l'heure !

Toute la matinée, elle ressassa les paroles de Zach. *Il faut que je te parle…*

Lorsqu'elle sortit de la maternité, à midi précis, elle avait l'estomac noué et deux aspirines n'avaient pas suffi à faire passer son mal de tête. Elle avait beau être déterminée, l'enjeu était d'importance. Il y avait l'amour qu'elle éprouvait pour Zach, depuis si longtemps, les enfants qu'ils avaient eus ensemble… Cela n'allait pas être facile.

Il l'attendait, appuyé contre la portière de son break, les bras croisés et le visage sombre.

Il la fit monter en voiture et lui tendit un sachet.

— Burger végétarien. Ça te va ?

Elle hocha la tête et prit le sac qu'elle garda en main sans l'ouvrir. Elle n'était pas d'humeur à manger.

— De quoi s'agit-il ? Je t'écoute…

— De nous.

Gina prit une longue inspiration. Si seulement elle avait pu maîtriser les battements de son cœur !

Zach posa son burger sur le siège et, un poignet sur le volant, fixa un point invisible, devant lui.

— Je suis malheureux, en ce moment.

— Eh bien moi aussi, figure-toi ! Tu agis comme si seule ton opinion comptait, comme si je n'étais pas ton égale.

— Je sais.

En silence, elle se prépara à affronter l'inévitable. Elle était devenue plus forte, ces derniers mois et, quoiqu'il arrive à présent, elle se savait capable de gérer la situation et aller de l'avant.

Zach se pencha pour lui prendre la main et secoua la tête d'un air penaud.

— L'orgueil masculin a la vie dure… Je voulais être le soutien de notre famille. Te garder à la maison, avec les enfants. Je ne voulais pas que les choses changent… Quand je t'ai accompagnée, l'autre soir, pendant la tempête, j'ai vu ce que tu faisais, et j'ai compris…, ajouta-t-il d'une voix plus basse, à quel point tu aimes ton métier.

Elle l'examina un moment, sans rien dire. Bien qu'il butât sur ses mots son expression parlait pour lui.

— Ça… Ça me faisait peur, Gina. Je veux dire que tout cela soit si important pour toi. Que nous restait-il, aux enfants et à moi ?

— Je n'ai jamais cessé de vous aimer. Ni de faire tout mon possible, pour vous.

— Je sais, dit-il en déposant un baiser sur le bout de ses doigts. Il fallait que je grandisse, moi aussi, je suppose. Ce matin, je n'ai pas pu quitter la ville sans t'avoir dit tout cela. Je veux que nous restions ensemble, Gina. Je te promets de faire des efforts.

Elle l'examina un instant et comprit qu'il avait autant souffert qu'elle et qu'il était tout à fait sincère. A ce moment-là, le souvenir de toutes ces nuits sans sommeil et de ces journées interminables se dissipa.

— A notre nouvelle vie, murmura-t-elle, en lui tendant les lèvres.

Il se pencha vers elle pour la serrer entre ses bras tremblants.

— A notre nouvelle vie, répéta-t-il, avant de l'embrasser avec fougue.

Toute la journée, tandis qu'il s'occupait de ses chevaux, Ben pensait à Joanna. Le soir, il faisait tout son possible pour être auprès d'elle. Il était sous le charme de son intelligence, de son sourire radieux. Elle représentait tout ce qu'il désirait dans la vie.

Malheureusement, elle lui échappait.

Il le sentait à ses mouvements, à cette légère hésitation qu'elle semblait avoir, quand il la quittait, tard dans la nuit. Il y avait quelque chose, une ombre dans ses yeux, dans la manière dont elle l'étreignait après l'amour.

Ben ne savait que faire. S'il évoquait l'avenir, elle changeait de conversation. S'il essayait de la faire parler de ce qu'elle éprouvait, elle se dérobait. Ce soir là, frustré et d'humeur maussade, il travailla plus tard qu'à l'ordinaire, emmenant deux jeunes pur-sang au pied des collines recouvertes de neige, avant de retourner voir le bétail qu'il avait passé en revue avec Rafe une heure auparavant.

La nuit était tombée et il ramenait Badger à l'écurie, lorsque son portable retentit. Il s'en empara et lut le numéro de son correspondant. Hôpital du Comté d'Arroyo.

La voix du docteur Woodgrove retentit à son oreille.

— Bonsoir, Ben ! J'ai du nouveau… Je ne sais pas si cela va vous faire plaisir ou non.

— Les résultats du test ADN ?

— C'est cela. J'ai tenu à appeler le laboratoire moi-même. Vous recevrez le rapport d'ici un jour ou deux.

— Et ? demanda Ben, le cœur battant.

— Les résultats sont positifs… L'enfant est de vous.

Ben avait espéré entendre cette réponse. Il s'était convaincu que Max était sa fille. Toutefois, jusqu'à cet instant, le doute avait continué de s'emparer de lui, aux moments les plus inattendus, et il s'était rendu malade à l'idée qu'Holly puisse lui retirer la fillette à jamais. Il laissa échapper un cri de joie, lança l'appareil en l'air et le rattrapa.

— Vous en êtes certain ? reprit-il.

— C'est ce que vous souhaitiez ? demanda Woodgrove, de toute évidence sidéré.

— Oui, s'esclaffa Ben. C'est le plus beau jour de ma vie !

Il mit fin à la communication et rentra en courant.

Sadie s'était endormie devant la télévision. Gina avait emmené Max à Charme, pour lui acheter des vêtements. Et Dylan était resté en ville, après les cours, pour aller au foyer de jeunes.

Frustré, il s'empara des clés de sa camionnette et sortit. Lorsqu'il atteignit la nationale, il chantait à tue-tête avec la radio et battait la cadence des deux pouces, sur le volant. Joanna, il le savait, saurait partager sa joie.

Si quelqu'un était à même de comprendre ce que la nouvelle représentait pour lui, c'était bien elle.

Il frappa à la porte et n'obtint pas de réponse.

Il entra en l'appelant, et la chercha rapidement dans la maison, avant de ressortir sur la terrasse. La lune éclairait la prairie enneigée, lui donnant l'apparence d'une mer lumineuse, et projetait des ombres noires autour des pins. Au-dessus de lui, les étoiles tapissaient les cieux. Au loin, un loup solitaire se mit à hurler. Quelques hululements plus jeunes lui répondirent, puis une meute se mêla à l'ensemble.

Le 4x4 de Joanna était garé sur son emplacement habituel.

Ben remonta son col pour se protéger du vent glacial, et se dirigea vers l'écurie. Remarquant soudain qu'il n'y avait aucune trace de pas dans cette direction, il sentit l'inquiétude le gagner. Où pouvait-elle bien être ?

Il ouvrit la porte de la grange et alluma l'ampoule qui pendait au centre du bâtiment.

Galaad hennit doucement et passa sa tête par-dessus la porte, de son box en clignant des yeux.

Si Moose n'avait pas été aussi gros, Ben n'aurait pas vu la jeune femme, assise dans l'ombre, sur les bales de luzerne, le chien enroulé auprès d'elle.

— Joanna ?

Moose leva la tête et le regarda sans bouger.

— Joanna !

Il grimpa sur les bales, jusqu'à l'endroit où elle s'était réfugiée.

— Joanna ! Tu vas bien ?

Elle ouvrit les paupières. La pénombre l'empêchait de distinguer son expression.

— Qu'est-ce que tu fais-tu là ? murmura-t-elle.

— Je te cherchais... Tu as décidé de dormir ici, ce soir ? s'enquit-il en lui donnant un petit coup de coude affectueux.

— Non.

— Viens, dit-il, prenant soudain conscience de l'état de la jeune femme. Rentrons au chalet. Je te ferai un café.

Elle se redressa lentement, comme engourdie d'être restée là trop longtemps. Ils sortirent et Ben la prit par le bras. Ses traces de pas avaient déjà presque disparu, sans doute recouvertes par un coup de vent. Moose, qui, de toute évidence, percevait le désarroi de sa maîtresse, les suivit, la queue basse.

— Comme tu n'as pas appelé, j'ai pensé que tu ne viendrais pas ce soir, marmonna-t-elle.

Elle fit encore quelques pas puis s'arrêta et le regarda, les yeux vides.

— Ça va, tu sais ! dit-elle, d'une voix dépourvue d'émotion. Tu n'es pas obligé de venir me voir quand tu as trop à faire !

Subitement, il se remémora l'une de leurs conversations.

— C'est cette nuit-là, dit-il doucement. C'est cette nuit-là que ton fils est né...

— Oui.

— Oh... Je suis désolé.

Il se rapprocha d'elle, prêt à la prendre dans ses bras pour la réconforter. Elle se détourna avec raideur.

— Ça va, je te dis !

Ben passa un bras sous le sien et ils reprirent le chemin du chalet.

— C'est d'ailleurs pour cela que tu étais assise dans l'écurie, dans le noir... *Parce que tout va bien !*

— Je suis allée nourrir mes bêtes et je me suis assise pour regarder Galaad manger, dit-elle après un long moment. Pas de quoi en faire un drame !

— Allons nous faire un café, dit-il en lui ouvrant la porte du chalet.

— Non.

— S'il te plaît ! insista-t-il en lui prenant le visage entre les mains.

Après une longue hésitation, elle finit par le faire entrer, en haussant les épaules. Ben alla droit vers la cheminée pour allumer un feu. Quand Joanna revint de la cuisine avec deux tasses de café fumant, les flammes montaient dans la cheminée.

— Quoi de neuf ? demanda-t-elle, avant de se laisser tomber sur le canapé de cuir, tenant sa tasse des deux mains.

Il était venu la voir dans l'espoir de lui faire partager sa joie. A présent, il aurait été cruel de lui annoncer la bonne nouvelle, le jour anniversaire de la mort de son fils.

— Pas grand-chose, bredouilla-t-il en s'asseyant auprès d'elle.

— Tu devais avoir les résultats du test, aujourd'hui ! dit-elle, avec un sourire sans joie. Je parie qu'il est positif.

Il acquiesça sobrement.

— La vie est bizarre, tu ne trouves pas ? Et terriblement injuste. Je suis officiellement papa et toi, tu as perdu ton fils.

— Je ne comprendrai jamais, murmura-t-elle.

Ils contemplèrent le feu jusqu'à ce que toutes les bûches se soient consumées. Lorsque les dernières braises s'éteignirent, Ben se pencha doucement au-dessus de Joanna, certain qu'elle s'était endormie.

A sa grande surprise, elle le regarda droit dans les yeux.

— Reste avec moi, ce soir, souffla-t-elle. Je… Je ne veux pas être seule.

Sur ces mots, elle l'emmena jusqu'à sa chambre et referma la porte derrière eux.

Stuart Pennington se massa la nuque, en parcourant les documents étalés devant lui, puis examina son cabinet avec une intense satisfaction.

Il avait réussi, et sans l'aide de personne. Et si d'aucuns pensaient qu'il devait son succès à son mariage, la réalité était tout autre. Il avait gagné seul tout ce qu'il possédait : le père de Fiona ne lui avait pas donné un centime. Ces meubles en chêne, cette moquette épaisse, ces tableaux Indiens et cette jolie secrétaire — malade, ce jour-là — étaient la preuve de sa prospérité.

Son beau-père ne lui avait même pas confié la gestion de son compte, ce qui aurait pourtant constitué une marque de confiance évidente et aurait pu lui apporter d'autres clients aussi influents que lui.

S'il l'avait fait, peut-être Stuart n'aurait-il pas été obligé d'équiper ce bureau à crédit. Seulement ce luxe était de nature à rassurer des clients potentiels ! Personne n'aurait jamais fait confiance à un conseiller financier travaillant dans un endroit miteux et conduisant une voiture d'occasion !

Ce jour-là, néanmoins, sa chemise impeccablement repassée, était déjà tachée d'une sueur froide, et cela en dépit du vent glacial à l'extérieur et des 22° inscrits au thermostat.

La dernière fois que Paul était venu à Charme, Pennington avait réussi à l'éviter en prétextant un séminaire à Tucson. Malheureusement, les appels téléphoniques de son associé se faisaient de plus en plus insistants et Paul lui avait annoncé son arrivée pour le 19 au matin. Pire, il avait clairement déclaré qu'il avait la ferme intention de passer à son bureau, afin d'avoir une discussion sérieuse, à propos de leurs investissements.

Il ne lui restait donc plus qu'une semaine.

Stuart jeta un coup d'œil à la pendule puis alla regarder ce qui se passait dans la rue. Miné par l'anxiété, il se demanda dans combien de temps lesdits investissements commenceraient à rapporter.

Enfin ! Si les choses tournaient mal, il lui restait des fonds, sur un compte à l'étranger, à l'insu de Paul…

Soudain, il vit passer Fiona.

Elle devait accoucher à la mi-janvier et avait une démarche pataude et un ventre très arrondi. Stuart n'avait pas vraiment désiré ce deuxième enfant. Fiona l'avait supplié, avant de tomber enceinte, tout simplement. La pilule n'avait « pas marché ». Il lui en voulait toujours de ce subterfuge.

Une autre femme traversa la rue et interpella Fiona. Intrigué, Stuart essuya la buée, sur la vitre, pour mieux voir ce qui se passait.

C'était encore ce fichu médecin… Et elle avait apparemment beaucoup à dire, car les deux femmes discutèrent pendant ce qui lui parut une éternité.

Avec chaque minute qui passait, Stuart sentait sa colère augmenter. Aujourd'hui encore, il sentait le sang bouillir dans ses veines, au souvenir des accusations grotesques du médecin. Et une crainte sourde, car si de tels mensonges parvenaient aux oreilles de son beau-père…

Il était grand temps de rappeler à Fiona qui était le chef. Et s'il n'avait pas accès à sa fortune, son père faisant vérifier tous leurs comptes une fois par an, il pouvait superviser la manière dont elle le dépensait.

Souriant à part lui, il ouvrit la porte de son bureau et appela sa femme.

Surprise, elle tourna brusquement la tête vers lui, avant de saluer rapidement le médecin.

Il aurait dû prendre plus tôt les mesures qui s'imposaient ! Son plan était parfait. Il lui suffisait de griffonner quelques mots et Lydia Kane devrait faire face à une grave crise financière, la faute incombant à cette fouineuse de Weston.

La mine sombre, Lydia discutait à mi-voix avec Parker Reynolds et Kim Sherman, devant le bureau de la comptable.

Gina, qui attendait que sa patiente suivante ait rassemblé ses affaires, se tenait devant la réception et les épiait du coin de l'œil. Leurs voix basses semblaient tendues.

Le temps que la patiente arrive jusqu'à elle, Gina avait eu le temps de surprendre les mots « *fonds, ce matin* », et « *Pennington* ».

Les problèmes de fonds étaient gravissimes, autant pour le personnel de Naissances que pour les futures mamans du comté. Gina effectuait toujours trente-six heures par semaine, cependant, à présent que Zach était revenu, elle savait qu'elle pourrait survivre, même si on réduisait ses horaires. D'autres employées, elles, risquaient de rencontrer de sérieux problèmes.

17.

Ben avait toujours su que ce moment arriverait, un jour ou l'autre. Il s'y était préparé, décidant à l'avance de ce qu'il allait dire. Néanmoins, lorsqu'il vit la voiture de location grise remonter l'allée, il sentit sa gorge se nouer et ne put que fixer, les yeux écarquillés, la petite brune qui en émergea.

— Salut, Ben ! lança-t-elle, en lui souriant timidement.

Elle lui sembla outrageusement maquillée et ses ongles écarlates étaient trop longs pour manipuler un bébé. Une paire de santiags, un jean moulant et un blouson court achevaient de lui conférer l'image d'une fille de la ville qui s'était déguisée pour aller faire un tour dans l'Ouest.

Il essaya de se souvenir de sa nuit avec elle. Quelques images lui revinrent à la mémoire… le laissant totalement froid.

Prenant appui sur sa jambe droite, elle s'avança vers lui, la main tendue.

— Je suis contente de te revoir…

— Moi aussi, répliqua-t-il, avec un sourire forcé. Nous ne nous sommes pas vus depuis…

— La foire de Houston, acheva-t-elle, ses joues rosissant légèrement. Ça fait un bout de temps !

— Pourquoi ne m'as-tu rien dit, à propos de Max ?

— Qui ? demanda-t-elle, visiblement perplexe.

— La petite, renchérit-il en réfrénant son impatience. Nous l'appelons Max.

— J'avais perdu ton numéro, mentit-elle en examinant le bout de ses santiags.

— J'aurais pourtant aimé être prévenu, Holly !

— Je… Hum. Quand j'ai enfin retrouvé ton numéro, j'ai voulu t'appeler… Seulement à ce moment-là, poursuivit-elle, il était un peu tard pour t'annoncer un événement pareil.

— J'aurais pu t'aider… M'impliquer dans la vie de Max dès le départ !

— Je n'avais pas besoin d'argent, ni de quoi que ce soit, d'ailleurs !

Elle le regarda dans les yeux l'espace d'une seconde puis examina la propriété.

— C'est un bel endroit, que tu as là !

— Tu vas bien rester quelques jours, non ? Nous avons une chambre d'amis et le centre de Charme n'est pas tout près.

— *Nous* ? demanda-t-elle, en l'examinant avec curiosité. *Tu es marié ?*

— Non. Mais ma tante et mon neveu vivent ici, ainsi qu'un de mes employés.

— Un bébé aurait été une sacrée surprise pour ta femme, si tu avais été marié, non ? s'esclaffa-t-elle.

Holly devait approcher de la trentaine. Pourtant, elle ne semblait avoir aucune idée de l'énormité de ce qu'elle avait fait, en tenant sa grossesse secrète, avant d'abandonner le bébé à de parfaits inconnus.

— Avant que nous n'entrions, je voudrais savoir quels sont tes projets.

— Je vais passer la nuit ici. Ensuite, je me rendrai à l'aéroport d'Albuquerque, dit-elle négligemment en sortant une valise de sa voiture. Je te remercie de ton hospitalité !

La panique se saisit de Ben. Il était parfaitement conscient de la facilité avec laquelle elle disparaissait. Même l'enquêteur qu'il avait engagé n'avait pas retrouvé sa trace.

— J'espère que tu ne m'en veux pas d'avoir dû garder ma fille pendant quelque temps ! Après tout, ce n'est qu'un juste retour des choses !

Elle ne s'était même pas enquise de la santé de sa fille, ces deux derniers mois. Ben en conçut une vive inquiétude. Cette femme ferait-elle en sorte que Max soit « gardée », comme elle disait, par une nourrice affectueuse ? Saurait-elle s'occuper des allergies de l'enfant ?

— Nous avons été ravis de nous occuper de Max, dit-il fermement. Alors dis-moi… Tu t'es installée en Californie ? Tu as un travail ? J'aimerais que nous restions en relation, vois-tu, précisa-t-il, devant son air interrogateur.

— J'ai dû garder le lit, après cet accident. Je vais commencer à chercher en rentrant. Mon petit ami a des relations.

— Et Max ? Tu as l'air de…, il hésita cherchant le mot juste. Tu as l'air de bien t'amuser. Tu ne te sens pas coincée par la petite ?

— C'est ma fille. C'est pour elle que je suis ici !

Ben aurait bien voulu entendre une déclaration d'amour maternel plus passionnée. Toutefois, rien n'indiquait qu'Holly soit décidée à abandonner son enfant.

Ben l'invita à entrer dans la maison et fit les présentations. Sadie pâlit et dut prendre appui sur le rebord de l'évier. Dylan fit des yeux ronds et rougit violemment en examinant Holly de la tête aux pieds, avant de bredouiller un vague bonjour.

Joanna, elle, lui jeta un vague coup d'œil et se troubla.

— Je suis ravie de vous rencontrer, Holly. Je partais, mais j'espère que nous aurons l'occasion de nous revoir. Je… Je vais dire au revoir et je m'en vais.

— Eh bien ! lança Holly, interrompant le silence gêné qui s'ensuivit. Je suis ravie de faire votre connaissance à tous. Où est la petite ?

Joanna vécu les jours suivants dans un brouillard, se consacrant exclusivement à son travail à la clinique et aux cours qu'elle donnait à Naissances.

Fort heureusement, ils se déroulaient bien. Très assidue, Val Dodson avait visiblement très envie d'apprendre à mieux s'occuper de sa fille. Elle amenait Shanna avec elle, la laissant jouer avec les autres enfants, à la garderie. Par ailleurs, elle était propre et décemment habillée et montrait plus volontiers son affection envers la fillette.

Bien qu'elle fût très occupée, Joanna se surprenait souvent à penser à Ben. Hélas, s'il avait voulu lui parler, il l'aurait appelée. Or, on était déjà vendredi et il n'en avait rien fait. Et pourquoi en aurait-il été autrement ? Il avait eu une liaison avec Holly, elle avait porté son enfant et, à en juger par la réaction de Dylan en la voyant, elle plaisait énormément aux hommes.

Joanna sentit ses yeux la brûler. Elle se demandait si Holly avait décidé d'emmener Max avec elle. La pauvre gamine ne comprendrait pas : après avoir momentanément perdu sa mère, elle allait être arrachée aux gens auxquels elle s'était habituée ces derniers mois. C'était vraiment affreux, d'infliger un tel stress à une fillette aussi adorable !

A moins, bien entendu, que Ben et Holly n'essayent de construire un couple, sur les bases de leur relation éphémère, et cela pour le bien de Max. Connaissant le sens de l'honneur et des responsabilités de Ben, c'était une éventualité à ne pas négliger.

Cela n'en restait pas moins insupportable et lui donnait un sentiment de vide absolu. Pendant des semaines, elle s'était efforcée de garder ses distances avec Max et Ben. Hélas, elle avait compté sans les magnifiques boucles noires et les grands yeux confiants de la petite… Et malgré toutes ses bonnes résolutions, son amour pour Ben allait bien au-delà d'une simple amitié.

Certaines nuits, elle s'était imaginée vivant ici le restant de ses jours. Elle aurait vieilli aux côtés de Ben Carson, dans cette petite ville où tout le monde se connaissait, où les gens s'entraidaient.

Avec un peu de chance, ils auraient peut-être même pu adopter d'autres enfants, qui seraient devenus les frères et sœurs de Max… Joanna ne voulait pas risquer de revivre la tragédie de la mort de Hunter.

On frappa à la porte. Elle se retourna… et se trouva face à Ben, debout sur le seuil, une épaule appuyée sur le chambranle de la porte, son Stetson à la main.

— Où est Max ? demanda-t-elle.

Elle redoutait tellement d'entendre la réponse qu'elle entendait son cœur cogner dans sa poitrine. Le temps lui-même semblait avoir ralenti : l'aiguille rouge de l'horloge n'avançait qu'à peine.

Il entra et s'installa dans le fauteuil, face au bureau. Son visage hagard laissait supposer qu'il n'avait pas dormi depuis plusieurs nuits… et Joanna craignit que Holly y fût pour quelque chose.

— Max est chez Gina. Holly avait des courses à faire.

— Avec la nourrice ? répéta Joanna, interloquée.

— Et oui ! Holly a un instinct maternel très développé, tu ne trouves pas ? rétorqua-t-il d'un ton méprisant. J'ai eu beaucoup de travail, cette semaine. Alors, quand je ne peux pas m'occuper de Max, Holly l'envoie chez Gina…

— Que va-t-il se passer, à présent ? demanda Joanna, reprenant espoir.

— Holly ne partira finalement pas avant mardi prochain. Elle veut passer Noël avec son petit ami. Et…, ajouta-t-il avec tristesse, remmener Max avec elle.

— Tu lui as parlé du test ADN ? s'enquit Joanna, effondrée.

— Oui. Et elle m'a fait remarquer qu'au tribunal, les pères biologiques perdent à tous les coups. Surtout quand ils sont célibataires. A fortiori quand ils ne se sont pas occupés de leurs enfants depuis leur naissance et que c'est la mère qui en a la garde.

— Ça ne t'empêche pas de te battre ! N'importe qui, dans la région, témoignera de ce que tu as été un père exemplaire !

— C'est bien ce que j'ai l'intention de faire ! Max mérite une meilleure mère que Holly. Mais d'après mon avocat, ce genre d'affaire peut prendre une année… Et quand bien même je gagnerais, Holly pourrait faire appel.

— Tu as une longue bataille devant toi…

En soupirant, Ben se leva.

— J'ai pensé que tu aimerais savoir pourquoi je ne t'avais pas appelé… C'est tellement…

— Je sais.

Injuste. Complètement injuste. Ben avait été merveilleux avec Max. Il s'était occupé d'elle, lui avait prodigué toute l'affection dont elle avait besoin et il méritait mieux que cela.

En un éclair, elle passa en revue toutes les possibilités envisageables. Peu importait que Ben ne fût pas amoureux d'elle, qu'un poste important l'attendît en Californie, et que ses sentiments tiennent plus de l'entichement que de l'amour.

— Attends ! cria-t-elle, alors qu'il se préparait à sortir.

Ben se retourna et la considéra d'un air misérable.

— Je sais que ça va te paraître dingue. Toutefois, cela t'aiderait peut-être, et Dieu sait si la place de Max est à tes côtés… Enfin voilà. Il existe un moyen de mettre la justice de ton côté.

— Si c'est ce que tu as en tête, je n'ai aucune intention d'attaquer Holly sur son mode de vie.

— Ce n'est pas ça ! répliqua Joanna en traversant la pièce.

Elle examina Ben avec un sourire qu'elle espérait enjoué.

— Dis-moi, Ben… Que dirais-tu, si je te proposais une épouse ?

*
* *

Stuart enjamba le garde-fou qui longeait le parking et désigna d'un geste large le panorama escarpé, à ses pieds.

— C'est idéal, n'est-ce pas ?

La vue était d'une beauté époustouflante, avec ses buttes rocheuses, ses pics dentelés, ses falaises élevées, le tout recouvert de pins enneigés. Au loin, de l'autre côté du ravin, la chaîne du Sangre de Cristo surplombait les chalets de bois de la petite station de ski de Silver Butte. Leurs toits scintillaient sous les derniers rayons du soleil, en ce samedi après-midi.

— L'ouverture d'Angel Gate devrait nous amener le surplus de skieurs qui n'auront pas trouvé à se loger là-bas, poursuivit-il, en s'efforçant de dissimuler la panique qui l'habitait. Il nous suffira de casser les prix et d'inonder les revues spécialisées de publicité. Ajoute à ça un site Internet bien ciblé… Nous allons faire un malheur !

— Ecoute, Stuart… Je suis obligé de vendre, répéta Paul en rejoignant son associé. Pour avoir examiné tes rapports, je sais que tu as l'argent nécessaire. Tu n'as qu'à me racheter mes parts, comme ça, tu seras libre de faire ce que tu veux… Qu'en penses-tu ? J'ai apporté tous les papiers !

Paul était un dentiste à la retraite, qui, malgré ses soixante-dix ans était toujours alerte. Lorsqu'il s'était mis en rapport avec Pennington, cinq ans plus tôt, il avait de l'argent à dépenser et souhaitait investir dans la région. A présent, sa femme luttait contre un cancer et son fils était en cure de désintoxication, suite à une addiction aux amphétamines.

Les traitements médicaux, dans un cas comme dans l'autre étaient fort onéreux, ce qui tombait à un moment très inopportun pour Stuart.

— Je trouve ta décision précipitée, Paul, objecta Stuart, l'estomac noué. Dans moins d'un an, Silver Butte vaudra trois fois plus que maintenant. Quant au restaurant…

Paul leva les mains en l'air. Un coup de vent souleva ses cheveux argentés et il considéra son associé avec un sourire gêné.

— Je sais que nous avions tout un tas de projets. Pendant un moment, j'ai vraiment pensé que nous deviendrons uns des plus gros investisseurs en immobilier du pays…

— C'est toujours possible ! Accorde-moi un délai d'un mois, Paul. Je t'en supplie ! Après les fêtes, je me mettrai en quête d'autres fonds.

— Je te remercie de m'avoir montré tout cela, toutefois ma décision est prise. Je voudrais un audit sur tous nos chantiers, continua le vieil homme avec un regard plus dur, ainsi qu'une expertise de nos biens. Si tu veux racheter mes parts, je peux mettre nos deux avocats en rapport.

« Sans toi, je ne me serais pas endetté autant. Je n'aurais jamais pris de tels risques » songea Stuart.

Un avenir sombre s'ouvrait à lui, désormais : dettes, problèmes juridiques… Sans compter que si Paul se penchait trop attentivement sur leurs comptes, il devrait lui rembourser une somme astronomique.

Stuart n'avait fait qu'emprunter ces fonds. Il avait toujours eu l'intention de les rendre. Hélas, il savait bien ce que Paul en penserait… Et ce que ses avocats en tireraient.

— Je comprends parfaitement ta position, murmura-t-il.

C'est avec soin qu'il avait choisi cette vue panoramique sur Silver Butte. La route du pic était rarement déneigée, pendant l'hiver. Elle ne menait qu'à la partie la plus isolée de la chaîne et se terminait par un petit parking, utilisé uniquement en été par les routards. Les skieurs, eux, prenaient un chemin différent.

Il avait donc opté pour cette route, pour le cas où… Et à présent, elle lui semblait parfaite.

Il se plia subitement en deux, une main sur la poitrine, et se mit à gémir.

— Que se passe-t-il ? demanda Paul avec sollicitude, en se rapprochant de lui. C'est ton cœur ? Tu as des médicaments sur toi ?

Stuart recula d'un pas, puis d'un autre, en titubant.

— Dans ma poche arrière…

C'était tellement facile… L'espace d'un moment terrible, il avait craint de perdre jusqu'à son propre toit. Son avenir aurait été brisé. Il aurait été humilié. L'instant d'après, son associé était précipité dans le ravin et Stuart avait devant lui un avenir radieux.

Il ne lui fallut que quelques minutes pour enfiler une paire de gants et fouiller la Lexus de Paul. Il en tira son attaché-case, avant de passer une vitesse et de pousser le véhicule par-dessus bord. La voiture rebondit sur les rochers, et disparut dans les pins, plusieurs centaines de mètres plus bas.

Un randonneur passant par-là en déduirait que le dentiste avait quitté la route, avant d'être éjecté du véhicule.

Le plan était parfait. Bien sûr, il y aurait une enquête. Stuart serait sûrement interrogé sur les raisons du passage de Paul à Charme. Plus tard, il y aurait peut-être même des complications juridiques, concernant leur association.

Néanmoins, chacun comprendrait qu'un vieil homme, confronté à une situation familiale aussi difficile que la sienne, ait eu des raisons de se suicider, ce qui laisserait à Stuart le temps dont il avait besoin pour redresser la situation.

Tranquillisé, Pennington s'assura une dernière fois qu'il n'avait laissé aucun indices derrière lui, puis, faisant demi-tour, reprit la route de Charme.

Croisant les feux d'une voiture, il freina brusquement et s'arrêta sur le bas-côté. Par chance, le conducteur serait un touriste, un simple inconnu qui ne le remarquerait pas.

La sueur au front, il regarda la voiture ralentir, et le conducteur descendit la vitre de sa portière. C'était encore ce satané médecin !

Que faisait-elle là, au beau milieu de nulle part ! Décidément, cette femme était un véritable fléau.

Mais, à sa grande surprise, elle ne s'arrêta pas. Il entendit le bruit du moteur s'éloigner. Bizarre. Elle l'avait vu, c'était certain… Tant pis.

Il lui fallut une bonne dizaine de minutes pour comprendre l'énormité de son acte. L'angoisse nouée au ventre, il appuya sur le champignon et jeta un coup d'œil dans le rétroviseur. Les gens savaient qu'il était associé à Paul. Si jamais on retrouvait son corps, les questions ne manqueraient pas.

Bah ! Fiona lui fournirait un alibi. Elle n'oserait jamais se désister. Il n'avait plus qu'à espérer que cette satanée Joanna Weston oublierait qu'elle l'avait vu sur cette fichue route.

18.

Lorsque Joanna l'avait appelé pour annuler leur rendez-vous, Ben avait tout d'abord pensé qu'elle regrettait sa proposition inattendue. Mais il avait été très vite rassuré ; Joanna était simplement *encore* partie à la poursuite de Galaad…

Mais cette fois, il avait décidé de rentrer seul chez lui, et sa malheureuse propriétaire avait arpenté les routes de montagne pour rien.

A présent, après avoir renoncé à leur dîner aux chandelles, ils mangeaient un burger, dans un box isolé du Sunflower, au son du vieil air de country qui s'échappait du juke-box.

Joanna avait décidément de la suite dans les idées.

— C'est logique ! dit-elle simplement, en le regardant droit dans les yeux.

— Le mariage est une question d'engagement, pas de pratique !

— Quelle importance, tant que nous sommes d'accord ? Si nous restons mariés un an après que tu aies obtenu la garde de Max, tu pourras prouver au juge que tu es en mesure de lui offrir un environnement aimant et stable.

— *Stable*… Temporaire en diable, tu veux dire !

— Certaines unions véritables ne durent même pas une année, fit-elle remarquer. Et Max ne perdrait pas au change, puisqu'il n'y aurait pas de disputes autour de notre séparation.

— Il n'en reste pas moins que cela constitue un mensonge… Et si tu tombais amoureuse pour de bon, d'un autre homme ?

Il avait posé cette question pour plaisanter. Pourtant, cette éventualité lui fut soudain insupportable. Qu'un autre type essaye de poser une main sur elle et…

— Je ne rencontrerai personne, affirma-t-elle. Je ne cherche pas. Et si ça t'arrivait à toi, nous pourrions toujours mettre fin à notre arrangement. En attendant, pour que les choses soient tangibles, nous pourrions vivre ensemble, chez toi ou chez moi. Le Dr Jones m'a demandé de rester, après son retour : je garderai donc un emploi !

Ben adorait la compagnie de Joanna. Il aimait sa conversation, son dévouement envers ses patients et beaucoup d'autres choses, en elle, et il se voyait volontiers vivre avec elle, toute sa vie. Or, un arrangement temporaire pouvait se transformer en arrangement permanent…

Hélas, si elle était capable de faire fi de tout ce qui les unissait, il y avait fort à parier qu'il se dirigeait tout droit vers une déception terrible.

— Je te remercie de ta proposition, Joanna.

— Dois-je prendre ça pour un « oui » ?

— Prends cela comme une invitation à bien réfléchir.

Atténuant l'acerbité de son ton par un petit sourire, il consulta sa montre, avant de se saisir de son portefeuille dont il tira deux billets de 10 dollars.

— Il est presque minuit. L'établissement va fermer.

— Tu me raccompagnes chez moi ?

L'invitation était fort tentante et, en d'autres circonstances, c'est ce qu'il aurait fait. Néanmoins, s'il passait la nuit entre ses bras, il lui serait difficile de prendre la bonne décision.

— Il vaut mieux que je rentre. Je dois me lever à 5 heures pour m'occuper des bêtes avant la messe.

Joanna l'examina un instant sans sourciller, puis haussa les épaules.

— Pas de problème, marmonna-t-elle.

Malgré tout, la jeune femme semblait blessée, lorsque, après l'avoir raccompagnée jusqu'à son 4x4, il la regarda s'éloigner. De nouveau, il hésita. Valait-il mieux une relation, *une union*, condamnée dès le début… ou pas de relation du tout ?

Après tout, douze mois auprès de Joanna valaient peut-être le chagrin qu'il éprouverait immanquablement en la voyant partir !

Sur fond de mélodie de Noël, ils s'étaient mis à décorer le sapin juste après le repas du dimanche et venaient d'accrocher les guirlandes. Cette année, pour la première fois depuis longtemps, ils avaient pris soin de mettre des boules incassables au bas de l'arbre.

— Qu'en penses-tu ? demanda Ben en reculant d'un pas pour admirer leur œuvre. On a coupé le bon ?

— Magnifique ! souffla Sadie. Nous n'en avons jamais eu d'aussi beau.

— Pas mal ! commenta Dylan en haussant les épaules avec nonchalance. Nous n'avons pas dépassé la pâture nord. Si nous étions montés un peu plus haut…

Malgré tous ses efforts pour paraître blasé, l'adolescent s'était montré aussi exubérant qu'un gamin de dix ans, ce matin-là, guidant son cheval d'un sapin à l'autre, les étudiant sous tous ses angles. Il avait insisté pour abattre l'arbre lui-même et l'avait rapporté à la maison en le traînant derrière sa monture.

— Si nous étions montés plus haut, nous serions toujours en train de chercher, s'esclaffa Ben. Qu'est-ce que tu racontes, petit bout ?

Max se tenait debout, à quelques mètres de là, agrippée à la table basse, devant le canapé. Elle lui fit un sourire radieux.

— Dadada… Dadada… Da.

L'assemblée tout entière partie d'un grand rire, à l'exception de Holly qui se faisait les ongles sur le canapé.

— On dirait que ça lui plaît ! commenta Dylan en se baissant pour ébouriffer les boucles noires de l'enfant. Hé ! Regardez ! Elle essaye de marcher !

Les genoux mal assurés, Max leva d'abord une main, puis l'autre. Ses yeux s'écarquillèrent et elle se mit à tituber.

— Vas-y, bébé ! l'encouragea Dylan, en s'agenouillant devant elle. Tu vas y arriver !

Holly posa sa bouteille de vernis et se pencha en avant.

— Viens, ma chérie ! Viens voir maman !

Max considéra tour à tour sa mère, Ben, Dylan et Sadie, les yeux ronds. Tous étaient penchés vers elle et lui tendaient les bras, en lui murmurant des paroles d'encouragement.

— Dadadadada !

Elle fit un pas chancelant, puis un deuxième.

— Elle marche ! s'extasia Sadie en applaudissant. Juste à temps pour son premier anniversaire !

Le bébé gloussa et se lança, visiblement fière de son exploit. Transportée, elle ne semblait plus avoir de craintes. Elle avança encore un peu et se jeta dans les bras de Ben.

— Comme ça, on sait où vont ses préférences, déclara Dylan, ravi.

— Elle allait vers l'arbre, objecta Ben en la prenant dans ses bras pour lui faire admirer les décorations. Qu'en penses-tu ma belle ? C'est joli, les lumières ?

Holly se renversa sur le canapé et se concentra sur ses ongles. Une ride délicate barrait son front.

— Fais attention, elle va tout casser ! dit-elle, sans lever le nez.

Ben traversa la pièce et reposa Max à quelques pas de Holly.

— Tu vas voir maman, à présent ? suggéra-t-il.

L'enfant fit deux pas et s'effondra sur le canapé.

— C'est bien, bébé ! dit mollement Holly. Je ne peux pas te prendre dans mes bras. Je te mettrais du vernis partout !

Sadie se racla la gorge.

— Bien ! Je vais vous apporter un chocolat chaud, et puis j'irai m'occuper du repas. Dylan, tu peux mettre la table ?

— J'ai passé une semaine agréable, avec vous, reprit Holly, lorsqu'ils furent sortis. Ça va me faire drôle, de reprendre l'avion, demain matin.

Ben avait réfléchi à la manière d'aborder la question de l'avenir. Il avait essayé d'aborder le sujet à plusieurs reprises, dans l'espoir d'obtenir au moins la garde partagée de Max. Chaque fois, Holly s'était dérobée, sous les prétextes les plus divers.

Ben, lui, bien qu'incapable d'envisager une relation sentimentale avec Holly, ne pouvait se résoudre à perdre Max.

— Cesse de faire les cent pas ! lui lança-t-elle, en claquant des doigts. Ce n'est pas facile, pour moi, tu sais ! Assieds-toi donc !

— Je veux que tu saches…

— Non ! dit-elle en agitant une main. C'est toi qui dois savoir quelque chose. Et si je ne te le dis pas maintenant, je n'en serai peut-être jamais plus capable !

Ses yeux brillaient de larmes, mais elle ne semblait pas s'en être aperçue.

— Je t'écoute, déclara Ben.

— Je… Je sais que je ne suis pas une bonne mère.

— Bien sûr que…

— Je t'en prie, Ben. Regardons la réalité en face. Au départ, je n'avais même pas l'intention de te parler de Max. Je voulais un bébé, pour moi toute seule. Pas d'attaches, pas de complications.

Cette nuit-là, quand nous… hum… Je t'ai dit que je prenais la pilule.

Ben grimaça. Il avait été tellement ivre qu'il ne se rappelait pas grand-chose, ce qui n'excusait rien : dans le monde d'aujourd'hui, et quoi que lui ait dit Holly, il aurait dû se protéger.

— Je n'ai pas tardé à m'apercevoir qu'être parent isolé entraîne bien plus de responsabilités que je ne me l'étais imaginé ! poursuivit-elle avec un petit rire sans joie.

— J'aurais été ravi de te verser une pension, dès le départ, tu sais. Encore maintenant, je…

— Laisse-moi parler, d'accord ? Quand j'ai déposé Max ici, je n'avais pas l'intention de revenir. Et puis j'ai eu cet accident et cela m'a donné tout le temps de réfléchir. Tu aurais pu être le dernier des abrutis et la donner à l'adoption…

Elle tira sur un fil qui dépassait de son pull-over émeraude, en évitant de relever les yeux.

— C'est pourquoi, dès que j'ai pu, j'ai acheté ce billet d'avion… Je voulais m'assurer qu'elle était entre de bonnes mains.

Malgré ses vêtements voyants, son maquillage et son irresponsabilité, Ben décernait à présent une véritable détresse dans ses yeux. Pendant un instant, il eut envie de passer une main autour de ses épaules, pour la réconforter. Toutefois, cela aurait encore compliqué les choses.

— Et quand je suis arrivée, et que je t'ai vu, dans ton joli ranch, avec ta jolie petite amie, je me suis sentie… jalouse. C'est par dépit que je voulais remmener Max avec moi, murmura-t-elle, la lèvre inférieure tremblante. Seulement tu l'aimes, cette petite… Vraiment. Et elle t'aime déjà, elle aussi. Elle serait mieux ici, tu ne crois pas ? C'est vrai qu'elle était souvent malade… Pourtant, je ne me suis jamais rendu compte de ce qu'elle endurait, pendant ses crises d'asthme. Ton amie est médecin… Max serait plus en sécurité avec toi. Hé, si ça se trouve, vous vous marierez même, un jour… Ce serait super, pour la petite !

Le mariage, encore. La généreuse proposition de Joanna lui avait paru si vide de sens, étant donné les circonstances… D'autant plus que, durant leur conversation, il avait pris conscience de l'amour qu'il éprouvait pour la jeune femme. Rien ne lui aurait tant plu que se réveiller auprès d'elle chaque matin, et s'endormir dans son lit, le soir venu. Hélas, tout cela n'avait aucun sens, s'il savait que pour sa part, elle ne l'aimait pas et ne l'aimerait jamais !

— Qu'en penses-tu ? demanda Holly. Je veux dire… Si tu ne veux pas de la petite…

— Si ! Si, bien sûr !

Holly déglutit péniblement.

— Je… Mon ami et moi aimons beaucoup le ski. Nous envisagions de faire un tour de l'Europe, l'été prochain. Nous voulons aussi chercher du travail sur un bateau de croisière. Si tu veux Max, je pense qu'elle sera beaucoup mieux ici, avec toi. Définitivement.

— Tu me laisses la garde de Max ? balbutia-t-il, avant de reprendre, la gorge serrée par l'émotion. Ecoute… Si nous nous arrangeons à l'amiable, tu ne seras pas obligée de l'abandonner officiellement.

— J'ai jusqu'à demain après-midi. Appelle ton avocat et vois s'il peut nous recevoir aujourd'hui, d'accord ? Nous pourrions au moins lancer la procédure ! C'est la meilleure chose à faire, ajouta-t-elle d'une voix brisée. J'ai d'abord pensé à passer par une agence d'adoption, seulement tu es son vrai père et je sais que tu l'aimes. Et qui sait ? Je pourrai peut-être revenir la voir, un jour ?

— Bien sûr ! Ecoute. Max sera choyée, dans cette maison. Je te jure, Holly, qu'elle aura la meilleure éducation possible, dans la limite de mes moyens.

*
* *

— Je ne vous dérange pas ? Il n'y avait personne à l'accueil, alors je me suis permis d'entrer.

Joanna leva le nez du dossier qu'elle consultait. Fiona se tenait timidement sur le seuil de son bureau.

— Entrez, je vous en prie !

Joanna lui fit signe de prendre place sur un des fauteuils faisant face à son secrétaire.

— Nous n'avons pris aucun rendez-vous pour la dernière heure de la journée. Eve et Nicki avaient des achats de Noël à faire, avant la fermeture des magasins.

— Je n'ai pas beaucoup de temps. Stuart m'attend dans la voiture. J'ai prétexté des formulaires d'assurance à déposer.

Fiona referma la porte et se laissa lourdement tomber dans un fauteuil.

— J'ai été idiote... Complètement idiote. Vous avez essayé de me prévenir et j'ai choisi de vous ignorer.

Elle se tamponna furieusement les yeux, avec un mouchoir tout froissé.

Joanna attrapa une boîte de Kleenex et les lui tendit.

— Qu'est-ce qui ne va pas ?

— Tout ! s'écria la jeune femme en se mouchant bruyamment. Je suis furieuse. Je n'ai pas décoléré depuis que Stuart a retiré notre soutien financier à Naissances. Je ne l'aurais jamais crû capable d'une chose pareille !

— C'est regrettable, en effet, répondit Joanna, qui avait appris la nouvelle par Gina. Néanmoins, il est en droit de choisir les bénéficiaires de l'argent de son entreprise !

— Ce n'est pas son argent ! s'exclama Fiona, en s'emparant d'un nouveau mouchoir. Enfin pas vraiment ! Il gère mes fonds. J'ai toujours exigé que nous soutenions Naissances... et puis cela flattait son ego, d'être connu comme le bienfaiteur de la clinique.

— Je n'ai pas très bien compris comment ça se passait.

— Tous les ans, nous versions des dons conséquents à Naissances. Seulement Stuart veut tout contrôler, soupira-t-elle, sans dissimuler son ressentiment. Moi, Jason… Ses affaires… Il ferait n'importe quoi pour avoir le pouvoir sur tout. N'importe quoi. Il a raconté tout un tas de mensonges à mon père, avant de placer l'argent ailleurs. Vous savez à quel point sa décision va affecter Naissances ?

Joanna ne le savait que trop bien. Certes, de petites corporations et des dons privés maintenaient l'établissement à niveau. Toutefois, les Pennington étaient les plus gros donateurs de tous. Ces dernières semaines, les heures du personnel avaient été sensiblement réduites et des rumeurs de fermeture circulaient en ville.

— Pourquoi n'en parlez-vous pas à votre père ?

— Mon père estime que je connais rien aux affaires, répliqua-t-elle avec amertume. Sans compter que, tout comme Stuart, il a eu quelques difficultés avec Lydia, par le passé. L'occasion était trop belle…

— Et si vous en parliez sérieusement avec Stuart ?

— Je… J'ai essayé, hier soir, et il m'a giflée ! Il n'avait encore jamais levé la main sur moi, ni sur Jason !

« *C'est cela !* » songea Joanna, repensant aux blessures diverses qui apparaissaient dans le dossier de l'enfant.

Fiona releva la tête, la mine sombre.

— Je sais ce que vous pensez, pourtant, c'est vrai. Stuart se contente d'ignorer Jason. Au mieux, il l'humilie, le traite de mauviette. Dès que j'ai le dos tourné, il l'emmène faire des choses trop difficiles pour lui. Si je me plains, Stuart raconte à qui veut l'entendre que je surprotège Jason et que je vais en faire une femmelette. Toute ma famille est persuadée que c'est lui qui a raison ! Je ne veux plus accepter cela. Pour le bien de Jason, et aussi pour celui de son petit frère, conclut tristement Fiona, une main protectrice sur le ventre.

— Vous le quittez ?

— Non.

Elle ouvrit son sac et en tira une grosse enveloppe.

— J'ai trouvé ces documents, dans son bureau.

— Cela concerne Naissances ?

— Pire. Je crois que je savais, depuis un bon moment, seulement… Je n'ai jamais voulu me l'avouer.

— Vous saviez quoi ?

La porte d'entrée de la clinique s'ouvrit et une voix s'éleva.

— Fiona ! Qu'est-ce que tu fabriques, bon sang ?

La jeune femme sursauta.

— Il faut que j'y aille… Je vous en supplie, Joanna, chuchota-t-elle en se relevant. Je veux que la police lise ceci. Vous n'avez qu'à glisser cette enveloppe dans leur boîte aux lettres, comme ça, je garderai l'anonymat !

— Vous ne voulez pas leur parler ?

— Non ! Stuart travaille en ville et il me surveille constamment. Si jamais il me voit entrer au commissariat… Elle frissonna. Je ne fais confiance à personne. J'ai besoin de votre aide !

Elle se précipita jusqu'à la porte, et, se forçant à sourire, accueillit calmement son mari dans le couloir. Quelques secondes plus tard, Joanna les entendit ressortir.

« J'espère que tu sais ce que tu fais ! » songea-t-elle sombrement en rangeant l'enveloppe dans un tiroir qu'elle referma à clé. Certains hommes étaient gonflés de leur importance, mais Stuart Pennington, lui, la mettait décidément très mal à l'aise.

En rentrant chez elle, elle s'acquitterait de la tâche que lui avait confiée Fiona. Ensuite, il ne lui resterait plus qu'à prier pour que tout se passe bien.

Ben faisait les cent pas dans la salle de séjour de Joanna. Il avait beaucoup réfléchi à la proposition de la jeune femme. Un jour, elle avait évoqué son union précédente, et le mari qui lui avait fait faux bond au moment où elle avait le plus besoin de lui. Elle lui avait également parlé du terrible chagrin qu'elle avait éprouvé après la mort de son bébé et lui avait confié qu'elle ne voulait plus jamais prendre ce risque. Bref, elle ne comptait pas se remarier.

Or, son offre surprenante lui avait fait comprendre ce qu'il avait refusé de voir, jusqu'à présent.

Il ignorait à quel moment il était tombé amoureux d'elle, au juste. Peut-être dès le premier jour, quand elle avait insisté pour le ramener chez lui en voiture… A moins que ce ne fût son rire, son esprit et sa générosité. Qu'importe. Il voulait vivre auprès d'elle, aujourd'hui, demain, et les jours suivants.

Et sa généreuse proposition lui avait donné espoir.

Elle n'aurait jamais proposé de l'épouser si elle n'avait absolument rien éprouvé pour lui… Ce soir, ils parleraient de tout cela devant un bon repas, à l'Aigle d'Argent. Joanna était censée quitter la ville juste après les fêtes, et il allait lui demander de rester.

Son téléphone portable retentit sur la table de la cuisine.

— Tu peux répondre ? cria-t-elle, de la chambre à coucher.

— Ben ? s'esclaffa Gina. Pendant un quart de seconde, j'ai crû que je m'étais trompée de numéro.

— Je suis passé prendre Joanna. Que se passe-t-il ?

— Harry, le correspondant de la FedEx[1], est ici, à Naissances. Il cherche Joanna. La clinique était fermée alors il est passé ici. Il a un paquet express pour elle et il lui faut sa signature. Vous serez toujours là-haut, dans un quart d'heure, si je lui indique la route ?

— Bien sûr !

1. Société de transports routiers œuvrant sur l'ensemble du territoire.

— J'ai jeté un coup d'œil à l'adresse de l'expéditeur. Ça provient d'une clinique réputée, en Californie. Tu es au courant, non ? demanda-t-elle, après une petite pause.

— Elle m'a parlé d'un emploi, oui. Je lui dirai que tu as appelé…

— Attends ! Ne raccroche pas. Tu ne comprends pas ce que j'essaye de te dire ?

— Son courrier ne me regarde pas !

Gina laissa échapper un soupir exaspéré.

— Ecoute, je sais que tu l'aimes vraiment beaucoup et je ne veux pas que tu souffres. Tu comprends ?

Mal à l'aise, il jeta un coup d'œil en direction de la chambre de Joanna.

— Merci, sœurette. Je suis assez grand…

— Ben, elle m'a confié qu'un poste important l'attendait à San Diego…

— Je sais.

— Ce n'est pas un simple travail ! Il s'agit d'un emploi dans une des cliniques pédiatriques les plus prestigieuses du pays. Ils l'attendent dès la première semaine de janvier.

Ben ferma brièvement les yeux. Ainsi, elle lui avait proposé de l'épouser pour le seul bien de Max… Et elle n'aurait pas hésité à sacrifier sa carrière…

Il resta longtemps immobile, à contempler le téléphone, après la fin de la communication.

Certes, il la voulait. Il l'aimait ! Il s'imaginait sans peine la vie qu'ils mèneraient, tous les deux, au ranch, à regarder Max grandir, en compagnie d'éventuels frères et sœurs.

Ce soir, il était venu lui demander de l'épouser. Il avait envisagé un vrai mariage, pas un arrangement. A présent… Il se demandait ce qui était le mieux, pour elle. Une petite bourgade isolée, auprès d'un éleveur de chevaux à moitié fauché… ou la possibilité de se faire une réputation, dans le domaine professionnel qu'elle adorait ?

Joanna pénétra dans la pièce, quelques minutes plus tard.

— On peut y aller ?

Elle portait une petite robe de soie noire, toute simple, et qui épousait ses formes à merveille. Un diamant brillait à son cou, rivalisant d'éclat avec ses boucles d'oreilles assorties. Un bracelet scintillait à son poignet et ses cheveux blonds étaient remontés en un chignon, dont quelques boucles rebelles s'étaient déjà échappées.

— Tu es… magnifique, murmura-t-il.

Elle s'approcha de lui et posa une main légère sur le pan de sa veste, tendant la bouche vers lui, en quête d'un baiser.

Il lui effleura d'abord timidement les lèvres, puis se laissa happer par le plaisir. Le désir survint, fulgurant, lorsque, l'attirant plus près de lui, il se rendit compte de ce que le décolleté de sa robe descendait en bas de son dos.

— Tu veux vraiment sortir, ce soir ? lui chuchota-t-il à l'oreille. Dans ce cas, tu aurais dû mettre une autre robe…

Elle se dégagea en riant.

— Pas si vite, cow-boy. J'ai hâte de voir cette lueur dans tes beaux yeux, quand tu seras devant un bon steak… Nous discuterons du mariage après. Nous avons tant de décisions à prendre, en si peu de temps… La mairie ou l'église ? Demoiselles d'honneur ou stricte intimité ?

Ces paroles eurent l'heur de le ramener à la réalité. Il sentit son cœur se serrer, avant même d'avoir commencé à parler.

— A propos de ce mariage, justement… Ce… Ce ne sera pas nécessaire.

Le sourire de la jeune femme s'évanouit. Elle le dévisagea, les yeux écarquillés.

— Qu'est-ce que tu dis ?

— Je sais que nous ne voulons nous marier ni l'un ni l'autre. Je ne veux pas m'engager et tu m'as dit que tu ne le souhaitais pas non plus. En fait, je suis surtout doué pour les relations à court terme…

— Et Max…

— Holly m'a accordé la garde de Max. Elle est repartie cet après-midi, sans la petite, et tout est réglé, à l'exception de quelques détails juridiques. Alors, tu n'as plus besoin de te sacrifier et moi, je reste libre, ajouta-t-il avec un sourire forcé.

— Je vois ! Tu as ce que tu voulais… Je suis contente pour toi.

— Je te remercie. Tu as été vraiment formidable, Jo. Merci.

Elle vacilla un instant sur ses hauts talons. Puis, redressant les épaules, elle le considéra avec une assurance feinte.

— Ce n'est rien ! Nous sommes amis, après tout !

19.

Dylan examinait son oncle, assis en face de lui.

— Qu'est-ce qu'il y a ? demanda-t-il. Tu es malade ?

— Pas du tout ! Et je ferais bien d'y aller. J'ai du pain sur la planche !

— Tu ne m'as pas l'air dans ton assiette, lança Sadie, préoccupée, en s'avançant vers lui. Tu as de la fièvre ? Des frissons ? Il paraît que la grippe rôde, en ce moment...

— Je n'ai pas très bien dormi, tantine, répondit-il d'un ton las. Rien de grave ! Ça te dirait de venir m'aider, demanda-t-il à Dylan. Pendant tes congés, tu pourrais travailler pour moi... à 6 dollars de l'heure. Tu es un bon cavalier, à présent... Tu pourrais entraîner les plus âgés des poulains.

Dylan ne put réprimer un sourire radieux. Si Ben l'avait laissé monter les poulains du ranch, jamais encore il ne lui avait confié ceux de ses clients.

— Super ! Tu n'es pas obligé de me payer, tu sais !

— Tout travail mérite salaire. Viens me rejoindre quand tu auras fini d'aider Sadie.

Sadie attendit que Ben fût sorti, et se précipita vers Dylan.

— Je ne l'avais encore jamais vu confier ses chevaux à quelqu'un d'autre que Rafe ou Manny. Il est plutôt tatillon, dans ce domaine. Tu dois être drôlement doué !

— C'est qu'il m'a dressé, moi aussi, tu sais ! reconnut l'adolescent en baissant la tête.

A sa grande surprise, il s'était mis à apprécier sa vie au ranch. Ici, on avait besoin de lui et il avait cessé de compter les heures et les jours qui le séparaient du retour de son père. Il lui arrivait même de s'imaginer passant sa vie à Shadow Creek. Les lumières et les trépidations des grandes villes ne rivalisaient décidément pas avec les chaînes du Sangre de Cristo. Et il lui paraissait désormais à la fois stupide et puéril de traîner avec ses copains pour jouer les gros durs.

Un cri impatient leur parvint, de l'autre bout de la maison.

— Max est réveillée, marmonna Sadie en sortant de la cuisine à pas précipités. Elle va avoir faim !

Dylan débarrassa la table, empila les assiettes sur le rebord de l'évier, puis traversa la cuisine pour aller chausser ses bottes. La portière d'une voiture claqua, au-dehors, et Blue se mit à aboyer. Encore une chose qui lui manquerait : Blue le suivait partout, même lorsqu'il partait à cheval à travers les montagnes.

La porte s'ouvrit à toute volée et l'adolescent regarda sans comprendre l'homme qui se tenait à quelques mètres de lui.

— *Papa ?*

Phil jeta sa casquette sur le comptoir et déposa son sac de toile, avant de s'avancer vers lui pour l'étreindre avec force.

— J'ai voulu te faire la surprise, annonça-t-il en le relâchant. Je ne pensais pas pouvoir rentrer pour Noël… et puis tout s'est arrangé… Alors me voilà !

— Super ! s'écria Dylan, aux anges. Attends d'avoir vu les chevaux… Et Max ! Et tout le monde !

— Ben m'a dit que tu avais été parfait, fiston. D'après lui, tu es devenu un bon éleveur ! Nous avons du temps à rattraper, toi et moi, non ?

Dylan sentit sa joie l'abandonner et son estomac se serrer.

— Nous… partons tout de suite ?

Phil renversa la tête en arrière et partit d'un rire sonore.

— J'ai l'impression que tu te plais bien, ici, et tu m'en vois ravi ! Non. Nous ne repartons pas tout de suite. J'ai deux semaines de vacances, ensuite je repartirai à l'étranger et tu auras le choix... Enfin, nous parlerons de ça plus tard. Je suis venu directement de New York ; j'aimerais bien manger quelque chose et dormir un peu.

— Le choix ? insista Dylan, avec méfiance. Quel choix ?

Phil se déchaussa et passa son sac sur son épaule.

— Je vais repartir pour quelques mois, fiston. Ensuite, je m'arrangerai pour rester définitivement à la maison, afin que nous puissions nous installer vraiment, toi et moi. En attendant, est-ce que tu veux rentrer chez nous, avec la gouvernante ?

— ... Ou bien ?

Phil haussa les épaules avec une nonchalance démentie par la lueur taquine qui brillait dans ses yeux.

— Ou bien tu restes ici. Ben est d'accord. Pour ma part, j'hésite... Je me rappelle certains de tes e-mails, au début de ton séjour ici. Tu me décrivais cette ville comme un trou perdu, comme le bout du monde, en quelque sorte...

— Hum. Des fautes de frappes, sans doute, balbutia Dylan.

Abandonnant soudain sa désinvolture, il alla étreindre son père. Il avait été heureux, ici. Et il était ravi de rester plus longtemps. Il n'en restait pas moins que son plus beau cadeau de Noël était la présence de son père, pour les fêtes.

Joanna se redressa et s'assit sur le rebord de son lit, le cœur gros.

Qu'avait-elle donc ? Sans doute la fatigue... Une grosse fatigue... alliée à sa déprime saisonnière, et à son propre embarras.

C'était lamentable, de s'être ainsi jetée au cou du célibataire le plus courtisé du comté. S'était-il aperçu de son émotion, quand il était venu la chercher, la veille ?

Elle lui avait proposé de l'épouser, afin qu'il ait toutes les chances d'obtenir la garde de sa petite fille. Elle avait lancé cette idée… par altruisme, c'était tout. Mais plus elle y avait pensé, plus elle avait eu hâte de devenir la femme de Ben Carson. Elle s'était même prise à rêver qu'ils finiraient par former un véritable couple, épris l'un de l'autre et prêt transformer un arrangement en véritable union.

Au lieu de quoi, il lui avait annoncé avec un soulagement évident que cela n'était plus nécessaire et qu'il allait reprendre sa vie de séducteur sans attaches…

Au souvenir de l'effort qu'elle avait dû faire, la veille, pour alimenter ensuite la conversation, elle fut reprise de nausées. De nouveau, elle perçut ces coups qu'elle avait d'abord cru entendre en rêve. Totalement réveillée, à présent, elle finit par comprendre qu'on frappait à sa porte avec insistance. Moose s'était levé, lui aussi, et, les oreilles dressées, gémissait devant la porte de sa chambre.

— Tu fais un sacré chien de garde ! maugréa-t-elle en retirant sa chemise de nuit pour enfiler un jogging. Allez viens !

Elle jeta un coup d'œil par le judas et ouvrit la porte immédiatement.

— Officier Eiden !

— Et oui ! dit-il en retirant son chapeau, comme le faisaient la plupart des hommes, dans la région.

— Que se passe-t-il ?

Un couple se tenait devant la voiture de patrouille, semblant passer en revue son pâturage. L'homme fit un geste en direction du corral et tous deux partirent dans cette direction.

— Qui sont ces gens ?

Eiden pivota sur lui-même. Lorsque l'homme lui eût fait signe, il se retourna vers elle, impassible.

— Ils sont venus d'Albuquerque, après avoir reçu une information concernant un bien qui leur a été volé.

Interloquée, elle le dévisagea un instant.

— Quel bien volé ?

— Désolé, docteur. Je dois vous emmener au poste pour vous interroger.

— Si c'est une plaisanterie, elle n'est pas du meilleur goût !

— Cela n'a rien d'une plaisanterie. Surtout par chez nous ! Vous feriez bien de rentrer votre chien et d'aller chercher votre sac, car j'ai l'impression que ces personnes sont décidées à porter plainte… A moins, bien sûr, que vous n'ayez des preuves irréfutables.

— Des preuves ?

— Les Faraday viennent d'identifier leur cheval, madame. Ce hongre est le champion qui a été volé dans leur écurie, en octobre dernier. Il vaut une fortune et ses propriétaires, ont très mal pris sa disparition !

En voyant sortir Miguel Eiden de sa voiture de patrouille, Stuart s'enfonça davantage dans les buissons et s'accroupit. Que faisait-il là ? Joanna avait-elle prévenu la police ?

A cette pensée, son cœur se serra et il sentit une sueur froide perler à son front.

Il était convaincu que le médecin l'avait reconnu, sur la route du pic, le samedi précédent. Cela n'aurait dû avoir aucune importance. Il y avait sûrement eu des dizaines d'allers et venues, sur cette route, et le temps qu'on retrouve le corps de Paul, il serait probablement impossible de déterminer la date exacte de son décès.

Seulement à présent… Ses mains se firent moites, dans ses gants de cuir et un frisson lui parcourut le dos. Ce matin-là, après le départ de Fiona pour l'école primaire où elle travaillait bénévolement, Stuart avait ouvert son secrétaire, chez lui, dans l'intention de se débarrasser des papiers compromettants sur ses tractations avec Paul.

Une fois qu'ils auraient disparu, personne ne serait en mesure de trouver un motif qui le lie, de près ou de loin, à la mort de Paul. Malheureusement, les dossiers sensibles que Stuart cachait dans son secrétaire avaient disparu. Purement et simplement. Et lorsqu'il avait constaté avec épouvante que le tiroir était vide, il en était devenu malade.

Il avait alors frénétiquement vidé de leur contenu tous les tiroirs, l'un après l'autre, éparpillé les documents qui traînaient sur le bureau, fouillé les étagères, en vain. Il s'était même précipité jusqu'à son agence, dans l'espoir de remettre la main sur les précieux papiers.

Il avait fait installer un système de sécurité dans les deux endroits et personne n'aurait pu en venir à bout et voler ces dossiers… mise à part sa femme ! Elle posait beaucoup de questions, ces derniers temps et des questions ciblées ! Par ailleurs, la manière dont elle le regardait, quand il s'enfermait dans son bureau, ne lui avait pas échappé.

Dès lors, il ne lui avait fallu que quelques minutes pour se souvenir de sa visite au médecin, la veille, sous un prétexte fallacieux. Elle avait été si tendue, lorsqu'il avait interrompu leur entretien. Lui avait-elle remis les dossiers, pour plus de sûreté ?

Elle devait penser qu'ils lui seraient utiles, en cas de divorce. A moins qu'elle n'ait voulu les garder pour asseoir son emprise sur lui…

Il avait envisagé toutes les possibilités et ne pouvait négliger la plus dangereuse : si on retrouvait le corps de son associé, ces fichus documents mettraient le premier enquêteur venu sur sa piste.

La conversation entre l'officier de police et la jeune femme prit brutalement fin. Elle rentra dans la maison, dont elle ressortit quelques secondes plus tard, un petit sac à la main. Après avoir rentré son énorme cabot dans l'écurie, elle monta dans la voiture de patrouille. Les deux autres personnes regagnèrent leur véhicule et les suivirent.

Stuart contempla un instant l'allée déserte qui sinuait vers Charme. Il patienta une quinzaine de minutes, avant de s'aventurer dans la prairie. Puis il contourna le chalet et essaya toutes les issues. Elles étaient fermées.

Il trouva des pierres, non loin de là, en souleva une et visa la fenêtre de devant. Le verre brisé se répandit sur le plancher, comme une rivière de diamants.

La peur indicible qui s'était emparée de lui, quand il avait vu Eiden s'arrêter devant le chalet, avait disparu, laissant place à la fureur.

Si les dossiers étaient là, il les trouverait. Dans le cas contraire, il irait fouiller la clinique. Son avenir et sa liberté en dépendaient. Il devait détruire cette mine d'informations, avant qu'elle ne tombe entre de mauvaises mains.

Et il ne laisserait rien, ni personne, se mettre en travers de son chemin.

Deux heures plus tard, les Faraday s'arrêtaient devant la clinique pédiatrique. Mme Faraday se retourna et tendit la main à Joanna.

— Je suis désolée de ce grabuge, mon petit. Nous nous sommes fait tant de souci pour Pilote !

— Je comprends, rétorqua la jeune femme, en rassemblant ses affaires. C'est un sacré personnage et il va me manquer. Bien sûr, il m'a donné du fil à retordre… Mais c'est un animal très attachant.

M. Faraday lui jeta un coup d'œil dans le rétroviseur.

— Notre enquêteur a déjà retrouvé la trace du type qui vous a revendu Pilote. Je suis convaincu qu'il a agi pour le compte d'une de nos chefs d'écurie, que nous avons dû renvoyer, il y a peu. Nous l'avions menacée de la poursuivre en justice pour malversation et c'est sûrement par vengeance qu'elle a emmené notre cheval à cette foire, si loin de chez nous…

— Et comme elle a fait passer Pilote pour un hongre handicapé à vie, il est évident qu'elle voulait l'envoyer tout droit à l'abattoir. Nous vous sommes infiniment reconnaissant de vous en être si bien occupée !

— Une question, encore… Un éleveur du coin a essayé de le monter et…

— Un homme ? pouffa Mme Faraday. Pilote est un amour, cependant, il a des idées assez arrêtées, quant à ses cavaliers.

— Nous pensons qu'il a été maltraité par un propriétaire de sexe masculin, reprit son mari. Vous êtes certaine que vous ne voulez pas que nous vous ramenions chez vous ? Ça ne nous dérange pas, vous savez !

— Je vous remercie. Je dois travailler, alors autant y aller tout de suite ! Ma secrétaire me ramènera chez moi ce soir. Quand comptez-vous passer chercher Galaad… euh Pilote ? Demain ?

— Tôt dans la matinée, répondit Mme Faraday, en tirant une enveloppe de la boîte à gants. J'espère que ceci suffira à couvrir vos frais…

Joanna hésita.

— Je vous en prie, mon petit. Vous vous êtes merveilleusement occupée de lui, et nous vous sommes infiniment redevables.

A contrecœur, elle finit par accepter le chèque. Elle le donnerait à Ben, pour payer les études de Max. Un cadeau d'adieu, en quelque sorte.

« Je devrais être soulagée ! Tout est bien qui finit bien, après tout » songea-t-elle.

Elle n'avait plus à se soucier de trouver une pension pour Galaad, quand elle partirait en Californie. Alors, tout était pour le mieux, non ?

Pourtant, ce n'était pas du soulagement qu'elle éprouvait, mais une sensation de vide. Malgré tous les problèmes qu'il lui avait valus, elle s'était attachée au vieux cheval, et il allait beaucoup lui manquer.

Quant au sentiment de perte qu'elle éprouvait vis-à-vis de Ben… Elle préférait ne pas y penser.

Toute la journée, le sourire aux lèvres, Joanna gazouilla avec les bébés, négocia avec les adolescents, rassura les parents, et prodigua force conseils médicaux. Pourtant, ses pensées étaient rivées sur le ranch de Shadow Creek, sur Max et Ben… Et sur tout cet avenir avorté.

— Ouf ! soupira Nicki, après le départ du dernier patient. Sacré journée, non ?

Joanna se contentant de hocher la tête, la réceptionniste fronça les sourcils.

— Ça ne va pas ?

— Si, si ! Très bien !

— Et Ben ? Il avait l'habitude d'appeler tous les jours.

— Il doit avoir autre chose à faire…, répondit évasivement Joanna. Je dois relire ce dossier, dit-elle en agitant une liasse de papiers. Je serai dans mon bureau, si vous me cherchez.

Nicki regarda la nuit, au-dehors, puis consulta la pendule.

— Il est déjà 17 h 30 et le drugstore ferme à 18 heures. Vous voulez que je vous ramène chez vous tout de suite, ou j'ai le temps d'aller faire une course ?

Galaad ne repartirait pas avant le lendemain matin. Rien n'aurait donc vraiment changé, au chalet. Malgré tout, l'idée de se retrouver toute seule là-haut ne faisait qu'accroître son sentiment de vide.

— Plus tard, si ça ne vous dérange pas.

— Je pourrais même terminer mes achats de Noël et revenir vers 19 heures, qu'en dites-vous ? demanda Nicki avec un sourire conspirateur. Et si jamais vous voulez parler… Je peux vous aider. En ce qui concerne Ben, je veux dire.

La dernière chose que Joanna souhaitait entendre, c'était les conseils d'une midinette de dix-neuf ans.

L'amour faisait mal. Il était porteur de déception. Et ce n'était pas cette gamine qui allait changer quoi que ce soit au fait que Joanna repartirait pour la Californie dans moins de deux semaines… Seule.

— Merci, Nicki, dit-elle en souriant. Je sais que vous nous voyiez déjà parcourir les montagnes sous le soleil couchant, Ben et moi. Malheureusement, je dois repartir d'ici peu, et lui, il est obligé de rester ici.

— Si vous n'avez jamais espéré que les choses iraient plus loin, pourquoi êtes-vous si triste, ces derniers temps ? Vous ne mangez plus, vous avez mauvaise mine… On ne fait pas toujours ce qu'on a prévu, dans la vie ! s'obstina-t-elle.

— Revenez me chercher vers 19 heures, dit Joanna en la poussant vers la porte. Et ne vous inquiétez pas si vous n'êtes pas à l'heure. J'ai beaucoup à faire !

Nicki poussa un long soupir et, sortant ses clés de voiture de sa poche, se dirigea vers la sortie.

Lorsque la porte se referma, Joanna soupira à son tour, et regagna son bureau. Le silence, enfin… Seulement interrompu par le vent bruissant à travers les pins, et les branches d'arbres cognant contre le bâtiment.

Elle perçut un léger bruit, contre la vitre. Le cœur battant, elle se figea et tendit l'oreille.

Elle fit pivoter sa chaise et ne vit que son propre reflet.

Ce n'était qu'une branche. Malgré tout, elle tendit la main vers les cordons des persiennes et les baissa promptement.

De nouveau, le bruit se fit entendre. Etait-ce réellement le vent… ou autre chose ?

Son imagination devait lui jouer des tours. Pourtant, elle se leva et alla vérifier, d'un pas mal assuré, le verrou de la porte arrière de la clinique, avant de retourner vers l'accueil.

Bien que les persiennes eussent été tirées dans la salle d'attente, n'importe qui aurait pu regarder à l'intérieur. Jusque-là, cela ne l'avait pas dérangée. A présent… C'est avec un mauvais pressentiment qu'elle s'avança vers la porte de devant.

« Tu as absorbé trop de caféine, ma fille ! Et tu t'es un peu trop attardée sur le dernier Stephen King, la nuit dernière… » songea-t-elle, en s'avançant vers l'entrée, pour la verrouiller à son tour.

La porte s'ouvrit à toute volée. Elle allait pousser un cri, mais le réprima. Fiona se tenait devant elle, échevelée, les yeux fous, une poche de son manteau partiellement arrachée.

— Vite ! cria-t-elle, à bout de souffle.

Virevoltant sur elle-même, elle referma la porte et tira le verrou. Elle paraissait terrorisée.

— Les persiennes. Fermez les persiennes, Joanna !

— C'est Stuart ? Il vous suit ?

— Je… Je ne sais pas.

— Que s'est-il passé ?

— Je… Je rentrais chez moi, il y a une heure, environ. J'étais partie donner un coup de main à l'école, avant d'aller déposer Jason chez ses grands-parents, pour la nuit. Je… Je voulais finir d'emballer les cadeaux de Noël ce soir, dit-elle en déglutissant péniblement. Ma maison… Oh !

Elle pleurait à présent à gros sanglots, tout en aidant Joanna à baisser complètement, l'une après l'autre, les persiennes de la clinique.

— Pendant mon absence, Stuart a dû se rendre compte de la disparition de ses dossiers. Il a mis la maison à sac pour les retrouver. Vous les avez toujours ?

— Je les ai déposés dans la boîte aux lettres du commissariat, hier soir, comme vous me l'avez demandé…, répliqua Joanna en l'attrapant doucement par les épaules. Calmez-vous ! Les portes sont cadenassées. Vous avez prévenu la police ?

Fiona ne semblait pas l'avoir entendue.

— Tout était renversé. Son bureau. Notre chambre… J'étais là, debout, et terriblement choquée, lorsqu'il a surgi du sous-sol. Je ne l'avais jamais vu aussi en colère. Je crois qu'il m'aurait tuée si je ne m'étais pas enfuie ! Il avait pris les clés de ma voiture, alors je suis partie à pied ! Je… je courais et je suis tombée. Ensuite, je me suis perdue… Je… voulais arriver jusqu'ici. C'était le plus proche…

Exaspéré, Stuart contemplait fixement sa maison saccagée.

Il avait fouillé le chalet de Joanna, de fond en comble, puis sa propre demeure, sans trouver les documents. C'est en voyant le mélange de culpabilité et de panique sur le visage de Fiona, ce soir, qu'il avait compris.

Cette chienne l'avait trahi.

Imaginant le pire, il ferma les yeux un instant. Celui qui examinerait ces documents y trouverait suffisamment de preuves de ses malversations pour l'envoyer en prison pendant dix bonnes années. Et si jamais on retrouvait le corps de son associé, il était bon pour la perpétuité.

Ça n'allait pas se passer comme ça.

La clinique pédiatrique serait sûrement fermée, à cette heure-ci. Il pouvait s'y rendre en cinq minutes, s'y introduire, trouver ce qu'il cherchait et rentrer chez lui. Cela lui prendrait une demi-heure, tout au plus. C'était le seul endroit où Fiona avait pu cacher les documents.

Il eut un sourire mauvais. Il allait récupérer ces dossiers. Ensuite, il s'occuperait de sa femme. Et quand il en aurait terminé avec elle, elle n'essayerait plus jamais de se mettre en travers de son chemin.

Lorsqu'il arriva à la clinique, et bien qu'il n'y eût aucune voiture sur le parking, la lumière était toujours allumée. Stuart resta debout devant le bâtiment pendant quelques minutes, essayant de distinguer quelque mouvement derrière les persiennes tirées.

Il voulut ouvrir la porte de devant, s'aperçut qu'elle était fermée et frappa un petit coup. Il attendit, frappa plus fort et, n'obtenant aucune réponse, contourna le bâtiment, pour essayer la porte de derrière. Il s'arrêta ensuite devant chaque fenêtre, se mettant sur la pointe des pieds pour essayer de voir à travers les lattes. Soudain, quelque chose bougea dans la pièce du fond.

Bon sang ! Si le médecin était toujours là, il lui faudrait attendre une éternité…

Il chercha à tâtons un promontoire, trouva un pot de fleurs, sous la neige, l'extirpa du sol et le tira jusqu'à la fenêtre. Montant dessus, il examina la situation.

Joanna Weston n'était pas seule. Fiona était là, elle aussi, visiblement très agitée.

Il n'eut pas besoin d'entendre ce qui se disait pour comprendre que sa chère épouse était en train de sceller son destin. En jurant, il descendit de son perchoir et se précipita vers la porte principale.

Il devait l'arrêter avant qu'il ne soit trop tard.

Une main s'acharnait sur la poignée de la porte d'entrée.

— Fiona ! Je sais que tu es là. Je suis désolé… Je n'aurais pas dû perdre patience. Je voudrais te parler !

Terrorisée, Fiona se mit à trembler.

— Je me suis enfuie par les jardins ! Je croyais l'avoir semé !

— Fiona ! Ne sois pas bête ! Je suis désolé, je te dis. Je sais que tu es un peu irrationnelle, ces derniers temps. Ça doit être ta grossesse, et tout ça… Tu as parlé à Joanna de tes hallucinations ? poursuivit-il, d'une voix étrangement chantante. Viens, on va discuter de tout ça calmement. Ensuite, j'irai te chercher tes tranquillisants.

— C'est faux ! s'écria Fiona, un poing contre sa bouche. Il ment !

— Ne bougez pas. Tout ira bien, chuchota Joanna, s'efforçant de garder son calme. Les verrous sont solides… Je vais appeler la police.

Des coups de poing s'abattirent sur la porte. Puis un autre, plus fort, probablement porté par une chaussure, et qui fit tomber quelques parcelles de plâtre du plafond.

Joanna se précipita vers la réception et composa le numéro d'urgence, avant de porter le combiné à son oreille.

La ligne était coupée.

— Suivez-moi, dit-elle fermement. Mon portable est dans mon bureau. Nous fermerons la porte et la bloquerons avec mon secrétaire. Tout ira bien jusqu'à l'arrivée des secours.

Prenant Fiona par le bras, Joanna l'entraîna dans le couloir. A mi-chemin, Fiona se mit à gémir et prit appui contre le mur, le visage baigné de transpiration. Elle inspira longuement, avant de haleter, le temps de laisser passer la contraction.

— J'ai… J'ai un peu exagéré.

Joanna alla chercher une petite boîte en plastique, dans une salle d'examen et revint immédiatement.

— On va également prévenir l'hôpital, d'accord ?

Elles venaient d'atteindre le bureau lorsqu'elles entendirent un bruit de verre brisé, suivi d'un autre, plus sourd.

— Il entre par la fenêtre ! hurla Fiona. Oh, mon Dieu ! Il arrive !

Joanna claqua la porte, la verrouilla et examina le meuble en chêne à sa droite.

— Je vais le faire basculer pour bloquer la porte. Prenez mon portable, dans mon sac, et demandez de l'aide.

Fiona se tenait immobile, au milieu de la pièce.

— Allez, Fiona ! Pas de temps à perdre !

— Je… Je n'aurais jamais dû prendre ces dossiers, bredouilla-t-elle, les yeux remplis de larmes. Ils étaient si bien cachés que j'ai crû qu'il ne s'en rendrait pas compte tout de suite…

— Appelez les secours ! répéta Joanna.

Fiona tremblait de tous ses membres devant le sac de Joanna, tenant mollement le portable en main.

— Vous avez appelé ? demanda Joanna à voix basse.

La jeune femme sursauta, puis composa le numéro.

— Fiona vous a remis quelque chose qui m'appartient, je crois, susurra Pennington, de l'autre côté de la porte. Des documents d'affaires. Confidentiels… Tout ce que je veux, c'est les récupérer. Je ne ferai de mal à personne.

Pour toute réponse, Joanna tira une lourde table à travers la pièce et la plaça devant le meuble renversé. Avec un sourire faible, Fiona leva les deux pouces.

— La police est en route. Ils seront là dans dix minutes.

— *Dix minutes* ?

Le couloir était étrangement calme. Trop calme, songea Joanna, mal à l'aise. Si jamais il prenait à Stuart la fantaisie de mettre le feu à la clinique, les deux femmes devraient s'échapper par la fenêtre, ce qui, vu l'état de Fiona…

La fenêtre !

Horrifiée, elle se précipita à l'autre bout du bureau. La bibliothèque ? Elle était rivée au mur. Le secrétaire ?

Le carreau cassé se projeta dans toute la pièce. Suivi d'un morceau de ciment, qui s'écrasa à ses pieds.

Une fraction de seconde plus tard, deux mains grasses et parsemées de taches de rousseur, s'acharnaient sur le loquet.

Fiona poussa un hurlement et alla se réfugier contre le mur opposé. Joanna, elle, s'empara de la boîte en plastique qu'elle avait jetée sur le bureau. Fermant brièvement les yeux, et rassemblant tout son courage, elle en tira un scalpel dont elle retira l'emballage protecteur.

— Ne bougez pas, Stuart, sinon vous allez le regretter, dit-elle avec un calme qui n'annonçait rien de bon.

Pennington continua d'actionner le loquet, et réussit à le soulever.

— C'est ce que nous allons voir…

— Je vais être plus claire…, reprit-elle en frissonnant. Je suis armée. Essayez un peu de passer par cette fenêtre et je vous tranche le cou.

— Chiche ! s'esclaffa-t-il.

Joanna était fortement opposée à toute forme de violence. Le serment qu'elle avait fait en devenant médecin était devenu sa devise personnelle, au fil des ans. Néanmoins, elle n'avait aucun doute sur ce qui se passerait si jamais Stuart parvenait à pénétrer dans la pièce.

Ses avant-bras apparurent en premier. Puis il se pencha en avant et les deux femmes virent son visage. Joanna l'attrapa par ce qui lui restait de cheveux et lui fit tourner la tête. De l'autre main, elle apposa la pointe du scalpel sous son oreille.

— Vous n'avez pas intérêt à perdre l'équilibre, murmura-t-elle. Parce qu'au moindre mouvement, ce scalpel s'enfoncera dans votre carotide. C'est clair ?

Il essaya de se dégager, mais Joanna, appuya un peu plus fort sur le scalpel, et une goutte de sang surgit. Immédiatement, Pennington se calma.

— Personnellement, je n'aurais aucun remords à vous voir mourir, poursuivit-elle doucement. Nul doute que cela serait considéré comme un acte d'autodéfense, devant un tribunal. Effraction. Intention de nuire à autrui. Maltraitance conjugale… J'en passe et des meilleures… dont les preuves sont certainement dans ces fameux dossiers… Malheureusement pour vous, ils ne sont plus ici.

Des sirènes retentirent au loin.

Des brindilles craquèrent, plus près d'eux. Il y eut quelques bruits de pas, qui s'arrêtèrent sous la fenêtre.

— Que se passe-t-il, ici ?

Il faisait trop noir pour que Joanna puisse le voir, toutefois, elle reconnut immédiatement sa voix.

Ben !

Stuart se remit à gigoter.

— Elle est folle, siffla-t-il. Je suis venu les aider et…

— Lâche-le ! ordonna Ben.

— Non ! Il veut absolument entrer. Il…

— Je sais… Lâche-le.

A contrecœur, elle s'exécuta.

Stuart vola en arrière et disparut. Elles entendirent le bruit mou d'un coup de poing, puis Ben apparut à la fenêtre.

— Comme ça, il ne s'échappera pas, annonça-t-il, visiblement satisfait. Vous n'avez rien ?

Le son des sirènes se rapprochait. Deux voitures de patrouille s'arrêtèrent devant la clinique et trois officiers encerclèrent le bâtiment, leurs torches formant des arcs dans les buissons.

Une demi-heure plus tard, Stuart était en route pour le commissariat et l'un des officiers faisait monter Fiona dans sa voiture.

— Je vous suis dans quelques minutes, lui annonça Joanna en lui tapotant la main. Si vous n'accouchez pas cette nuit, je viendrai dormir chez vous, pour ne pas vous laisser seule, d'accord ?

Fiona leva son visage baigné de larmes et gratifia Joanna d'un faible sourire.

— C'est tellement… Tellement…

— Je sais. Tout ira bien, dorénavant. C'est promis !

Debout dans la neige, elle regarda les voitures s'éloigner. Il ne restait plus que Ben et elle. Avec un peu de chance, il allait repartir, lui aussi, et mettre fin à ce moment embarrassant.

— Merci, marmonna-t-elle. Encore que je n'aie toujours pas compris ce que tu faisais là. Je pensais que tout était réglé !

Une lueur brilla au fond des yeux du jeune homme. Son expression se fit plus calme.

— J'ai rencontré Nicki en ville. Elle m'a dit que tu voulais me voir.

Voilà pourquoi la réceptionniste avait tant insisté pour prendre son temps avant de revenir la chercher ! Elle avait concocté une entrevue entre Ben et Joanna !

— Elle continue d'espérer que toi et moi… C'est idiot, non ?

— Idiot, répéta-t-il… Dis-moi, quand tu m'as demandé en mariage, tu trouvais cela idiot ?

— Tu ne veux pas t'engager et j'ai un poste en Californie.

Devant son air perplexe, elle crut bon d'ajouter :

— C'est toi-même qui me l'as dit.

Elle dévisagea le jeune homme, pour s'imprégner de son visage sombre et de son sourire laconique. Elle aurait aimé avoir des photos à emporter avec elle, pour ne jamais oublier ses traits.

Le lendemain, comme prévu, elle irait passer Noël au ranch. L'éventualité de rester seule dans son chalet était trop déprimante pour qu'elle l'envisageât. Ensuite, elle partirait pour la Californie et elle ne verrait jamais plus Ben Carson.

Et ce Noël serait un triste souvenir de plus, dans sa vie.

20.

Le 24 décembre, après la messe, la famille au complet se réunit au ranch pour le traditionnel repas concocté par Sadie.

Max se débattait pour descendre des bras de Ben et s'avança maladroitement jusqu'au sapin, où elle s'agenouilla devant un énorme cadeau, qu'elle tenta d'ouvrir.

— Qui commence ? Regan ? demanda Gina, amoureusement pelotonnée contre son mari, sur le canapé.

— Non ! Moi ! s'écria Allie.

Elle laissa tomber le paquet qu'elle tenait et se précipita vers le vieux piano remisé au bout de la pièce.

En se mordillant la lèvre, elle joua à deux doigts un chant de Noël. En descendant du tabouret, elle fit une petite révérence, révélant par son sourire deux dents manquantes.

— Superbe, ma chérie ! s'exclama Zach, au milieu des applaudissements. Parfait !

Elle le considéra d'un air radieux et monta sur ses genoux.

— Je l'ai apprise rien que pour toi, dit-elle. Parce que tu es revenu. Maman nous a promis que nous prendrions des cours, maintenant. C'est une des belles choses qui se sont passées cette année. L'autre, c'est que mon papa est là !

Assis près de l'âtre, à côté de son père, Dylan dévisagea Ben d'un air interrogateur.

— Avant d'ouvrir nos cadeaux, nous évoquons toujours ce qui nous a été donné pendant l'année écoulée, expliqua Sadie en lui tapotant la cuisse.

Une ombre passa sur le visage de l'adolescent.

— Je sais que j'ai commencé par me conduire comme un imbécile, déclara-t-il lentement. Pourtant, je suis heureux d'être ici. Je n'ai jamais passé de telles fêtes, ajouta-t-il, en baissant la tête. D'habitude, on est tous seuls, papa et moi !

Joanna sentit une boule se former dans sa gorge. Cela ne fit qu'empirer lorsqu'elle se tourna vers Gina et Zach. L'amour qui les unissait était palpable, même de l'autre bout du salon.

— Nous, nous sommes heureux d'être ensemble, dit simplement Zach. C'est le plus important.

— C'est vrai, renchérit Gina. Cela dit, j'ai eu d'autres bonnes nouvelles, aujourd'hui. Lydia nous a toutes convoquées dans son bureau, pour nous annoncer que nous reprendrions nos horaires de travail normaux, d'ici peu.

— Génial ! s'écria Ben en se levant. Que s'est-il passé ?

— Fiona Pennington est passée à Naissances. C'était une fausse alerte, l'autre soir. Bref… Elle a annoncé à Lydia et à Parker que sa famille allait se remettre à subventionner la maternité.

— C'est fantastique ! commenta Joanna.

Ben s'éclaircit la gorge.

— J'ai été gâté, cette année. Vous êtes tous là, le ranch tourne bien… J'ai eu le plaisir de rencontrer Dylan… Et j'ai ma fille, termina-t-il en soulevant l'enfant pour l'embrasser.

Il la tendit à Gina et, prenant la main de Joanna, l'attira à son côté.

— J'avais l'intention d'attendre… Mais c'est peut-être le moment, après tout. On m'a demandé en mariage, il y a peu, et j'ai laissé passer ma chance.

Surprise, Joanna le regarda dans les yeux. Elle sentait sa main chaude dans la sienne, et était parcourue de frissons.

— J'ai parlé trop vite… J'aurais dû écouter mon cœur, plutôt que ma raison.

Il se tourna vers la jeune femme, et l'embrassa passionnément, jusqu'à ce qu'elle se laisse aller sur son torse musclé et s'abandonne à cette sensation enivrante.

— Je sais qu'un poste à responsabilités t'attend en Californie, reprit-il, lorsqu'ils se détachèrent l'un de l'autre. Seulement, ici aussi, on a besoin de médecins.

Un peu hébétée, elle se contenta de le regarder.

— Je… Je m'en suis rendu compte tout d'un coup… Parfois, la vie va si vite qu'il faut agir rapidement, avant qu'il soit trop tard.

— Trop tard ? balbutia Joanna.

— Je sais que tu ne voulais pas te fixer, Joanna. Et je sais à quel point la perte de ton bébé t'a affectée, et à quel point ton mari t'a blessée. Personnellement, je pense que c'est le plus gros abruti que la terre ait porté.

Lui lâchant la main, il tira une petite boîte de sa poche.

— Tu peux ouvrir cela plus tard, si tu le souhaites. Quelle que soit ta réponse, je resterai persuadé que tu es la femme la plus extraordinaire que j'ai jamais rencontrée. Je t'aimerai toujours, Joanna.

Les doigts tremblants, elle s'empara de la boîte.

— Je ne sais pas quoi dire.

— Alors, ne dis rien. Contente-toi de réfléchir à ma proposition.

Elle prit une longue inspiration et ouvrit lentement la boîte. Elle contenait une bague en or. Une bague ancienne, avec un solitaire enchâssé dans de petits rubis.

Par le passé, il lui était arrivé de croire que son cœur allait éclater, tant il était blessé. A présent, tous les éclats semblaient se remettre en place, et une chaleur comme elle n'en avait jamais connu auparavant envahit son corps. Le bonheur.

— Elle est… magnifique.

— Elle appartenait à ma grand-mère. Elle me l'a léguée, il y a des années, en me souhaitant autant de bonheur qu'elle en avait eu avec mon grand-père

Il lui prit la main et la porta à ses lèvres, avant de la dévisager attentivement.

— Je pense que ce sera le cas.

A minuit, tous les cadeaux avaient été ouverts, Gina et Zach avaient emmené leurs filles se coucher et Sadie et Max dormaient. Dylan et son père, eux, discutaient dans la cuisine.

Joanna était pelotonnée contre Ben. Tous deux contemplaient les braises du feu mourant.

— Quelle journée !

— Tu peux le dire !

Ses mots lui caressaient la joue et elle percevait les battements réguliers de son cœur, sous sa main. Rien n'était plus important que d'être ici, auprès de Ben et de Max.

Toutefois, il lui restait une dernière chose à avouer à Ben. Et cela risquait de ne pas lui plaire du tout.

— J'ai vu Miguel Eiden, ce matin, murmura-t-il. Je ne voulais pas en parler devant les autres, un soir de Noël, mais j'ai pensé que je devais te mettre au courant.

— Stuart a été inculpé ?

— Pire. Un randonneur a retrouvé une voiture de location dans un ravin, hier.

— Le conducteur était sain et sauf ?

— Non. Les enquêteurs attendent les résultats de l'autopsie. Il se pourrait que le chauffeur ait eu une attaque et ait quitté la route. Les policiers ont commencé à examiner les dossiers que Pennington voulait tant récupérer. Ils ont découvert que la victime était son associé, dans des affaires plutôt douteuses.

— A mettre à l'actif de Stuart ?

— Exactement.

Joanna frissonna au souvenir de la rage de Pennington, le soir où il avait essayé de pénétrer dans la clinique.

Il la dévisagea un instant et se renfrogna.

— Il y a autre chose ?

— La semaine a été rude, murmura-t-elle nerveusement. Plutôt chargée en émotions. Je me suis sentie très fatiguée et j'ai pensé que c'était à cause de tout ce qui s'était passé.

— Et ? demanda-t-il, visiblement soucieux. Tu n'as rien, dis ? Tu veux voir un médecin ?

Elle parvint à sourire, timidement.

— Pas encore. Je... Je suis passée à la clinique, ce matin, pour une urgence. Quand je suis arrivée, j'ai trouvé un petit colis, que Gina avait laissé sur mon bureau, avec un mot, selon lequel elle disait avoir un sixième sens pour ces choses-là. Elle m'a parié un repas à l'Aigle d'Argent que j'aurais bientôt quelque chose à lui annoncer.

— Un cadeau de Noël ?

— Pas exactement... Et je lui dois ce dîner, parce qu'elle avait deviné juste. Je ne fais pas vraiment attention aux dates, vois-tu, parce que c'était devenu inutile...

Elle vit aux yeux écarquillés de Ben qu'il venait de comprendre, et retint son souffle. Allen avait été horrifié, en apprenant qu'elle était enceinte, quelques années plus tôt.

Ben ne prononçant mot, elle fut prise d'une véritable logorrhée.

— J'ignore comment ça a pu se produire... Nous avons toujours pris nos précautions et il n'y a eu personne d'autre. Je ne l'ai pas fait exprès... Je ne le savais pas hier soir, quand tu... m'as demandé de t'épouser.

— Tu ne veux pas de cet enfant, dit-il sobrement, en se dégageant.

— Bien sûr que si ! Mais toi ?

Sa voix était tendue et elle ne pouvait pas se résoudre à le regarder dans les yeux.

— La seule solution, c'est que ce vieux préservatif que tu as retrouvé dans ton camion, la première fois, n'ait pas fait l'affaire et à présent…

Il se détendit et lui sourit avec une telle tendresse qu'elle faillit se détourner.

— Et si ce bébé souffre de la même maladie cardiaque que Hunter ? Si nous le perdons, lui aussi ?

— Ou elle ! corrigea-t-il en la prenant dans ses bras. Oh, Jo… Je sais bien que tu ne voulais pas reprendre ce risque. Toutefois, sache que pour ma part, je ne suis pas désolé du tout. La science fait des merveilles, non ? Tu passeras des échographies et nous saurons si tout va bien !

Elle hocha la tête, le cœur battant, une petite étincelle d'espoir s'allumant en elle.

— Il y a toutes les chances pour que cet enfant se porte comme un charme. Et si ce n'est pas le cas… Nous ferons face. Ensemble. Je t'aime, Jo… Que nous ayons toute une ribambelle de gamins ou seulement Max… Je t'aimerai jusqu'à ma mort.

Joanna se sentit submergée par l'amour et le soulagement.

— Et moi, je t'aime encore plus que ça, murmura-t-elle.

Ce jour de Noël n'avait peut-être pas le pouvoir d'effacer les autres. Mais il était le matin d'une nouvelle vie. Joanna sentit cet amour lui réchauffer le cœur et l'emplir d'une sérénité joyeuse.

Chère lectrice,

Vous nous êtes fidèle depuis longtemps?
Vous venez de faire notre connaissance?

C'est pour votre plaisir que nous avons imaginé un rendez-vous chaque mois avec vos auteurs préférés, vos AUTEURS VEDETTE dans les collections Azur et Horizon.

Les AUTEURS VEDETTE vous donneront rendez-vous pour de nouveaux livres vedette.

Pour les reconnaître, cherchez l'étoile... Elle vous guidera!

Éditions Harlequin

HARLEQUIN

LE FORUM DES LECTEURS ET LECTRICES

CHERS(ES) LECTEURS ET LECTRICES,

VOUS NOUS ETES FIDÈLES DEPUIS LONGTEMPS?

VOUS VENEZ DE FAIRE NOTRE CONNAISSANCE?

SI VOUS AVEZ DES COMMENTAIRES, DES CRITIQUES À FORMULER, DES SUGGESTIONS À OFFRIR, N'HÉSITEZ PAS… ÉCRIVEZ-NOUS À:

LES ENTERPRISES HARLEQUIN LTÉE.
498 RUE ODILE
FABREVILLE, LAVAL, QUÉBEC.
H7R 5X1

C'EST AVEC VOS PRÉCIEUX COMMENTAIRES QUE NOUS ALLONS POUVOIR MIEUX VOUS SERVIR.

DE PLUS, SI VOUS DÉSIREZ RECEVOIR UNE OU PLUSIEURS DE VOS SÉRIES HARLEQUIN PRÉFÉRÉE(S) À VOTRE DOMICILE, NE TARDEZ PAS À CONTACTER LE SERVICE D'ABONNEMENT; EN APPELANT AU (514) 875-4444 (RÉGION DE MONTRÉAL) OU 1-800-667-4444 (EXTÉRIEUR DE MONTRÉAL) OU TÉLÉCOPIEUR (514) 523-4444 OU COURRIER ELECTRONIQUE: AQCOURRIER@ABONNEMENT.QC.CA OU EN ÉCRIVANT À:

ABONNEMENT QUÉBEC
525 RUE LOUIS-PASTEUR
BOUCHERVILLE, QUÉBEC
J4B 8E7

MERCI, À L'AVANCE, DE VOTRE COOPÉRATION.

BONNE LECTURE.

HARLEQUIN.

VOTRE PASSEPORT POUR LE MONDE DE L'AMOUR.

Composé et édité par les
*éditions*Harlequin
Achevé d'imprimer en novembre 2004

à Saint-Amand-Montrond (Cher)
Dépôt légal : décembre 2004
N° d'imprimeur : 45040 — N° d'éditeur : 10949

Imprimé en France